Ehrenstein

Präparation

Gottfried W. Ehrenstein

Präparation

Unverstärkte, hochgefüllte und verstärkte Kunststoffe – Ätzen für Strukturuntersuchungen

Erlanger Kunststoff-Schadensanalyse

HANSER

Der Herausgeber:
Prof. em. Dr.-Ing. habil Dr. h.c. Gottfried Wilhelm Ehrenstein, Universität Erlangen-Nürnberg

Bibliografische Information der Deutschen Nationalbibliothek:

Die Deutsche Nationalbibliothek verzeichnet diese Publikation in der Deutschen Nationalbibliografie; detaillierte bibliografische Daten sind im Internet über <http://dnb.ddb.de> abrufbar.

www.hanser-fachbuch.de
Herstellung: Jörg Strohbach
Coverconcept: Marc Müller-Bremer, www.rebranding.de, München
Coverrealisierung: Stephan Rönigk
Logo Erlanger Kunststoff-Schadensanalyse: Tobias Mattner, M.Sc.
Satz: Kösel Media GmbH, Krugzell
Druck und Bindung: Druckerei Hubert & Co GmbH und Co KG BuchPartner, Göttingen
Printed in Germany

ISBN: 978-3-446-40382-6
E-Book-ISBN: 978-3-446-46054-6

FIAT IUSTITIA PEREAT MUNDUS

von Martin Luther und zuvor von Papst Hadrian

Meiner Frau Ute Threde-Ehrenstein in Dankbarkeit!

Der Herausgeber

(LKT Erlangen)

Prof. em. Dr.-Ing. habil Dr. h.c. Gottfried Wilhelm Ehrenstein wurde 1937 in Danzig geboren und hat nach einem humanistischen Abitur an der Technischen Hochschule Hannover Allgemeinen Maschinenbau studiert. Nach der Promotion (Prof. Matting) arbeitete er 10 Jahre in der Anwendungstechnischen Abteilung Kunststoffe der BASF AG und war gleichzeitig Lehrbeauftragter und nach der Habilitation 1976 Privatdozent der Fakultät für Maschinenbau der Universität Karlsruhe (TH, Prof. Macherauch). Von 1977 bis 1989 war er Inhaber des Lehrstuhls für Werkstoffkunde/Kunststoffe der Universität-Gesamthochschule Kassel. Nach Rufen an die TU Harburg, die Montanuniversität Leoben und die TU Berlin war er ab 1989 Professor für Kunststofftechnik des von ihm neu eingerichteten Lehrstuhls der Universität Erlangen-Nürnberg.

Von 1987 bis 1992 war er nebenamtlich Leiter des Süddeutschen Kunststoffzentrums in Würzburg. 1992 wurde er Honorarprofessor des Chemischen Instituts der Universität Qingdao, China, und 1996 Ehrendoktor der Technischen Universität Budapest. Prof. Ehrenstein ist vereidigter Sachverständiger der IHK Nürnberg für Kunststoffe und Sonderwerkstoffe auf Kunststoffbasis und des Deutschen Instituts für Bautechnik (DIBt), Berlin.

Vorwort von Prof. Schmachtenberg zur „Erlanger Kunststoff-Schadensanalyse“

Hier wächst sie also: Die Erlangener Schadensanalyse, ein Kompendium aus 10 Büchern, in dem die Methoden und Erkenntnisse dokumentiert sind, die es erlauben, Schadensbilder bei Bauteilen aus Kunststoffen zu verstehen.

Wie so oft in den Technikwissenschaften gelingt ein umfassendes Verständnis erst, wenn die präzise Beschreibung von naturwissenschaftlichen Grundlagen, hier insbesondere aus der Chemie und Physik mit dem Erfahrungswissen des Technikschaffenden eine Verbindung eingeht. Denn das meiste, was die Technik erschafft, funktioniert, ohne dass es umfassend, eindeutig und exakt beschrieben ist. Dies mag verwundern, aber es ist der Kern dessen, was gerne als die Intuition des Ingenieurs beschrieben wird.

Grundsätzlich gesehen, wird immer eine neue Technologie zuerst entwickelt und dann, auf den Erfahrungen mit dieser Technologie aufbauend, werden die naturwissenschaftlichen Grundlagen, auf denen eine solche Technologie beruht, verstanden und wissenschaftlich präzise formuliert. Ein schönes Beispiel hierfür liefert James Watt mit der Erfindung der Dampfmaschine, die er erfand bevor dann die Thermodynamik ihre Hauptsätze zur Energiewandlung überhaupt erst formulieren konnte.

Die Vielfältigkeit von Schadensformen an Kunststoffbauteilen erschließt sich aus der gelebten Anwendung: Wieso entstand der Schaden? War es ein Mangel in der Konstruktion? Wurde die Gestalt des Bauteils ungünstig gewählt? Waren die Pflichtenhefte und die hier vermerkten Anforderungen an das Bauteil unzureichend? War es ein ungeeigneter Werkstoff? Oder war es ein Mangel in der Produktion, der die Bauteileigenschaften ungünstig veränderte? Und schließlich: War der Gebrauch bestimmungsgemäß?

Aus jeder dieser Fragen öffnet sich ein Fächer tiefergehender Fragestellungen, etwa zu den thermischen, mechanischen und chemischen Einwirkungen auf das Bauteil und das hieraus resultierende Alterungsverhalten. Die Schadensanalyse erlaubt es, an einem singulären Bauteil aus dem Feld das Alterungsgeschehen im realen Betrieb zu verfolgen. Dabei geht es in der ersten Linie oft gar nicht um die Aufklärung eines bereits eingetretenen Schadens sondern viel öfter um die Frage, ob ein neues Produkt im laufenden Einsatz auch tatsächlich die geforderte Zuverlässigkeit bietet.

Es ist dem Autor, Professor Ehrenstein und den vielen Zuarbeitern hoch anzurechnen, sich der Mühsal unterworfen zu haben, die umfassenden Methoden und vielfältigen Erkenntnisse der Schadenanalyse der Kunststoffe in dieser Buchreihe zusammengefasst zu haben. Dabei ist es ein Glücksfall, dass gerade am Lehrstuhl für Kunststofftechnik der Universität Erlangen über nun schon nahezu 40 Jahre kontinuierlich an diesem Themenbereich gearbeitet wurde und nun diese Kenntnisse so umfassend zusammengetragen wurden. Ein unentbehrlicher Ratgeber, nicht nur für den Schadenssachverständigen, nein auch für alle, die sich mit der Entwicklung hochwertiger Produkte aus Kunststoffen befassen.

Prof. Dr.-Ing. E. Schmachtenberg, im Januar 2019

(RWTH Aachen)

Univ.-Prof. Dr.-Ing. Ernst Schmachtenberg, (geb. 1952) studierte an der RWTH Aachen Maschinenbau und promovierte am Institut für Kunststoffverarbeitung (IKV) zum mechanischen Verhalten von Polymerwerkstoffen. Nach verschiedenen Positionen in Wissenschaft und Wirtschaft wurde er 1993 auf den Lehrstuhl für Kunststofftechnik der Universität-GH Essen berufen und zugleich als Geschäftsführer der IKM GmbH in Essen bestellt. 2001 wechselte er auf den Lehrstuhl für Kunststoff-Werkstofftechnik der RWTH Aachen University und 2006 den Lehrstuhl für Kunststofftechnik an der Friedrich-Alexander-Universität Erlangen-Nürnberg. Von 2008 bis 2018 war er Rektor der RWTH Aachen University.

Er war Präsident der TU9, Vizepräsident des VDI und von CESAER, Vorsitzender des Board of Governors, GUtech, Oman, im Beirat der Tokyo Institute of Technology und im Vorstand des IGCS, IIT Madras/Chennai und ist Vorsitzender des Hochschulrates der TU Darmstadt.

Ernst Schmachtenberg ist verheiratet und Vater von drei Kindern.

Vorwort von Prof. Ehrenstein zur „Präparation“

Die Schadensanalyse und Qualitätssicherung erfordern in der Kunststofftechnik ungleich differenziertere Analyse-Verfahren als bei den Metallen. Zum einen ergibt sich das aus dem komplizierten Aufbau der organischen Kunststoffe aus die Anisotropie fördernden Makromolekülen mit unterschiedlichen Bindungen, die chemisch, physikalisch und mechanisch sein können, und eine starke Abhängigkeit von der Temperatur und der Höhe der Last haben. Im Gegensatz zu Metallen weisen Kunststoffe zudem drei Zustandsbereiche auf, energie-elastisch, entropie-elastisch und schmelze-/fließförmig statt nur der üblichen Zustände fest und flüssig.

Bauteile aus Kunststoffen werden formgenau hergestellt und integral als Gehäuse-, Verbindungs- und Funktionselemente eingesetzt. Die mechanischen und thermischen Eigenschaften können mit Additiven, Füll- und Verstärkungsstoffen in einem weiten Rahmen variiert werden. Einige werden für spezielle Anwendungen modifiziert. Viele dieser Modifikationen sind dem Anwender nicht bekannt und auch kaum analysierbar.

Für die wichtigsten Kennwerte stehen eine Fülle von Tabellenwerten und Kunststoffdatenbanken zur Verfügung. Trotz dieser Hilfestellung ist für eine kunststoffgerechte Konstruktion eine intensive Auseinandersetzung mit den speziellen Eigenschaften und vielfältigen Erfahrungen im Umgang mit Kunststoffen notwendig.

Inwieweit die Vorgaben durch die Kunststoffeigenschaften in den einzelnen Prozessstufen den Anforderungen genügen, ist häufig schwer zu beurteilen. Es beginnt mit der Bereitstellung des Materials, der konstruktiven Auslegung, der Fertigung von Werkzeugen unterschiedlicher Konstitution und damit im singulären Entwicklungszustand mit dem Ergebnis von Formteilen in unterschiedlichem prototypischen Zustand. Zeitabhängige Strukturentwicklungen, aber auch Abbaureaktionen können einen erheblichen Einfluss haben.

Nicht übersehen werden darf, dass viele Strukturmerkmale noch nicht ausreichend bekannt sind. Selbst selbstverständliche Annahmen wie eine Fließtemperatur bei amorphen Thermoplasten ist bis heute nicht definiert, obwohl fast alle amorphen Thermoplaste über die fließfähige Phase verarbeitet werden.

Andere Beispiele zeigen, dass die zur Charakterisierung des Temperatur-Steifigkeits-Verhaltens von Kunststoffen üblicherweise herangezogenen Methoden alleine nicht in der Lage sind, dem Konstrukteur zuverlässige Unterlagen für seine Konstruktionsrechnung zu liefern. So stellt der führende Kunststofftechniker, Dr.-Ing. Karl Oberbach fest, dass für ein konditioniertes PA Formbeständigkeiten zwischen 40 und 200 °C je nach angewandter genormter Prüfmethode (Schubmodul; Vicat B; ISO 75A; HDT) gemessen werden können. Besonders kritisch sieht er den Biegeversuch.

Alle Schadensuntersuchungen beginnen mit der Präparation der Prüfkörper und so auch diese Reihe der Bücher der Erlanger Kunststoffschadensanalyse. Ihnen liegen jahrzehntelange Erfahrungen in der Großchemie, in zwei Universitätsinstituten und dem Süddeutschen Kunststoffzentrum zugrunde, die zusammenfassend im Lehrstuhl für Kunststofftechnik in Erlangen unter besonderer Mitwirkung von Frau Dipl.-Ing. (FH) Gabriela, Riedel, der Leiterin der Analytik, und ihrer langjährigen exzellenten Vertreterin Pia Trawiel erfolgten. Mein besonderer Dank gilt den Laborleiterinnen Mikroskopie des LKT in Erlangen, Frau Birgit Kaiser, Frau Dipl.-Ing. (FH) Helen Petukhov und Marion Untheim für Ihre vielfältige, fachkundige Hilfe und Herrn Dr.-Ing. Jörg Trempler, Martin Luther Universität, Halle, für die kritische Durchsicht und konstruktive Bemerkungen und Anregungen.

Gedankt sei besonders den über lange Zeit helfenden sorgfältigen Formatierern der komplexen Texte und Bilder, den Studenten Stefan Michaloudis und Benjamin Klevanski aus Erlangen, Engin Erginoglu aus Kassel und Tobias Mattner aus Bremen sowie der Kasseler Schriftstellerin Nicole Zaspel.

Die Zielgruppe dieser Buchreihe sind die Anwender und Praktiker. Hier tritt der Aspekt des wissenschaftlichen Arbeitens zurück hinter den Aspekt der sicheren Beherrschung des aber oft lückenhaften Standes der Technik. Der Stand der Technik kann sich häufig nur auf einzelne Punkte konzentrieren, wobei auch häufig bei der Schadensanalyse nur einzelne Betrachtungspunkte wichtig sind. Da diese Betrachtungspunkte aber häufig nicht zusammengefasst werden können, unter irgendeinen übergeordneten Gesichtspunkt oder einer Sichtweise wie wissenschaftliche Themen; müssen diese anschaulich und leicht auffindbar dargestellt werden.

In diesem komplexen Umfeld ist die sinnvolle Präparation der Prüfkörper für die einzelnen Kunststoffarten vielfältig und muss material- und schadensgerecht sorgfältig durchgeführt werden. Diesem Thema widmet sich der erste Band der „Erlanger Kunststoff-Schadensanalyse" mit den Einzelthemen:

- Präparation: Unverstärkte Kunststoffe, Hochgefüllte Kunststoffe, Verstärkte Kunststoffe und Ätzen für Strukturuntersuchungen

Prof. Gottfried W. Ehrenstein, im Januar 2019

Inhalt

1 Präparation unverstärkter Kunststoffe

1.1 Einleitung

Neben den Präparationsverfahren klassischer metallischer Werkstoffe erfordern polymere Materialien von dem Bearbeiter neue, bisher oft unbekannte Präparationsmethoden. Zusätzlich zu An- und Dünnschliffen können z. B. noch dünne Schnitte, Filme, Fasern und Körner als Präparate untersucht werden.

Die Beurteilung des Gefüges von Kunststoffen in der Mikroskopie hat sich als Mittel zur Qualitätskontrolle und Schadensanalyse etabliert. Voraussetzung für eine richtige Interpretation eines mikroskopischen Bildes ist die artefaktfreie (= keine durch das Mikroskopieverfahren selbst hervorgerufene Erscheinung) und je nach Material und Untersuchungsziel geeignete Auswahl der Präparation. In diesem Beitrag werden die Methoden zur Präparation unverstärkter Kunststoffe und deren Vorgehen zur Erzielung eines aussagekräftigen Ergebnisses beschrieben.

Der hohe Transmissionsgrad der Kunststoffe erlaubt durch das Betrachten dünner Schnitte im Durchlicht Aussagen über die morphologische Struktur. Da einzelne Moleküle mikroskopisch nicht erkennbar sind, können nur übergeordnete makroskopische Strukturen oder Beeinflussungen von größeren Bereichen identifiziert und beurteilt werden. Aufgrund des Aufbaus der Kunststoffe sind mehrphasige Systeme, wie teilkristalline Thermoplaste, gefüllte und verstärkte Kunststoffe aller Art, einer mikroskopischen Beurteilung im Durch- und Auflicht leichter zugänglich als amorphe, ungefüllte Polymere.

Unter diesen Gesichtspunkten ermöglicht die Mikroskopie Aussagen zu:

- Struktur und Abweichungen von dem idealen Zustand durch Verarbeitungsunregelmäßigkeit und unsachgemäße Verarbeitungsparameter
- Fremdeinschlüsse und Verunreinigungen, nicht aufgeschmolzene Materialpartikel
- Thermische Schädigung während der Verarbeitung
- Verteilung von Füllstoffen und Pigmenten

- Lunker, Fehlstellen, Bindenähte
- Molekül- und Verstärkungsmaterialorientierungen
- Eigenspannungszustände durch innere und äußere Kräfte (sowie Deformationen durch den Schadensablauf)
- Schichtdicken bei Oberflächenveredelung
- Crazes, Sphärolithstrukturen

Die Problemstellungen reichen von der reinen Werkstoffbeurteilung über die Sicherung der Qualität einer Fertigung bis hin zur Beurteilung von Schadensursachen. Die Aussagesicherheit hängt von vielen Faktoren ab, häufig auch von parallel durchgeführten Versuchen nach anderen Untersuchungsverfahren.

Tabelle 1.1 zeigt die wichtigsten Präparationsmethoden für lichtmikroskopische Untersuchungen an Kunststoffen.

Tabelle 1.1 Ausgewählte Präparationsmethoden für die Kunststoffmikroskopie (nach *Trempler*)

Präparat	Herstellung	Anwendung
Totalpräparat	unzerstörtes Probenteil aussuchen, meist Makrobetrachtung	zerstörungsfreie Prüfmethode mit schneller Fehlererkennung, für Automatisierung der Prüfung
Anschliffpräparat	Anschliffe manuell oder automatisch herstellen und kontrastieren	Auflichtmikroskopie an Verbunden, harten und spröden Werkstoffen
Dick- und Dünnschliffpräparat	Anschliff aufkitten und auf gewünschte Dicke bringen, Polierabtrag beachten	Durchlichtmikroskopie an Verbunden, harten sowie spröden Stoffen, wichtig für messende Mikroskopie
Dünnschnittpräparat	Mikrotomschnitt mit Diamant-, Glas- oder Metallmessern. Schnittdicke 1 - 30 µm	Durchlichtmikroskopie an weichen, transparenten bis transluzenten Werkstoffen
Bruch- oder Oberflächenpräparat	unbeeinflusste Oberfläche oder definiert hergestellte Bruchfläche	Auflicht- und Elektronenmikroskopie an Verbunden und gefüllten Werkstoffen
Körnerpräparat	Körner in hochviskoses Immersionsmittel einbringen, Korndrehen durch Deckglasverschiebung möglich	Korngrößenverteilung, Morphologie, Rundheitsgrad, Oberfläche, Verwachsungen
Fasereinbettungspräparat	auf Objektträger kleben, teilweise einbetten für Brechzahlmessung	Faseruntersuchungen, Dickenverteilung, Faseroberfläche, Faser-Enden, Messung optischer Daten
Filmpräparat	Lösung der Probe auf Objektträger verdunsten, Schmelze auf Flüssigkeit erstarren lassen	Wachstumsuntersuchungen, optische Daten, Porosität, Größenverteilung

Bedingt durch die Vielzahl der Präparationsmethoden und der sehr unterschiedlichen Probenmaterialien kommt der klaren Definition des Untersuchungszieles und der Einschätzung der gegebenen Möglichkeiten eine wesentliche Bedeutung zu. Die gegenüber den Metallen beträchtlich größere Vielfalt der Strukturausbildungsmöglichkeiten der Kunststoffe erfordert für deren Darstellung eine beträchtlich größere Vielfalt der mikroskopischen Gerätetechnik. Einschränkungen bei der Charakterisierung ergeben sich daher in gerätetechnischer Begrenzung und der stofflichen Vielfalt. Tabelle 1.2 soll helfen, für die gestellte Untersuchungsaufgabe an einer Kunststoffprobe ein optimales Mikroskopieverfahren auszuwählen.

Tabelle 1.2 Lichtmikroskopische Untersuchungsmöglichkeiten an Kunststoffen (nach *Trempler*)

Werkstoff	Untersuchungsmethode	Bewertungskriterien	Untersuchungsziel Fehlercharakterisierung
Homogene Kunststoffe			
amorphe Kunststoffe	Polarisationsdurchlicht-mikroskopie	Gangunterschied, Doppelbrechung, Brechungsindex	Fließnähte, Bindefehler, Anisotropieerscheinungen, Inhomogenitäten
teilkristalline Kunststoffe	Polarisationsdurchlicht-mikroskopie geätzte Anschliffe	Ausbildung von Überstrukturen	Temperatureinflüsse, Fließnähte, Bindefehler
Elastomere	Polarisationsdurchlicht-mikroskopie	Gangunterschied, Doppelbrechung	Dehnungsverhalten
Heterogene Kunststoffe			
Mischungen	Polarisations- und Phasenkontrastdurchlicht-mikroskopie, Anschliffe, Bruchpräparate	Art, Größe und Verteilung der Phasen, Brechzahlmessung, Thermooptische Analyse	Temperatureinflüsse, Fehler bei Art und Verteilung der Phasen, Anisotropieerscheinungen
gefüllte Kunststoffe	Auflicht Hell- und Dunkelfeld, Differentieller Interferenzkontrast, alle Methoden der Durchlicht-mikroskopie	Art, Größe und Verteilung der Phasen	Fehler bei Art, Größe und Verteilung der Füllstoffe, Agglomeratbildung, Anisotropieerscheinungen

1.2 Probennahme und Probenvorbereitung

1.2.1 Probennahme

Probennahme und Probenvorbereitung entscheiden als erste Schritte der Präparation bereits ganz erheblich über Erfolg oder Misserfolg der Werkstoffcharakterisierung. Da bei der Probennahme meist die Abtrennung einer repräsentativen Teilmenge aus der Gesamtmenge des interessierenden und zur Verfügung stehenden Materials erfolgt, entscheiden mögliche Fehler in diesem Arbeitsgang ganz wesentlich über die Qualität der gewonnenen Aussagen. Fehler in diesem Arbeitsgang lassen sich später nur schwer oder gar nicht beseitigen. Unter diesem Gesichtspunkt sollten möglichst viele Einzelproben von räumlich unterschiedlichen Bereichen des vorliegenden Materials genommen werden. Von größter Wichtigkeit ist die exakte Kenntnis und Dokumentation der räumlichen Lage und damit der späteren Beobachtungsebene der entnommenen Probe zum gesamten Formteil. Zur Probennahme bei festen polymeren Werkstoffen gehören folgende Schritte:

- Festlegen des Probendurchlaufes im Labor entsprechend dem Qualitätssicherungshandbuch
- Festlegen der Beobachtungsebene (längs, quer, flach, schräg)
- Festlegen des Probenentnahmeortes (möglichst mehrere für Vergleichsuntersuchungen)
- Festlegen der erforderlichen Probenanzahl (Stichprobenplan für statistische Untersuchungen)
- Probenentnahme und unverwechselbare Kennzeichnung
- Festlegung der Bedingungen für die Probenaufbewahrung (Temperatur, Feuchtigkeit, unerwünschte oder erwünschte Chemikalieneinflüsse aus der Umgebung)

1.2.2 Probenvorbereitung

Die Probenvorbereitung umfasst alle Methoden, welche dazu dienen, die gewonnene Urprobe optimal an die Untersuchungsanforderungen anzupassen. Unter anderem zählt dazu z. B. bei Körnerproben die Trocknung, Zerkleinerung, Dispergierung, Korngrößenfraktionierung, Phasentrennung sowie Probenmischung und Homogenisierung. Zur Probenvorbereitung gehören grundsätzlich folgende Überlegungen:

- *Ziel der Untersuchung (Phasen-, Struktur-, Gefüge-, Korn- oder Oberflächenuntersuchung).* Können die Untersuchungen kombiniert werden, Reihenfolge der Methoden, steht die Probe in der ursprünglichen Beschaffenheit nach einer gewählten Methode noch für andere Verfahren zur Verfügung?

- *Beschaffenheit der Probe und Eigenschaften der Substanz.* Wie werden diese bei späteren Präparationen oder Untersuchungen verändert? (Temperatur, Druck, Feuchte, Beständigkeit)
- *Vorgesehene Präparationsmethode und geplante Untersuchungsverfahren.* Welche Fehler können durch die Präparation eingebracht werden? Lassen sich alle vermeiden? Wie? Können die verbleibenden Fehler bei allen vorgesehenen Untersuchungsmethoden toleriert werden?

Tabelle 1.3 zeigt eine Übersicht über wichtige Methoden der Probenvorbereitung.

Tabelle 1.3 Probenvorbereitung

Proben-vorbereitung	Herstellung	Anwendung
Tränken, Verfestigen	Probe unter Vakuum mit meist eingefärbten oder fluoreszierenden kaltaushärtenden Kunststoffen tränken	lockere und poröse Materialien, offenporige Schwämme, Risse und/oder Poren
Trennen	Niedertourensäge, Diamantdrahtsäge, Säuresäge, Skalpell (Temperatur!)	Herstellen einer gut weiterverarbeitbaren Urprobe
Einbetten, Einspannen	Probe in kaltaushärtendes Harz eingießen, Aushärtetemperatur nach Möglichkeit nicht über 10 – 40 °C	Einbetten für automatische Präparation, sehr empfindliche Proben, unregelmäßige Oberflächen und Pulver.
	Einspannen in Platten des gleichen oder ähnlichen Materials wie die Probe	Einspannen bei Platten und einfachen Profilen

Bereits bei diesen vor der eigentlichen Präparation erfolgenden Arbeitsgängen können eine Reihe von Fehlern auftreten. Tabelle 1.4 zeigt einige der wichtigsten Fehlermöglichkeiten und gibt Vorschläge zu deren Behebung. Oftmals sind die Fehler im Rahmen der Probenvorbereitung auf die chemische Unbeständigkeit der Proben gegenüber den Einbett- oder Tränkungsreagentien zurückzuführen. Weitere Fehler treten durch die schon bei geringen Temperaturerhöhungen einsetzenden Probenveränderungen auf.

Tabelle 1.4 Fehler und Vorschläge zu deren Vermeidung, bei der Probenvorbereitung

Aufgetretene Fehler/Fehlerursache	Auswirkung auf die Probe	Vorschläge zur Behebung der Fehlerursache
Fehler beim Tränken der Probe	falsche Viskosität des Tränkmittels verhindert Eindringen in Risse oder/-und Poren, Bildung von Luftblasen	Tränkungsmittel verdünnen, Tränkung unter Vakuum durchführen, anderes Tränkungsmittel verwenden
	Komponenten des Tränkungsmittels lösen die Probe an oder diffundieren in die Probe	anderes Tränkungsmittel verwenden
	lichtaushärtendes Tränkungsmittel kann nicht aushärten	
Fehler beim Trennen der Probe	Temperatur- und/oder Chemikalieneinfluss, Diffusionsschichten, Brechzahlveränderung, Anisotropieveränderungen, Veränderung der Sphärolithgröße durch zu hohe Temperatur	deutlich geringere Trenngeschwindigkeit, schonenderes Trennverfahren, anderes Kühlmittel, Abkühlpausen einplanen
Fehler durch falsches Einbettmittel	zu hohe Temperatur beim Aushärten kann Strukturveränderungen bewirken, Anisotropieveränderungen durch Einbettmittelschrumpfung, Veränderung der Sphärolithgröße durch zu hohe Polymerisationstemperatur des Einbettmittels	Wärmeabführung durch Metalleinlagerungen in oder um die Einbettung oder anderes Einbettmittel
	Komponenten des Einbettmittels diffundieren in die Probe, Ausbildung von Härteunterschieden, Brechzahl- und Anisotropieveränderungen	Schutzschichten auf die Probe aufbringen oder anderes Einbettmittel
	Einbettmittel schrumpft beim Aushärten, Spaltbildung oder Abreißen von Beschichtungen oder von oberflächennahen Bereichen, Veränderung der Geometrie von Zellstrukturen	anderes Einbettmittel

Die Untersuchung einer belastungsrelevanten oder beschädigten Stelle im Bauteil erfordert eine Probenentnahme nahe dieser. Für Vergleichszwecke sollte immer auch eine Probe an einer unbeschädigten Stelle entnommen werden. Dabei sind mögliche chemische und/oder thermische Einflüsse bei der Entnahme zu berücksichtigen. Zu deren Vermeidung ist sinnvoll, vorerst mit einer geeigneten Säge (z.B. Band-, Bügel- oder Laubsäge) eine größere Probe zu entnehmen und gegebenenfalls anschließend mit einer wassergekühlten Niedertourensäge den relevanten Bereich herauszuarbeiten (Bild 1.1).

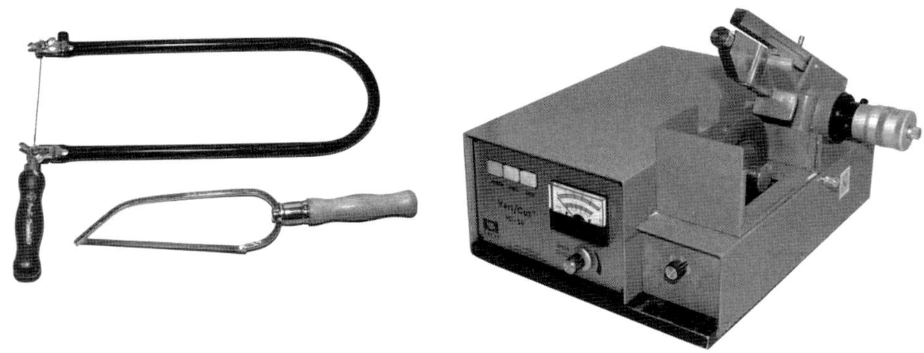

Bild 1.1 Handsägen (links) und Niedertourensäge (rechts) zur Probenentnahme

1.3 Einbetten und Vorbereitung der Proben

Die wichtigsten Forderungen bei der Präparation sind, dass:

1. die schadens- oder funktionsrelevante Stelle untersucht wird und
2. diese beim Trennen, Einbetten, Herstellen des Schnitts und Präparieren unter dem Mikroskop nicht beeinflusst und damit verfälscht wird.

1.3.1 Einbetten

Die sorgfältige Vorbereitung der zur Verfügung stehenden Proben ist bei allen Analyseverfahren wesentlich für eine aussagefähige Analyse. Da bei der Schadensanalyse oft nur wenige Proben vorhanden sein können (oft liegt nur ein Unikat vor!) und nach der Probenpräparation die Formteile u. U. nicht mehr zuzuordnen sind, ist die genaue Dokumentation und Beschriftung der Proben erste Voraussetzung für die spätere Interpretation der Messergebnisse.

Die Festlegung der Entnahmestelle und fachgerechte Präparation der sehr kleinen Probe ist von großer Bedeutung. Aufgrund der kleinen Probenmengen ist eine sehr selektive Entnahme (z. B. Oberfläche, Kern, Querschnitt, angussnah, angussfern, nahe Schadensbild, in Ecken, an kritischen Kanten usw.) von entscheidender Bedeutung für die spätere Interpretation der Ergebnisse.

Falls Einbettmittel aus Stabilitätsgründen erforderlich sind, ist im Vorfeld die Zielsetzung einer Einbettung einschließlich der Auswahl der richtigen Einbettmittel zu treffen. Alle notwendigen Hilfsmittel sind bereitzustellen.

Chemisch reagierende Einbettmittel können mit ihrer Reaktionswärme die Morphologie der Proben deutlich beeinflussen.

Als Einbettmittel werden normalerweise chemisch reagierende Reaktionsharzsysteme eingesetzt, die zunächst flüssig die Proben einbetten, wobei normalerweise der zu bearbeitende Teil der Probe aus der Einbettmasse herausragt. Die einsetzende chemische Reaktion verfestigt die Einbettmasse, und diese wird für die Fixierung im Mikrotom dann meistens spanend bearbeitet.

Schnell reagierende und härtende Einbettmassen weisen reaktionsbedingt höhere Temperaturen auf. Wegen der schlechten Wärmeableitung und des daraus folgenden Temperaturstaus sind großvolumige Einbettungen zu vermeiden. Zudem ist die Schwindung zu beachten. Diese sollte weitgehend noch im viskosen Zustand erfolgen, um Ablösungen und Risse zu vermeiden. Üblich sind folgende Einbettmassen:

- *Epoxidharze sind Polyaddukte*, die langsam reagieren, da jeweils ein Harz- und ein Härtermolekül miteinander reagieren. Eine langsame Reaktion bedeutet auch eine geringe Temperaturerhöhung, je nach System bei 8 Stunden Reaktionszeit ca. 60 °C, bei 12 Stunden ca. 40 °C. Bei > 50 % der möglichen Reaktionen sind die Harzsysteme noch flüssig, so dass ein großer Teil der Schwindung im flüssigen Zustand ohne Beeinträchtigung abläuft, eine geringe Nachschwindung also für die Fixierung der Proben vorteilhaft ist. Außerdem haben Epoxidharze hervorragende Hafteigenschaften. Sie sind aber auch deutlich teurer als die anderen Harzsysteme.
- *Polyesterharze* sind Polymerisationssysteme: Ist die Reaktion einmal angestoßen, läuft sie schnell ab. Schon bei 10 % der möglichen Reaktionen können die Harzsysteme ihren Gelpunkt erreicht haben, d. h. sie sind nicht mehr flüssig verformbar. Die noch verbleibende Reaktion führt zu einer nicht vermeidbaren Schwindung und damit möglicherweise je nach geometrischen Bedingungen der Proben zu Spalten und Rissen, was allerdings bei Umhüllungen nicht immer kritisch ist. Polyesterharze haften passabel und sind sehr viel billiger als Epoxidharze.
- *Methacrylatharze:* Eine kurze Dauer der Aushärtung verbunden mit großer Wärmeentwicklung ergibt sich beim Methylmethacrylat. Seine Aushärtedauer beträgt 4 bis 10 Minuten. Die während der Aushärtung entstehenden hohen Temperaturen (90 °C bis 110 °C) sind nicht für jede Probe geeignet, außerdem besteht während dieser Zeit die Gefahr, dass sich die Probe stellenweise durch den Reaktionsschwund des Harzes ablöst. Dadurch ist ein fester Sitz des Präparates im Einbettharz nicht mehr gewährleistet. Weiterhin können chemische Prozesse die Probe schädigen.

Eine Reihe von Kunststoffen werden jedoch durch Methacrylate chemisch angegriffen: Daher ist vor dem Einbetten die Verträglichkeit zu überprüfen.

Eine Besonderheit sind die lichtaushärtenden Harze, die den besonderen Vorteil haben, dass der Beginn der Reaktion gezielt gesteuert werden kann. Sie haben weiterhin den großen Vorteil, dass durch gesteuerte Aushärteprogramme die Temperaturbelastung des Systems minimiert werden kann.

Um die Eignung der Einbettharze zu überprüfen, empfiehlt sich folgendes Prüfschema:

- glatte, möglichst glänzende Probenstelle aussuchen, die für die spätere Beurteilung nicht wichtig ist
- die Komponenten und Mischung der Einbettmaterialien als Tropfen auf diese Stelle geben
- einige Minuten einwirken lassen. Das Material sollte solange weitgehend flüssig sein
- vorsichtig mit weichem, fusselfreien Papier abwischen
- Einwirkstelle mit Lupe oder Stereomikroskop bei streifendem Lichteinfall beurteilen
- kein Kleben dieser Stelle an Watte oder Oberflächenbeschädigung durch Aufrauen nachweisbar

Das Einbetten einer Schnitt- oder Schliffprobe muss sorgfältig durchgeführt werden, da viele Proben nicht direkt in die Spannvorrichtung des Mikrotoms eingespannt werden können und durch die Einspannkräfte verfälschende Deformationen hervorgerufen werden können. Um diese Fehlerquelle auszuschließen, werden die Proben in Reaktionsharze eingebettet. Zum Einbetten wird die Probe mit Kleber (z. B. lösungsmittelfreiem Sekundenkleber) in einer kommerziell erhältlichen Einbettform (z. B. aus Silikonkautschuk, Polypropylen, Polyoxymethylen, am besten Polytetrafluorethylen) fixiert, um ein Aufschwimmen der Probe zu verhindern und eine leichte Entformung zu ermöglichen. Eine Alternative zum Fixieren sind lichtbeständige Harze.

Für eine spätere Einspannung ins Mikrotom erweist sich eine Form mit zwei parallelen Seiten als günstig, die bei einer runden Einbettform nach dem Aushärten spanend hergestellt werden müssen (Bild 1.2, unten rechts).

Beim Einbetten ergibt sich folgendes Vorgehen:

- Fixieren der Probe auf dem Boden der Einbettform
- Einfetten der Einbettform mit Vaseline
- Anmischen des Einbettmittels
- Einbetten der Probe in der Einbettform
- Aushärten bei Umgebungstemperatur
- Profilieren der Probe für Einspannung
- Anschleifen der Probe
- Polieren der Probe

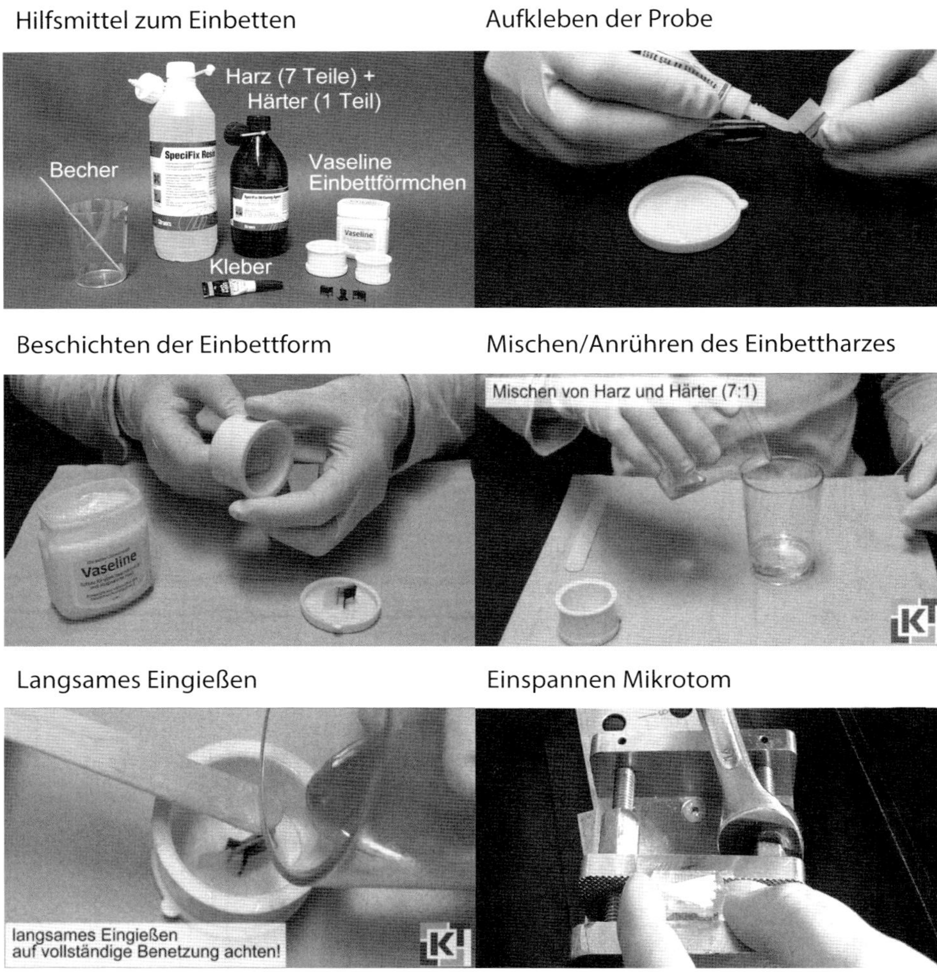

Bild 1.2 Einbetten von Proben in Einbettform

Anschließend wird das langsam und möglichst blasenfrei vorgemischte Harzsystem eingebracht, wobei die Proben je nach Stabilität einige mm herausragen oder vollständig bedeckt sind. Lufteinschlüsse sollten dabei vermieden werden. Bei komplizierten Geometrien kann eine Vakuumeinbettung erfolgen, die die Füllung enger Hohlräume begünstigt und unerwünschte Lufteinschlüsse vermeidet. Weitere Gründe sind:

- der Schutz gegen Kantenausbruch,
- Fehlen von einspannbaren, z. B. parallelen Geometrien,
- Kleinstproben,
- nicht stabile Folien usw. (Bild 1.3).

Das Einbetten kommt vorwiegend bei weichen Werkstoffen oder dünnwandigen Bauteilen zur Anwendung. Eigens hierfür hat die Industrie unterschiedliche Einbettmittel auf den Markt gebracht.

Das Einbettmittel wird jedes Mal kurz vor seiner Verwendung angemischt. Es handelt sich dabei um verschiedene Reaktionsharzmassen. Sie unterscheiden sich in ihrer Wärmeentwicklung während des Aushärtens und in ihrer Aushärtedauer. Gesichtspunkte für die Wahl des Einbettharzes sind – neben der Reaktionstemperatur – der Preis, die Schwindung, die Aushärtezeit sowie Anforderungen durch Folgeuntersuchungen wie Härte und Polierfähigkeit.

Bild 1.3 Notwendigkeit der Einbettung bei unregelmäßig geformter Probe (POM-Zahnrad)

Eine kurze Dauer der Aushärtung, verbunden mit großer Wärmeentwicklung, ergibt sich beim Methylmethacrylatharz. Seine Aushärtedauer beträgt 4 bis 10 min. Die während der Aushärtung entstehenden hohen Temperaturen (90 °C bis 110 °C) sind nicht für jede Probe geeignet, außerdem besteht während dieser Zeit die Gefahr, dass sich die Probe stellenweise durch den Reaktionsschwund des Harzes ablöst. Dadurch ist ein fester Sitz des Präparats im Einbettharz nicht mehr gewährleistet. Weiterhin werden viele Kunststoffe durch Methylmethacrylate chemisch geschädigt. Hier ist unbedingt eine Prüfung auf die Verträglichkeit durchzuführen.

Eine geringe Wärmeentwicklung, verbunden mit einer Aushärtezeit um 20 Stunden, ergibt sich bei Epoxidharzen. Das Harz hat nach der Aushärtung eine gelbliche Farbe und ist transparent. Beide Harze härten ohne Wärmezufuhr von außen. Es ist darauf hinzuweisen, dass das Mischungsverhältnis von Epoxidharz zu Härter genau eingehalten werden muss, da das Harz sonst ungenügend aushärtet (Polyadditionsreaktion).

1.3.2 Vorbehandlung

Es gibt einige Vorbehandlungsmethoden die individuell nützlich sein können.

Einfärben

Durch Einfärben werden feine Risse, und in Verbindung mit Wärme, Schweißlinien und Erwärmungsbereiche plastisch sichtbar gemacht.

Heißluftbehandlung

Mit der Heißluftbehandlung werden Formteileigenspannungen plastisch sichtbar. Durch das gleichzeitige Tempern erfolgt zudem eine Reduzierung der Formteileigenspannungen. Um z. B. die Breite einer Heizelementschweißnaht zu erkennen, wird ein Blockschliff mit SIC-Nassschleifpapier, Körnung 1200, durch die Schweißnaht angefertigt und vorsichtig mit einem Heißluftföhn mit 320 °C abgefächelt.

Kältebehandlung

Durch eine Kältebehandlung werden z. B. weiche Kunststoffe (Elastomere) für Dünnschnitte härter, erst dann können sie geschnitten werden. Ein Kältespray reicht dazu nicht aus, weil der Wärmeinhalt des Mikrotommessers im Vergleich zum entstehenden Dünnschnitt viel zu groß ist. Das gelingt nur mit einer Kryostatanlage.

Kleben (Aufkleben, Zusammenkleben)

Schwer handhabbare, vielkantige Proben werden zur Untersuchung oder Weiterbearbeitung mit 2K-Klebstoffen auf EP-, UP- und Acrylbasis oder 1K-Cyano-acrylat-Klebstoffen auf Probenhalter oder Glasobjektträger geklebt und danach z. B. geschliffen (1K und 2K = Einkomponenten- und Zweikomponenten-Mischungen).

Klebstreifenmethode

Die Klebstreifenmethode dient überwiegend der Haftfestigkeitsprüfung von Lacken und Beschichtungen. Auf die zu untersuchende Lackschicht wird ein Klebstreifen luftblasenfrei aufgerieben und senkrecht zur Oberfläche ruckartig abgerissen. Je mehr Lackpartikel anhaften, desto schlechter ist die Haftfestigkeit.

Schaben

Schaben ist ein Oberflächenabtrag mit einem Skalpell oder Schaber, um z. B. bei einem lackierten Formteil die Kunststoffoberfläche oder bei Mehrschichtlackierungen einzelne Lackschichten freizulegen.

1.4 Verschiedene Präparationsverfahren

1.4.1 Ganzteilpräparation

Totalpräparate sind im Allgemeinen fertige Formteile, die sofort oder nach einer festgelegten Zeit einer Sichtprüfung mit dem bloßen Auge oder einer Lupe unterzogen werden. Diese kann stichprobenartig an Einzelstücken erfolgen oder automatisiert an allen hergestellten Teilen durch den Einsatz der digitalen Bildauswertung durchgeführt werden. Wichtigste Einflussgröße für eine gute Sichtbarkeit der Fehler ist die optimale Gestaltung der Probenbeleuchtung. Bei transparenten Kunststoffteilen kann man davon ausgehen, dass diese meist aus amorphen, ungefärbten Werkstoffen gefertigt sind. Hier sollte die Fehlerauswertung im linear oder zirkular polarisierten Durchlicht erfolgen. Bei dieser Durchlichtbetrachtung lassen sich Fehler im Angussbereich und Fließnähte sehr leicht und schnell erkennen. Bei unvollständig geschlossenem Werkzeug fließt die Formmasse in den Werkzeugschlitz und bildet „Schwimmhäute“ aus (Bild 1.4).

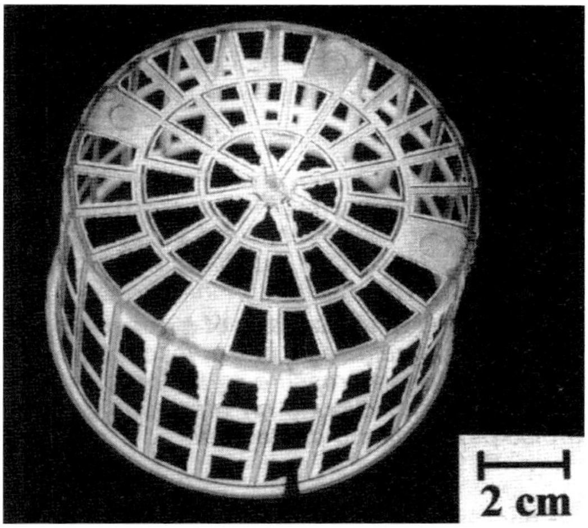

Bild 1.4
Schwimmhäute an Stegen eines aus PP gespritzten Fruchtkörbchens durch unvollständig geschlossenes Werkzeug, Makroaufnahme

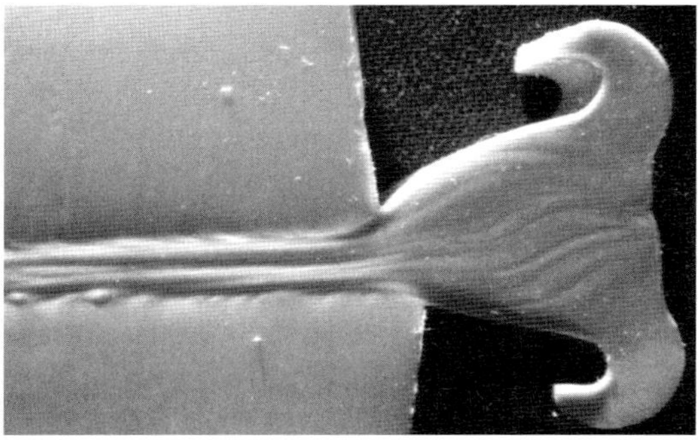

Bild 1.5
Schweißnaht in einer mit Kreide gefüllten Polypropylenprobe, thermisch geätzt, Makroaufnahme

Sind die Formteile opak, wird die Fehlstelle mit schräg einfallendem Licht betrachtet. Hier sind der Einfallswinkel und die Einfallsrichtung von ausschlaggebender Bedeutung für die Kontrastierung. Ohne weitere Bearbeitung lassen sich die durch die thermische Schrumpfung entstandenen Einfallstellen in der Nähe von Massenanhäufungen innerhalb des Formteiles erkennen. Sollen an opaken Formteilen Fließ- oder Schweißnähte nachgewiesen werden, so wird von dem betreffenden Bereich etwa 1 mm (je nach Formteildicke) bis zur Körnung 2400 abgeschliffen. Die Schlifffläche wird in einem Abstand von etwa 1 bis 2 mm über einer Wärmeplatte bis 15 bis 20 °C unterhalb der Schmelztemperatur des betreffenden Kunststoffes für 5 bis maximal 10 Sekunden erhitzt. Durch die Relaxation der oberflächennahen Bereiche kommt es zu einer deutlichen Nahtaufwölbung, die im Schräglicht gut auszuwerten ist (Bild 1.5).

An Totalpräparaten ist die Überprüfung folgender Fehlermöglichkeiten denkbar:

- Einfallstellen durch Schrumpfung des Kunststoffes im Bereich massereicher Formteilstellen
- Einschluss von artfremdem oder meist thermisch geschädigtem arteigenem Material an der Oberfläche der Formteile
- Bindefehler durch falsche Angussgestaltung
- Oberflächenartefakte durch Verarbeitungsfehler (Schmelzenbruch, Schleier, matte Stellen)
- Unvollständige Ausformung der Bauteile durch Materialmangel
- Fließfehler im Angussbereich

1.4.2 Anschliff

Anschliffe können neben der bekannten metallographischen Anschlifftechnologie bei den vorliegenden Polymeren oft auch durch Überschneiden mit einem Mikrotom oder Präparation mit einer Ultrafräse hergestellt werden. Bei diesen Präparationsverfahren sind die Verformungsschichten und damit die Artefakte äußerst gering, damit kann in sehr vielen Fällen nach diesen Präparationsarten sofort mit einer Kontrastierung oder Beobachtung der Probe begonnen werden. Die Zeitersparnis gegenüber einer Anschliffherstellung ist erheblich.

Sind die Werkstoffe jedoch sehr spröde oder enthalten harte Verstärkungsmaterialien oder Füllstoffe, so sollte die klassische Schlifftechnik angewendet werden. Die Bearbeitung kann wie bei den meisten Metallen mit Siliziumkarbid- oder Diamantwerkzeugen erfolgen. Einen wesentlichen Einfluss auf das Präparationsergebnis haben bei allen polymeren Werkstoffen die Kühlrate und Kühlmittelzusammensetzung. Wird besonders bei feineren Schleifmittelkörnungen die Kühlung vernachlässigt, so kommt es sehr leicht zu thermischen Schädigungen der Probenoberfläche (Bild 1.6).

Neben dem Aufschmelzen der oberflächennahen Bereiche können sich durch die Erwärmung und damit verbundene Erweichung in die Probe Schleif- und/-oder Poliermittelkörner eindrücken (Bild 1.7).

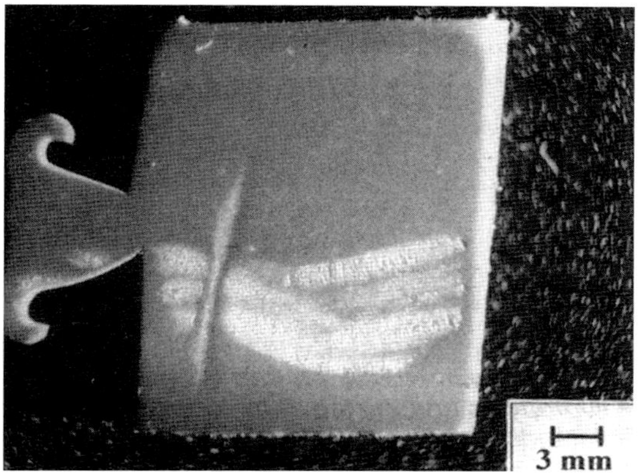

Bild 1.6 Anschmelzung der Probenoberfläche einer Polypropylenschweißnaht durch ungenügende Kühlung der Probe und zu starken Anpressdruck. Geschliffen mit Siliziumkarbidpapier der Körnung 2400, Makroaufnahme

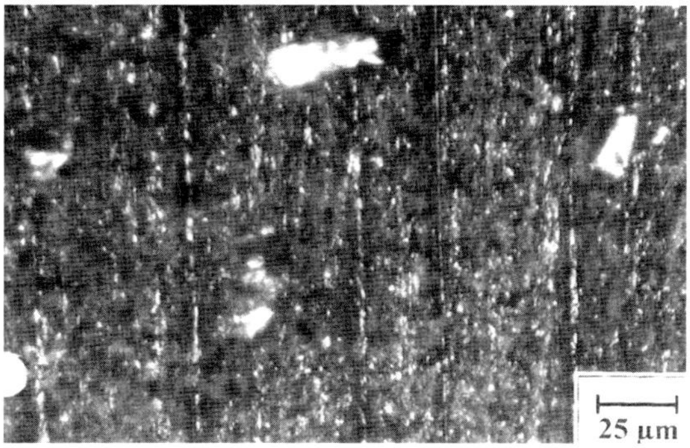

Bild 1.7 Eingedrückte Schleifkörner in einer PP-Probenoberfläche, Auflicht - Hellfeld

1.4.2.1 Schleifen

Schleifziel ist ein Materialabtrag zum Planen und Verfeinern der Probenoberfläche oder auch um in eine bestimmte Ereignistiefe vorzudringen. Das Schleifen ist wie das Polieren ein spanabhebendes Verfahren. Drei Schleifarten sind üblich: der Blockschliff, Dünnschliff und Trennschliff. Für das Schleifen von Thermo- und Duroplasten werden sieben Schleifstufen der Körnung: 180, 220, 320, 500, 800, 1200 und 4000 unterschieden.

Tabelle 1.5 Schleifstufen für Thermo- und Duroplaste

Schleifträger	nassfest						
Kornart	SiC						
Korngröße in µm	80	65	46	30	22	15	5
Körnungs-Nr.*	180	220	320	500	800	1200	4000
Schmiermittel	H_2O						
Drehzahl in min^{-1}	250 [8" ~ 20 cm]						
Gewicht in g **	2000			1500	1000	500	300
Zeit in min	5	6	5	5	8	10	15

* Die Körnungs-Nr. kennzeichnet die Anzahl der Maschen/Zoll eines Siebes, durch das die größten Schleifkörner gerade noch durchfallen. Je nach Hersteller variieren die Bezeichnungen.
** plus zusätzlich aufgebrachtem Druck

Um Zeit zu sparen, ist besonders für „schmierende" Kunststoffe (PE, PP, PB, PIB) die gröbste Schleifstufe mit Körnung 180 empfehlenswert. Wichtig ist dabei, dass die nachfolgende feinere Körnung die Rautiefe der vorausgehenden abträgt. Das ist bei einer Kornabstufung nach Tabelle 1.5 gewährleistet.

Tabelle 1.6 Arbeitsanleitung 1 – Anschliffherstellung von Kunststoffen

Schleifprozess [Scheiben-Ø = 8" ~ 20 cm]

- Wichtig! Auf gute Kühlung achten! Nicht über 250 U/min! Geringer Druck!
- Planschleifen mit Siliziumkarbid oder Diamant, Körnung 40 - 60 µm
- Schleifen mit Körnung 30 - 40 µm
- Feinschleifen mit folgenden Körnungen 13 - 26 µm/10 - 17 µm/3 - 5 µm

Polierprozess

- Wichtig! Auf gute Kühlung achten!
- Eine leichte Reliefbildung ist bei gefüllten Proben für die Beobachtung günstig
- Schmiermittel Wasser oder in Sonderfällen Glyzerol, harte Tücher
- Vorpolieren mit Diamant/Körnung 3 µm/harte Tücher
- Feinpolieren Diamant/Körnung 1 µm/harte Tücher
- Feinstpolieren mit Aluminiumoxyd oder Diamant, Körnung 0,1 µm/weiche Tücher
- Reinigen mit destilliertem Wasser und Trocknen ohne Wärmeeinwirkung

Die Schliffgüte von Körnung 1200 genügt oft zur Erkennung makroskopischer Gefügebestandteile. Zur Untersuchung mikroskopischer Gefügebestandteile muss poliert werden (Rautiefen < 1 µm).

Einige Kunststoffe, wie z. B. Polyamid oder Collagen, ändern die Eigenschaften bereits bei geringen Wasseraufnahmen, andere sind sehr empfindlich gegenüber Alkohol oder ähnlichen organischen Lösungsmitteln. Zur Sicherheit sollte vor dem Verwenden von Schmier- und/-oder Kühlmitteln deren Unbedenklichkeit an einer nicht so wichtigen Probenstelle analog zu den Anleitungen der Lösungsmitteltabelle überprüft werden. Werden diese speziellen Kunststoffeigenschaften beachtet, so können von fast allen Kunststoffen ohne besondere Vorkenntnisse gut auswertbare Anschliffe angefertigt werden. Die Arbeitsanleitung in Tabelle 1.6 soll dazu nur Anregungen geben. Wie auch in der Metallographie führen andere Arbeitsabläufe durchaus oft ebenfalls zu guten Ergebnissen.

Neben den von der Metallpräparation bekannten Fehlern, wie Schleif- und Polierkratzern und Kantenabrundungen, treten bei Kunststoffen weitere materialspezifische Präparationsfehler auf. Tabelle 1.7 zeigt eine Auswahl dieser Anschliffpräparationsfehler und zeigt Möglichkeiten zu deren Vermeidung.

Tabelle 1.7 Fehler und Vorschläge zu deren Vermeidung bei der Anschliffpräparation von Kunststoffen

Aufgetretene Fehler/Fehlerursache	Auswirkung auf die Probe	Vorschläge zur Behebung der Fehlerursache
Schädigung der geschliffenen Probenoberfläche durch lokale Aufschmelzungen	Oberfläche zeigt mattes, raues Schliffbild ohne die typischen Schleifriefen	intensivere Kühlung durch: ▪ mehr Kühlmittel ▪ Metallscheibe als Unterlage ▪ weniger Druck ▪ geringere Scheibendrehzahl
Eindrücken von Schleifkörnern in die Probenoberfläche	meist erst im Mikroskop erkennbare, blockförmige Einlagerungen, Beobachtung in Hell- oder Dunkelfeld!	bessere Spülung durch mehr Kühlmittel, geringerer Druck, Papierqualität. (Papier mit Blindprobe kurz überschleifen, danach gut spülen und abbürsten), keinen Ultraschall für die Zwischenreinigung anwenden!
Eindrücken von Polierkörnern in die Probenoberfläche	immer erst im Mikroskop erkennbare, sehr kleine Einlagerungen. (Dunkelfeld!)	das Eindrücken beruht in diesem Fall meist auf einer Erwärmung und damit Erweichung der Oberfläche, daher gute Kühlung, geringer Druck, Endpolitur einige Minuten nur mit destilliertem Wasser, kein Ultraschall!
Schleif- und/oder Polierkratzer	gerade und/oder unregelmäßig gebogene feine Linien auf der Probe	möglichst feine Anstufung der Schleif- und Poliermittelkörnungen, sehr sorgfältige Zwischenreinigung, kein Ultraschall! Endpolitur mit sehr weichen Tüchern. Bei den meisten Polymeren sehr schwer vollständig zu vermeiden
Kantenabrundungen	Höhenunterschiede zwischen unterschiedlich harten Phasen oder zwischen Probe und Einbettung/Einspannung	Vorpolitur mit möglichst hartem Tuch und anschließend nur kurz mit weichem Tuch endpolieren

1.4.2.2 Polieren

Das Polieren ist wie das Schleifen eine spanabhebende Bearbeitung und erfolgt ab einer Rautiefe von ca. 15 µm (Körnung 1200) nach dem Schleifen. Übliche Polierkorngrößen sind: 6, 3, 1 und 0,25 µm (Tabelle 3.8). Für mikroskopische Untersuchungen genügt eine Endpolitur mit 1 µm. Dies entspricht einer Rautiefe von 0,1 bis ca. 0,05 µm. Zum Polieren werden hauptsächlich Diamant als Pulver, Paste, Spray und Aluminiumoxid (Al_2O_3) als Pulver oder Tonerdesuspension (Al_2O_3 in H_2O) angewandt. Das Polierkorn, üblicherweise auf ein Poliertuch aufgetragen, ist nicht fest eingebunden wie das Schleifkorn beim Nassschleifen (Tabelle 1.8).

Tabelle 1.8 Poliertucharten und Anwendungsbereiche

Poliertuch	Korngrößen in µm	Polierart	Handelsname	Material	Beschaffenheit
hart	1/3/6/7	VP + EP	Pellon Pan-W	Kunstfaser	hart, flach
	7/9/15	VP	Pellon PA-W		
	15/25/45		Pellon PAD-K		
	6/7/9/15/25/45		DP-Dur	Naturseide	
mittelhart	0,25/1/(3)	EP	DP-Mol	Baumwolle	weich, hochflorig
weich			DP-Nap	Kunstfaser	

VP – Vorpolieren, EP – Endpolieren

Als Schmiermittel (außer bei Polyamid) ist Wasser vorzuziehen, weil lösungsmittelhaltige Schmiermittel bei Kunststoffproben die Oberfläche anlösen können. Durch Schneiden und Rollen der Polierkörner wird die Probenoberfläche abgetragen und verdrängt. Oft werden dabei die Riefenränder in die Riefen gedrückt, was eine gute Politur vortäuscht.

Infolge der Schneidwirkung des Schleifmittels, meist Siliziumkarbid (SiC) auf nassfestem Träger, wird Material der Oberfläche spanend abgetragen, wobei Kratzer und plastische Verformung zurückbleiben.

Bei hohem Polierdruck entsteht die Deformationsschicht (Beilby-Schicht) aus stark verformten, amorphen oder teilkristallinen Anteilen, mit Polierkorn durchmischt. Die unvermeidbare Verformungs- und Reibtiefe ist aber bei den Polierstufen: 6, 3, 1 und 0,25 µm so gering, dass ihre Summe, die Deformationsschicht (Bild 1.8), bedeutungslos wird. Voraussetzung ist aber ein möglichst geringer Polierdruck.

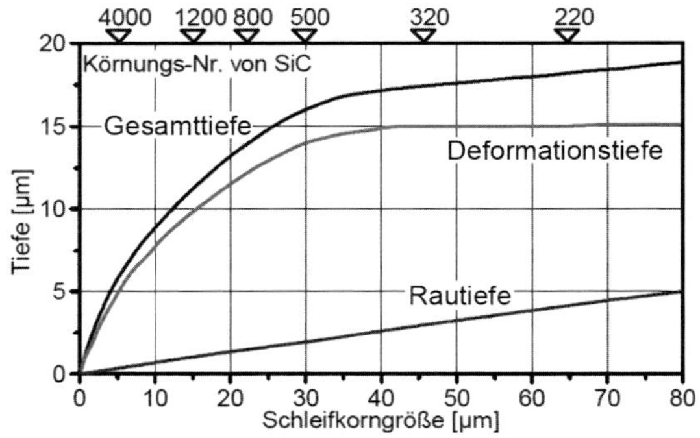

Bild 1.8 Einfluss der Schleifkorngröße auf die Deformationsschicht

Die Dicke der Deformationsschicht ist abhängig von der Kunststoffart, Kühlung, Füllung, Erweichungstemperatur sowie Körnung, Art des Schleifmittels (Härte) und Bindung der Schleifscheibe. Die Gesamttiefe in Bild 1.8 entspricht der Dicke der Deformationsschicht plus Rautiefe. Sie wächst mit der Korngröße des Schleif- bzw. Poliermittels.

Tabelle 1.9 Beispiel für das Polieren von Thermo- und Duroplasten

Polierparameter	Thermoplaste				Duroplaste			
Kornart	Diamant		Al-Oxid		Diamant		Al-Oxid	
Korngröße in µm	6	3	1	0,25	6	3	1	0,25
Kühlmittel	H_2O							
Drehzahl in min^{-1}	250							
Gewicht in g	400			von Hand	300		50	
Zeit in min	10		15	5	10	5	3	

Weiche Poliertücher ergeben wenig Kratzer, aber ein grobes Relief (Topographie) durch stärkeren Abtrag der weichen Phasen (bei z. B. verstärkten Kunststoffen). Sie werden überwiegend zum Endpolieren (EP) ungefüllter Formmassen verwandt.

Harte Poliertücher ergeben ein feineres Relief (Topographie), aber mehr Kratzer. Sie werden überwiegend zum Vorpolieren (VP) oder Endpolieren (EP) ungefüllter Formmassen verwandt.

1.4.2.3 Dünnschliff

Dünnschliffe werden immer dann hergestellt, wenn von den Kunststoffen optische Daten im Durchlichtmikroskop gewonnen werden sollen oder die Probe harte Einschlüsse aufweist. Ungefüllte polymere Werkstoffe können dagegen für Gefügeuntersuchungen meist als Dünnschnitt präpariert werden. Bei sorgfältiger Arbeit wird die Probe bei der Dünnschliffpräparation weniger geschädigt, als das bei einem Dünnschnitt der Fall ist. Die Entscheidung, welche Präparation bevorzugt wird, hängt also neben der gerätetechnischen Verfügbarkeit wesentlich von der Zielstellung und der verfügbaren Zeit ab.

Ausgangsprobe für jeden Dünnschliff ist ein planer, randscharfer und möglichst kratzerfreier Anschliff. Poröse, lockere und biologische Materialien sollten, wie das auch bei Anschliffen erforderlich ist, vor der Präparation verfestigt werden. Der Schliff wird mit der polierten, aber im allgemeinen ungeätzten Seite auf einen gut gereinigten, fettfreien Glasobjektträger mit einem handelsüblichen Kittmittel ohne oder mit nur sehr geringer Wärmeentwicklung aufgekittet. Dabei ist darauf zu achten, dass sich zwischen Probe und Glas keine Lufteinschlüsse ausbilden. Von der Glasseite aus gesehen, stellen sich diese makroskopisch im leicht schräg einfallenden Licht als hell leuchtende Flächen dar (Bild 3.9). Werden diese Einschlüsse übersehen, sind im fertigen Dünnschliff feine Linien oder dunkle verschwommene Flecken sichtbar (Bild 1.10).

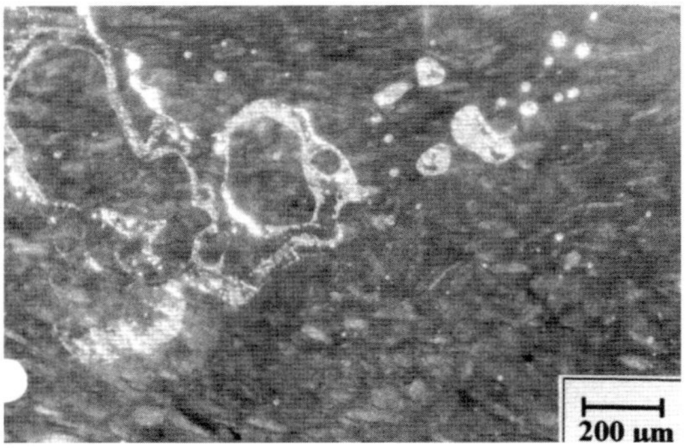

Bild 1.9
Lufteinschlüsse zwischen Probe und Objektträger sofort nach dem Aufkitten von der Glasseite aus, Lupenvergrößerung im Schräglicht

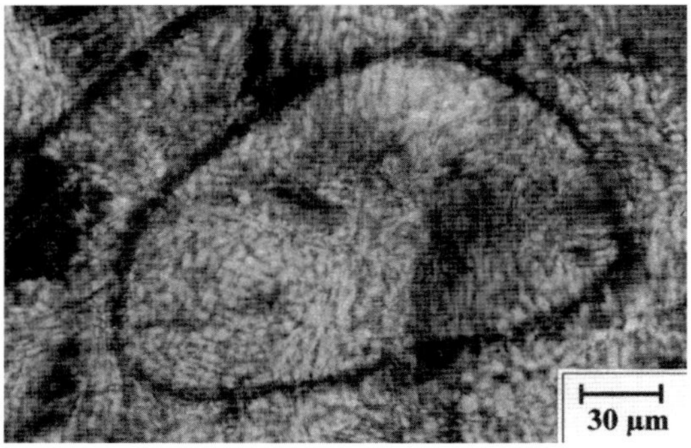

Bild 1.10
Lufteinschlüsse zwischen der Probe von Bild 1.9 und Objektträger nach der Dünnschliffpräparation von der Probenseite aus, Durchlicht - Hellfeld, immergiert in Silikonöl

Das Kittmittel muss in dünnen Schichten farblos und isotrop sein. Weiterhin darf es keine organischen Lösungsmittel enthalten. Beim Aushärten oder Erstarren des Kittmittels darf keine Phasentrennung durch Entmischung auftreten. Übliche Kittmittel sind kaltaushärtende Epoxidharze (Vorsicht, manche Typen neigen zur Entmischung oder Wärmeentwicklung), Kanadabalsam für temperaturunempfindliche Materialien oder auch ungefärbtes Wachs (vor dem Gebrauch an dünnen Schichten durch Aufkitten eines Deckgläschens ohne Probe im Mikroskop überprüfen).

Nun wird die Probe automatisch oder manuell planparallel auf die erforderliche Dicke präpariert. Die Dicke des Dünnschliffs sollte für die Lichtmikroskopie bei 7 bis 10 µm liegen. Der fertige Dünnschliff wird im Allgemeinen eingebettet, wobei die Brechzahldifferenz zur Probe für eine kontrastreiche Darstellung wie bei allen Durchlichtpräparaten bei 0,1 bis 0,2 liegen sollte. Da die Präparation von Dick- und/oder Dünnschliffen sehr arbeitsaufwendig ist, kann in die Einspannung der Probenhalter für die automatische Anschliffherstellung ein Probenhalter für Dick- oder Dünnschliffherstellung eingesetzt werden (Bild 1.11).

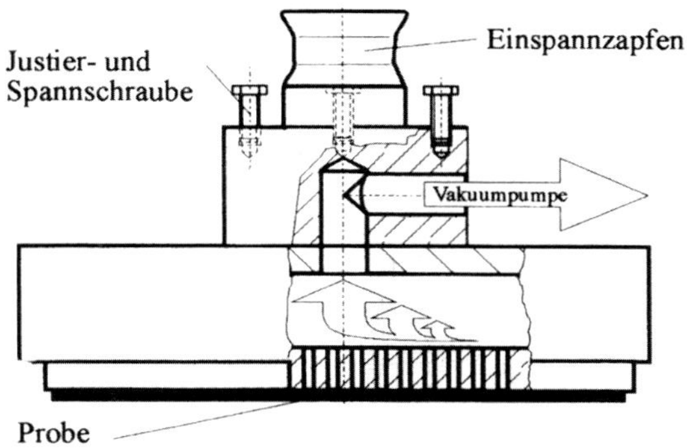

Bild 1.11 Schematische Darstellung des Vakuumprobenhalters für die automatisierte Dickschliffherstellung

Das erforderliche Vakuum wird mit einer Wasserstrahlpumpe erzeugt. Mit dem Zusatzgerät wurden zahlreiche Schliffe mit unterschiedlicher Dicke und Abmessung hergestellt. Die Dickenabweichung über die Gesamtfläche betrug nur wenige Prozent und konnte im Bedarfsfall leicht durch manuelles Nachschleifen korrigiert werden.

Tabelle 1.10 zeigt die Herstellung von Dünnschliffen an Kunststoffproben.

Tabelle 1.10 Dünnschliffherstellung Kunststoffproben

▪ randscharfen Anschliff herstellen ▪ mit Niedertourentrennscheibe bei guter Kühlung möglichst dünne Scheibe an der Schliffseite abtrennen ▪ Scheibe mit der Schliffseite auf Objektträger kitten ▪ Kittmittel darf sich beim Polymerisieren nicht über Raumtemperatur erhitzen, auskristallisieren, entmischen oder die Probe angreifen ▪ manuell oder automatisch mit Körnung 30 µm bis etwa 20 µm vor gewünschter Dicke mit abnehmender Körnungsgröße abschleifen ▪ auf gute Kühlung achten! Nicht über 150 U/min bei einer 8-Zoll-Schleifscheibe! Geringer Druck! ▪ Feinschleifen mit den Körnungen 10 bis 17 µm und 3 bis 5 µm bis etwa 5 µm vor gewünschter Dicke ▪ mit Aluminiumoxyd oder Diamant Körnung 3 µm bis 0,1 µm durch Polieren auf gewünschte Dicke 10 µm - 15 µm bringen ▪ mit destilliertem Wasser reinigen und ohne Wärmeentwicklung trocknen
für Beobachtungen im Auflichtmikroskop:
▪ der Dünnschliff ist fertig, er darf nicht abgedeckt werden
für Beobachtungen im Durchlichtmikroskop:
▪ Immergieren mit Silikonöl eines geeigneten Brechungsindexes, mit Deckglas abdecken und mit Nagellack Deckglas sichern

Tabelle 1.11 zeigt die wichtigsten Fehler bei der Dünnschliffherstellung und gibt Anregungen zu deren Vermeidung.

Tabelle 1.11 Fehler und Vorschläge zu deren Vermeidung bei der Dünnschliffpräparation von Kunststoffen

Fehler/Fehlerursache	Auswirkung auf die Probe	Vorschläge zur Behebung
Lufteinschlüsse zwischen Probe und Objektträger	nach dem Aufkitten sind von der Glasseite aus hell reflektierende Bereiche sichtbar. Mikroskopische Auswertung ist sehr stark beeinträchtigt bis unmöglich	neu aufkitten mit weniger Druck und/oder mehr Kittmittel, Blasenbildung verhindern durch leichtes Verschieben der Probe beim Aufkitten
Abtrennung der Probe während der Präparation	Objektträger ungenügend gereinigt, falsches Kittmittel für entsprechenden Probenwerkstoff, zu wenig Kittmittel, damit Spaltbildung an den Probenrändern und Ablösung bei mechanischer Belastung	neu aufkitten mit mehr und/oder anderem Kittmittel. Darauf achten, dass Kittmittel an den Probenrändern herausquillt und eine kleine Wulst bildet
Schrägschleifen der Probe durch einseitigen Druck	Probe erhält ein keilförmiges Dickenprofil und ist für optische Messungen unbrauchbar	wenn die Probendicke es zulässt, durch verstärktes Drücken der zu dicken Bereiche gleichmäßige Probendicke herstellen. Sonst neue Probe
Probe zu dick	die Probenstrukturen überlagern sich und das mikroskopische Bild der Probe wird unscharf, flau und löscht im polarisierten Licht nicht vollständig aus	Probendicke so wählen, dass möglichst die Dicke der zu untersuchenden Strukturgröße entspricht Probe weiterbearbeiten
Probe zu dünn	Probe ist unter 1-3 µm dick und schon an einigen Bereichen durchgeschliffen, das mikroskopische Bild der Probe zeigt wenig Kontrast	Dünnschliff neu herstellen
Kittmittel schmilzt auf	das Kittmittel wird bei der Probenbearbeitung über die Probe geschmiert und setzt das Schleifpapier in größeren Bereichen vollständig zu. Auf der Probenoberfläche sind ausgedehnte matte, schlierenartige Bereiche sichtbar, das mikroskopische Bild der Probe wird unscharf, flau und kontrastarm	Probe besser kühlen, weniger Druck, Metallträgerscheibe zur besseren Wärmeabführung

Für die Herstellung der Dünnschnitte stehen unterschiedliche Messer zur Verfügung:

Einmalklingen aus gehärtetem Stahl	weiche Kunststoffe
Einmalklingen aus Hartmetall	harte bis sehr harte Kunststoffe
Metallmesser C-Schliff	weiche Kunststoffe
Metallmesser D-Schliff	harte Kunststoffe
Hartmetallmesser C-Schliff	weiche Kunststoffe
Hartmetallmesser D-Schliff	harte bis sehr harte Kunststoffe
Glasmesser	alle Kunststoffe, sehr gute Schnittqualität, geringe Standzeit, kein Schärfen möglich
Diamantmesser	alle Kunststoffe, sehr gute Schnittqualität, hohe Standzeit, Schärfen möglich

1.4.2.4 Bruchpräparate

Für viele Untersuchungen an Kunststoffen werden Bruch- und Oberflächenpräparate analysiert. Bei der Herstellung der Brüche sollen leicht und sicher zu reproduzierende Methoden angewendet werden. Im Allgemeinen wird die Probe längere Zeit mit Stickstoff gekühlt und gebrochen. Dabei ist darauf zu achten, dass eine der Schadensursache entsprechende Belastung vorgesehen wird bzw. bei prophylaktischen Untersuchungen klare Beanspruchungszustände vorgesehen werden.

Zur Kontrastverbesserung im Auflicht können die für die Lichtmikroskopie vorgesehenen Proben auch mit Aluminium, Kupfer oder Gold bedampft werden. Die Beobachtung erfolgt vorzugsweise bei geringen Vergrößerungen im Stereo- oder Auflichtmikroskop im Hell- und/oder Dunkelfeld. Für viele Proben reichen bereits Beobachtungen im Bereich der Lupenvergrößerung aus. Während der Kunststoffherstellung, z. B. durch Extrusion, kommt es durch eine falsch eingestellte Werkzeugtemperatur im fertigen Formteil oder Halbzeug zum Schmelzenbruch. Die dabei entstehenden typischen Oberflächenstrukturen zeigt Bild 1.12.

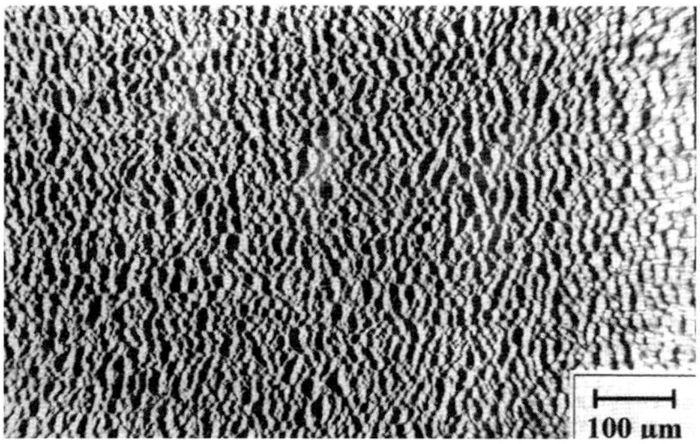

Bild 1.12 Schmelzenbruch durch einseitig stark gekühltes Werkzeug an einer extrudierten Polyethylenplatte, Auflicht – Hellfeld, Schräglicht senkrecht zu den Brüchen, Lupenaufnahme

Tabelle 1.12 Fehler und Vorschläge zu deren Vermeidung, bei der Bruch- und Oberflächenpräparation von Kunststoffen

Fehler/Fehlerursache	Auswirkung auf die Probe	Vorschläge zur Behebung
Probe wird ohne Bruch nur deformiert. Das Probenmaterial ist über den Gesamtquerschnitt nicht genügend gekühlt	keine mikroskopische Probenauswertung möglich	Probe vollständig bis unter die Glastemperatur des Werkstoffes kühlen
die Probe bricht zwar, aber der Kernbereich ist noch nicht genügend gekühlt	die Probe bricht als Verformungsbruch und ist sehr schlecht auswertbar	Probe vollständig bis unter die Glastemperatur des Werkstoffes kühlen
ungenügende Reflexion der Probenoberfläche	das mikroskopische Bild ist flau, kontrastarm und kaum auswertbar	Probe dünn mit Aluminium, Kupfer oder Gold bedampfen

1.4.3 Mikrotomie

1.4.3.1 Mikrotom

Die Mikrotomie bezeichnet die Technik des „Klein-Schneidens" von Objekten zur Herstellung sogenannter Dünnschnitte. Verschiedene Bauarten von Mikrotomen erlauben unterschiedliche Schnittdicken herzustellen, die für verschiedene Untersuchungsmethoden benötigt werden (Tabelle 1.13). Es dominieren zwei Mikrotomarten:

- das Schlittenmikrotom (Bild 1.13) und
- das Rotationsmikrotom (Bild 1.14).

Beim Schlittenmikrotom ist das Präparat meist auf einem festen Blockträger fixiert, während das Messer auf einem schweren Schlitten hin und her bewegt wird. Der Schlitten befindet sich auf einem auf Rollen gelagerten Band. Das Messer kann bei vielen Schlittenmikrotomen zur Schnittrichtung schräg gestellt werden. Dieser Winkel wird als Deklination bezeichnet. Diese Orientierung reduziert im Vergleich zu einem quergestellten Messer den Druck beim Schneiden.

Eine andere Mikrotomart ist das Rotationsmikrotom, auch als Minotmikrotom bezeichnet. Es wird zwar durch eine Drehbewegung angetrieben, diese wird aber in eine geradlinige Bewegung umgewandelt, so dass die eigentliche Schnittbewegung (die hier vom Objekt ausgeführt wird) in einer einfachen Auf- und Abwärtsbewegung besteht. Beim Rotationsmikrotom ist das Messer typischerweise horizontal und feststehend angeordnet.

Für die Präparation werden handelsübliche oder selbstgebaute Mikrotome verwendet. Bei der Wahl bzw. dem Bau des Mikrotoms ist auf dessen mechanische Stabilität und Präzision zu achten. Eine feinmechanisch präzise Schlittenführung, konstante Antriebsgeschwindigkeit und eine Probenhalterung, die feste Einspannung erlaubt, gewährleisten gleichbleibende Schnittdicken.

Vorteilhaft sind seitlich verschiebbare Messer oder eine verschiebbare Probenhalterung, um die gesamte Messerbreite nutzen zu können. Die Messer selbst müssen stabil gefasst und mit wenig Aufwand wechselbar sein. Auf diese Weise können weniger gute Messer zum Vorschneiden eingesetzt werden. Die Schnittdicke muss sich feinstufig im µm-Bereich einstellen lassen, zusätzlich sollte eine exakte Neigungswinkeleinstellung des Messerhalters zur Schneidebene möglich sein. Der Vortrieb des Schlittens kann von Hand oder mit Motorantrieb erfolgen. Während der Handantrieb feinfühliger ist, hat der Motorantrieb den großen Vorteil, dass zwei Hände zum Arbeiten frei sind (Bild 1.15).

Tabelle 1.13 Mikrotomvarianten und Funktionsprinzip

Mikrotomart	Funktionsprinzip
Schlittenmikrotom	Das Präparat ist fixiert und das Mikrotommesser auf einem „Schlitten" beweglich angebracht. Die Schnittabnahme erfolgt über die Bewegung des Messers über die Probe.
Rotationsmikrotom	Das Messer ist fixiert und die Probe in einem beweglichen Probenhalter eingespannt. Durch Vorschub und Auf- und Abwärtsbewegungen der Probe werden Schnitte durch das Messer abgenommen. Durch Installation einer Kryokammer auch als Gefriermikrotom verwendbar. Kühlung der Kryokammer mit Flüssigstickstoff ($T_{\mathrm{Nflüssig,\,p0}} = -197\,°\mathrm{C}$).
Ultramikrotom	Funktionsprinzip gleicht dem des Rotationsmikrotoms. Für die Dünnschnittpräparation sehr kleiner Materialien. Einbettung erforderlich. Schnittdicken bis 10 nm möglich.
Vibratom	Schnitt über Vibration der Klinge. Für Schnittdicken über 30 µm.
Laser-Mikrotom	Die Probe wird mit einem Ultrakurzpulslaser berührungslos geschnitten. Zu beachten ist die mögliche thermische Belastung an der Interaktionszone.

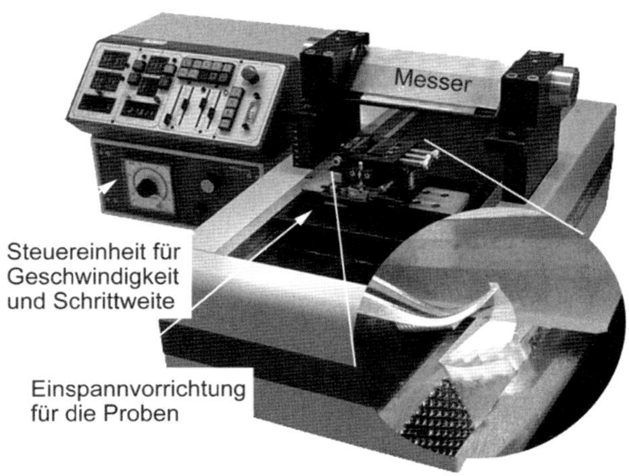

Bild 1.13 Schlittenmikrotom mit fixierter Probe und bewegtem Messer

Beim Sägen mit einer Innenlochsäge lassen sich Probekörper (Durchmesser ca. 30 mm) schnell auf Arbeitsmaße (Schnitt von ca. 70 µm Dicke, planparallele Flächen) dimensionieren. So lassen sich Proben für die Computertomographie, für Temperaturleitfähigkeitsmessungen und weitere Präparationsverfahren (Dünnschliffe) vorbereiten. Die erzielte Oberflächenqualität reicht für eine unmittelbare Auflichtmikroskopie nicht aus.

Bild 1.14
Rotationsmikrotom mit fixiertem
Messer und bewegter Probe
oben: komplettes Gerät
unten: Rotationskopf und Messerhalter

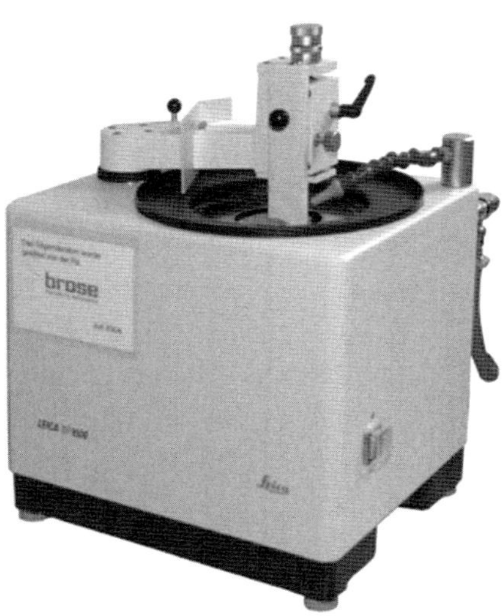

Bild 1.15
Sägemikrotom
Schnittdicke: > 50 µm;
Präparationen für z. B. Computertomographie
oder als Vorpräparation für weiterführende
Präparationen

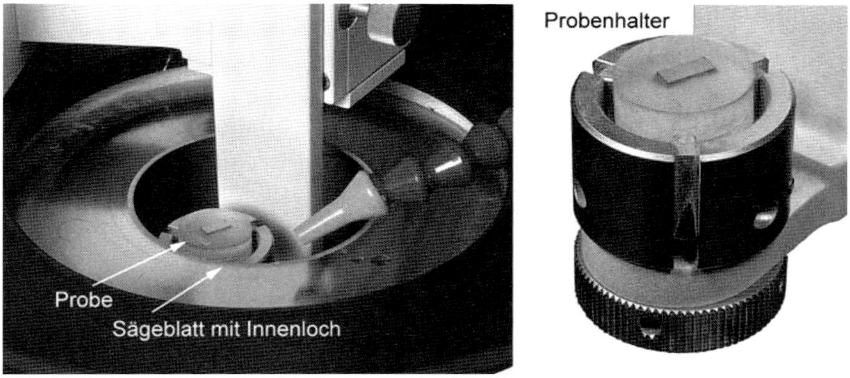

Bild 1.16 Innenlochsäge

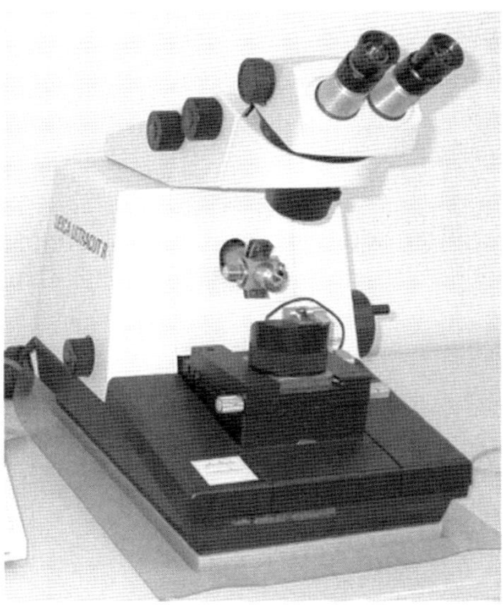

Bild 1.17 Ultramikrotom
Schnittdicke: 0,01 bis 0,5 µm;
Präparationen für Transmissionselektronenmikroskopie

Eine einfache, für die Präparation unverstärkter amorpher und teilkristalliner Thermoplaste gängige Technik stellt die Präparation eines Dünnschnitts und die Betrachtung des Gefüges im Durchlicht des Lichtmikroskops dar. Je nach Eigenschaften des zu präparierenden Materials bei Raumtemperatur wird zwischen einer Präparation bei Raumtemperatur, z. B. Polyamid, Polyethylen oder Polyoxymethylen, und einer Präparation bei tiefen Temperaturen, z. B. thermoplastische oder vernetzte Elastomere, unterschieden.

1.4.3.2 Mikrotommesser für Dünnschnitte

Von wesentlicher Bedeutung für das Gelingen guter Mikrotomschnitte ist die Verwendung des richtigen Messertyps, wobei im Folgenden unter Mikrotommesser nur die in der allgemeinen Mikrotomie verwendeten Stahlmesser verstanden werden sollen. Glas- oder auch vereinzelt anzutreffende Diamantmesser werden wegen ihrer aufwendigen Technik und geringen Schneidbreite für die Untersuchung von Kunststoffteilen kaum benutzt. Bei Glasmessern kommt noch die geringe Standzeit und Festigkeit als negativ hinzu. Stahlmesser werden in vier Schliffarten hergestellt (Bild 1.18) wobei das hobelförmige Messer klar dominiert.

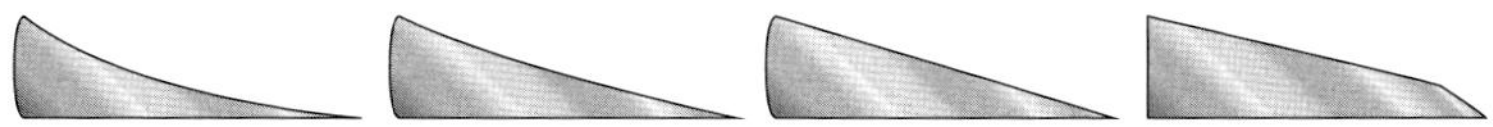

Bild 1.18 Schliffarten für Mikrotommesser

Das Mikrotommesser muss fest, d.h. ohne Spiel, eingespannt sein. Ebenso muss die Probe, die längs zur Schnittrichtung ausgerichtet wird, fest in der Probenhalterung eingespannt sein.

Zur Herstellung von Dünnschnitten von Kunststoffen sind Messer der Schliffart c und d gebräuchlich. Grundsätzlich ist das Hartmetallmesser (HM) Schliffart d vorzuziehen.

Tabelle 1.14 Messerarten für Dünnschnitte

Messerart	Material	Anwendungsbereiche
Einwegmesser	HM	Universalmesser
Einwegmesser Schliffart a	HSS	histologische Schnitte, sehr weiche Kunststoffe
Einwegmesser Schliffart b	HSS	histologische Schnitte, keine Kunststoffe
Einwegmesser Schliffart c	HSS	weiche Kunststoffe
Einwegmesser Schliffart d	HM + HSS	für nahezu alle Kunststoffe

HM – Hartmetall, HSS – Hochleistungs-Schnell-Stahl

Um die Belastung der Messer klein zu halten und gute Schneidergebnisse zu erzielen, sollten Freiwinkel von 3° bis 5° eingestellt werden. Verringert man den Freiwinkel, indem man das Messer flacher stellt, wird das von oben zusammengedrückte Präparat zurückfedern und von unten am Messer längsschleifen. Zudem wird der Schnitt stärker gestaucht. Es besteht die Gefahr abwechselnd dicker und dünner Schnitte. Das Messer gleitet teilweise über die Schnittprobe.

Wird der Freiwinkel vergrößert, indem das Messer steiler gestellt wird, wirkt die Schneide hobelartig und kann in die Probe dringen. Vor allem bei schlank ausgeschliffenen Schneiden kommt es dann durch Schwingungen zu Querwellen im Schnitt. Sie werden deshalb für Kunststoffe selten verwendet. Es ist zu beachten, dass der Freiwinkel durch die Neigungswinkeleinstellung des Messerhalters vorgegeben wird.

Bei zu groß eingestellten Freiwinkeln und weniger steifen Messern ergeben sich senkrecht zur Schnittrichtung im Dünnschnitt feine Wellen, sog. Rattermarken, s. a. Bild 1.22. Aufgrund langjähriger Erfahrungen wird für übliche Kunststoffe ein Freiwinkel von 5° und kleiner vorgeschlagen.

Als Messertypen stehen Stahl-, Hartmetall-, Glas-, Rubin- und Diamantmesser zur Auswahl, die für verschiedene Anwendungen zweckmäßig sind und sich stark in ihren Anschaffungskosten unterscheiden. Zudem stehen verschiedene Messerformen (Typ B: plankonkav, Typ C: keilförmig, Typ D: hobelförmig) zur Wahl. Die wichtigsten Messerwinkel sind der Freiwinkel, der Keilwinkel und der Spanwinkel (Bild 1.22). Geeignet für die Präparation der meisten Kunststoffe erweisen sich Hartmetallmesser mit keilförmiger Messerform (Keilwinkel 27°). Eine hobelförmige Form ist bei der Präparation von PE vorteilhaft (Keilwinkel 45°). Zur geringen Belastung des Messers und zur Erzielung des besten Schnittergebnisses sollte der Freiwinkel zwischen 3 und 5° eingestellt werden.

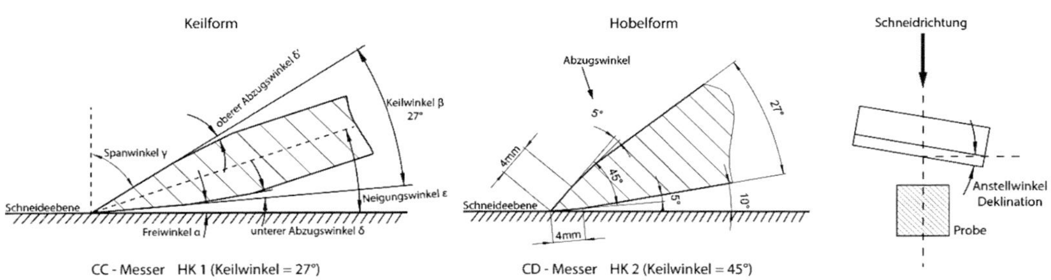

Bild 1.19 Mikrotommesser mit kennzeichnenden Winkeln
links: CC-Messer, HK 1 = 27°
mittig: CD-Messer, HK 2 = 45°
rechts: Anstell- oder Deklinationswinkel

Der Anstell- oder Deklinationswinkel bezeichnet die Schrägstellung der Messerschneide (Bild 1.19, rechts). Als Arbeitshilfen wird empfohlen: Je breiter der Schnitt und je fester das Probenmaterial ist, desto größer kann der Anstellwinkel gewählt werden, wodurch die Schnittkräfte am Messer verringert werden. Andererseits können größere Anstellwinkel auch die Deformation in weichen Materialien klein halten.

Unter dem Gesichtspunkt des angewandten Mikroskopieverfahrens schlägt *Ischebeck* folgende Winkel vor (Tabelle 1.15).

Tabelle 1.15 Erfahrungswerte für Herstellung und Abbildung von Mikrotomschnitten aus Kunststoff

Kunststoff	Mikrotomesser-Winkel			Schnitt-dicke	Mikroskop	
	Typ	α	β	in µm	Vergrößerung	Beleuchtung
ABS, ASA, SAN, PS, SB, PVC	HK 3	15°	45°	1-2	100-1000	Durchlicht-Phasenkontrast*
PA, POM, PP (auch verstärkt)	HK 2	15°	30°	10-30	20-100 bis 500	Durchlicht polarisiert Durchlicht-Hellfeld
PE, PIB	HK 1	15°	15°	10-30 20-100	20-200 bis 500	Durchlicht polarisiert Durchlicht-Hellfeld

* Achtung: wenn der Schnitt zu dünn ist, tritt keine auswertbare Phasenverschiebung ein!

Besonders bei weichen Proben kann ein ziehender Schnitt mit schräg gestelltem Messer (Deklinationswinkel $\sigma > 0°$) im Schlittenmikrotom vorteilhaft sein. Neben der stärkeren Betonung des Schneidens wird rein geometrisch der Keilwinkel dadurch kleiner und schneidet schärfer. Auch werden dadurch Messerausbrüche geringer. Moderne Dünnschnittgeräte haben jedoch leider keine solche Winkelverstellung $\sigma > 0$ mehr, da die Hauptkunden Mediziner sind und diese meist nur Paraffinschnitte anfertigen. Besonders aber bei harten und breiten Kunststoffproben wird die Schnittkraft groß. Daher sollte der Anstellwinkel σ grundsätzlich so groß wie möglich sein (20° bis 40°). Dies verbessert die Standzeit und der Dünnschnitt rollt sich nicht so eng auf beim Schneiden (coil oder „Schillerlocke"). Falsche Inklinationswinkel φ und vor allem stumpfe Messer verursachen Dünnschnittstauchungen (Bild 1.20).

Die Verwendung des richtigen Messertyps und dessen einwandfreie Beschaffenheit sind ausschlaggebend für die Qualität des Mikrotomschnittes. Bei stumpfen oder schartigen Schneiden werden die Präparate gestaucht oder weisen an der Oberfläche Scharten und Welligkeiten auf. Bei genauer Betrachtung unter dem Mikroskop zeichnen sich außerdem verschiedene Schärfeebenen ab. Ferner können Teilchen herausgerissen werden. Zur Vermeidung der aufgezeigten Merkmale sollte man beachten, dass kleine Teile der Facette (Schneidenbreite) selbst beim Schneiden weicher Thermoplaste herausbrechen können. Daher ist es empfehlenswert, nach jedem Schnitt die Klinge zu betrachten. Die Schnittstelle sollte man systematisch wechseln.

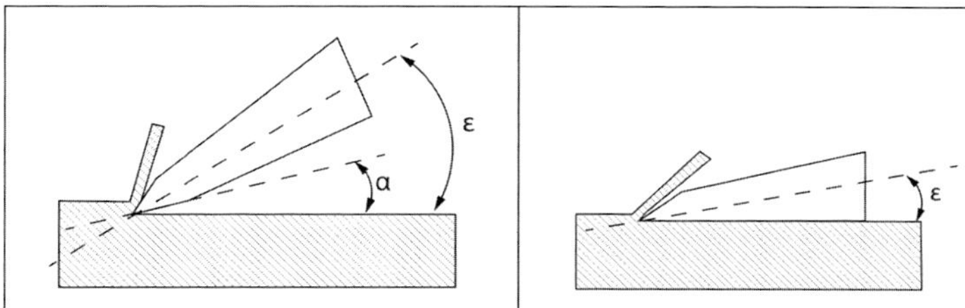

ε = zu groß: $\alpha > 5°$	ε = zu klein: $\alpha \rightarrow 0°$
Die Schneide dringt in die Probenoberfläche und es entstehen Stufen (chatter) durch Schwingungen (besonders bei schlanken Messern)	Die Schneide gleitet mehr über die Probenoberfläche und es entsteht abwechselnd ein dünner und ein dicker, gestauchter Schnitt
Durchschnittswerte für Kunststoffe sind: α = 3°-5°, ε =26°-28° (normale Kunststoffe) α = 5°-10°, ε =28°-33° (harte auch inhomogene Kunststoffe)	

Bild 1.20 Einfluss des Inklinationswinkels ϕ beim Mikrotomieren

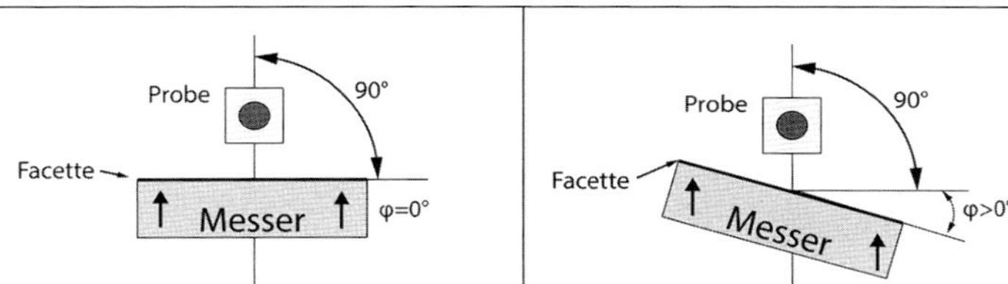

φ = 0° („Querstellung")	φ > 0° („Schrägstellung")
Der Dünnschnitt fließt beim Schneiden senkrecht über die Steigung der Facette und die Facettenbreite.	Der Dünnschnitt fließt schräg über die Facettenbreite und legt einen größeren Weg zurück. Dabei wird der Steigungswinkel kleiner.
Höhere Schnittkraft	Geringere Schnittkraft
Der Dünnschnitt rollt sich oft spulenartig (coil).	Der Dünnschnitt rollt sich schräg (Schillerlocke) und ist besser platzierbar
Durchschnittswerte für Kunststoffe φ = 0° - 40°	

Bild 1.21 Einfluss des Anstell- oder Deklinationswinkels φ beim Mikrotomieren (nach *Kurr*)

Ratterspuren senkrecht zur Schnittrichtung erschweren die Scharfeinstellung unter dem Mikroskop besonders bei stärkeren Vergrößerungen (Bild 1.22). Als Abhilfe wird bei harten Kunststoffen ein Freiwinkel von 7 bis 10° empfohlen, bei weichen Kunststoffen < 5°. Das Einbettmittel sollte in seiner Steifigkeit dem Probenmaterial entsprechen.

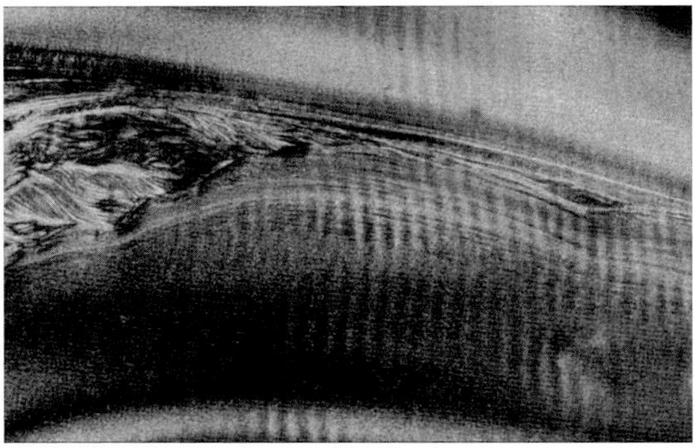

Bild 1.22
Rattermarken an Mikrotomschnitt einer Kappe mit kaltem Pfropfen eines Türbeschlages aus PA 6

Bei falsch eingestelltem Freiwinkel (meist zu groß) ergeben sich im Dünnschnitt feine Wellen senkrecht zur Schnittrichtung (Bild 1.23). Diese „Ratterspuren", können oft durch Änderung des Freiwinkels vermieden oder zumindest verringert werden.

Bild 1.23
Ratterspuren in einer Epoxidharzeinbettung, Durchlicht – Hellfeld, immergiert in Silikonöl, linear polarisiertes Licht mit einem Kompensator

Die heute gebräuchlichste Ausführung der Messerform ist hobelförmig. Das Schleifen und Abziehen der Messer wird meistens den Herstellerfirmen oder Spezialwerkstätten überlassen, die entsprechende Maschinen und Kenntnisse besitzen. Beim Nachschleifen werden die Messer etwas gekürzt; die Keilwinkel bleiben erhalten.

In der Praxis werden Kunststoffproben fast ausschließlich mit hobelförmigen Stahl- und Hartmetallmessern geschnitten. Stahlmesser eignen sich zum Schneiden von weichen Materialien wie Weich-PVC und LDPE. Mikrotommesser mit einer Hartmetallschneide besitzen gegenüber den herkömmlichen Stahlmessern eine höhere Biegesteifigkeit bzw. Biegefestigkeit und Härte. Dadurch ist auch ihre Lebensdauer höher. Zum Schneiden von normalen Kunststoffen haben sich Hartmetallmesser als besonders geeignet erwiesen. Bei glasfaserverstärkten Kunststoffen ist die Mikrotomie auch mit Hartmetallmessern nur bedingt als Präparationsmethode geeignet. Keilförmige Messer werden zum Schneiden von weicherem PE und PIB, plankonkave Messer zum Schneiden von Schäumen eingesetzt. Zum Schneiden von Schäumen eignen sich auch vibrierende Messer vom Typ Vibratom.

1.4.3.3 Mikrotomschnitte

1.4.3.3.1 Schneidvorgang

Vorrangiges Ziel der Probenvorbereitung in der Schadensanalyse ist es, durch gezielte Probenentnahme im Sinne der Schadenshypothese, oder aber auch durch eine Probenbeeinflussung, wie z. B. Tempern oder Konditionieren, einen schadensrelevanten Vergleich zu ermöglichen.

Zur Begriffsunterscheidung

- **Einschlussmittel** sind klare, viskose Lösungen, die nach kurzer Zeit erstarren und das Dünnschnitt-Präparat zwischen Objektträger und Deckglas fixieren und für lange Zeit haltbar machen.
- **Einbettmittel** sind Reaktionsharze, die im ausgehärteten Zustand Kunststoffpräparate mechanisch gegen die hohen Kräfte der Mikrotommesser stabilisieren. Die Steifigkeit ist ähnlich wie die der Präparate.

Es ist zunächst zwischen Proben zu unterscheiden, die von sich aus ausreichend steif sind (Bild 1.24, links) und solchen, die aus Stabilitätsgründen eingebettet werden müssen (Bild 1.24, mitte). Bei der Sockeleinbettung ragen die eingebetteten Proben einige Millimeter aus der Einbettmasse hervor, wo sie zunächst oberflächlich abgetragen werden, bis sie eine Ebene bilden, die den Anforderungen einer Dünnschnittbildung oder qualifizierten Auflichtprüfung genügen (Bild 1.24, rechts).

Bild 1.24 Verschiedene Einbettungen
links: nicht einbettungsbedürftig
mitte: Sockeleinbettung
rechts: Volleinbettung

Die Probe sollte nur im Notfall mit Einbettmittel geschnitten werden, da der Verschleiß des Messers zu groß ist. Daher ist es von Vorteil, die Proben ca. 5 mm aus der Einbettform herausragen zu lassen. Ausnahmen ergeben sich beim Schutz gegen Kantenausbrüche und zur Abstützung weicher Folien.

Die wichtigsten Hilfsmittel, wie sie am Lehrstuhl für Kunststofftechnik verwendet werden, sind in Bild 1.25 zusammengestellt.

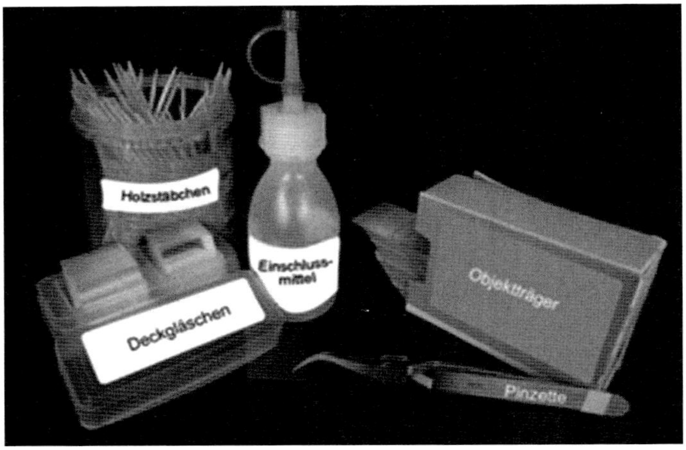

Bild 1.25 Verschiedene Utensilien zur Handhabung der Mikrotomdünnschnitte

Die parallelzugeschnittene, eingebettete Probe wird fest in das Mikrotom eingespannt. Beim Schneiden erfolgt ein leichter Anpressdruck mit dem Pinsel, was gleichzeitig zum Reinigen der Messeroberfläche dient (Bild 1.26).

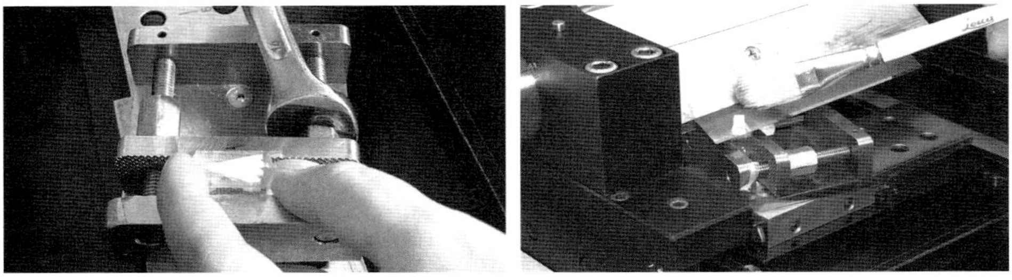

Bild 1.26 Einspannen der eingebetteten Probe (links) und Mikrotomschnitt mit Pinsel zur Führung des Dünnschnitts und Reinigung des Messers (rechts)

Mit zunehmendem Abschneiden wird der Dünnschnitt mit der Pinzette geführt (Bild 1.27). Zunächst ist es notwendig die Probenoberfläche absolut plan und parallel zur Schnittebene durch mehrere Schnitte auszurichten.

Bild 1.27 Schneiden und Abheben eines Dünnschnittes mit einer Pinzette

Nach dem Schneiden wird der Dünnschnitt abgehoben und auf einen Objektträger positioniert, auf den zuvor etwas Einschlussmittel aufgegeben wurde.

Anschließend werden die Dünnschnitte für die mikroskopische Untersuchung präpariert. Hierzu gehören Objektträger, Deckgläser und Einschlussmedium (Bild 1.25).

Um zu vermeiden, dass nach Beendigung des Schneidvorgangs der Dünnschnitt, der evtl. nicht völlig von der Probe abgetrennt wird, abgerissen wird, sollte in das Probenende vorher mit einem Skalpell oder einer Rasierklinge geschnitten werden. Wenn gerade das Probenende von Untersuchungsinteresse ist, sollte ein stützendes Kunststoffteil am Ende der Probe eingebettet werden. Der Schnitt erfolgt dann in dieses Zusatzmaterial hinein, und der Dünnschnitt kann in voller Länge abgenommen werden.

Die Qualität des Schnitts wird durch ein gleichmäßiges Schneiden positiv beeinflusst. Daher kann es notwendig sein, für schwierige Proben in einer Versuchsreihe die richtige Schnittgeschwindigkeit herauszufinden.

Mikrotomie ist Handarbeit

Der erste Schnitt kann nicht zur mikroskopischen Untersuchung herangezogen werden. Es ist notwendig, erst einmal die Probe plan zu schneiden und einige Schnitte abzuziehen, die in ihrer Dicke immer mehr abnehmen sollten. Günstig ist es auch, noch vor dem Ausspannen der Probe die Dünnschnitte unter dem Mikroskop einer Voruntersuchung zu unterziehen, da unter Umständen das Schneiden zur Erzielung eines anspruchsvollen Schnittes mit geänderten Schneidbedingungen wiederholt werden muss. Anschließend werden die Dünnschnitte für die mikroskopische Untersuchung präpariert. Hierzu gehören Objektträger, Deckgläser und Einschlussmedien.

Die eingebettete Probe wird im Spannblock des Mikrotoms fest eingespannt, ohne die Probe dabei zu deformieren. Der über den Spannblock überstehende Teil der Probe sollte zwischen 3 und 5 mm betragen. Anschließend wird die Probe mit einigen Vorschnitten geplant bzw. bis an die relevante Stelle bei Zielpräparationen abgetragen. Dies kann mit größeren Schnittdicken (ca. 20 bis 30 µm) und höheren Schneidgeschwindigkeiten (ca. 5 bis 10 mm/s) durchgeführt werden. Ist die relevante Stelle nahezu erreicht, wird die Schnittdicke auf etwa 5 bis 20 µm reduziert und die Schnittgeschwindigkeit auf etwa 1 bis 3 mm/s verlangsamt.

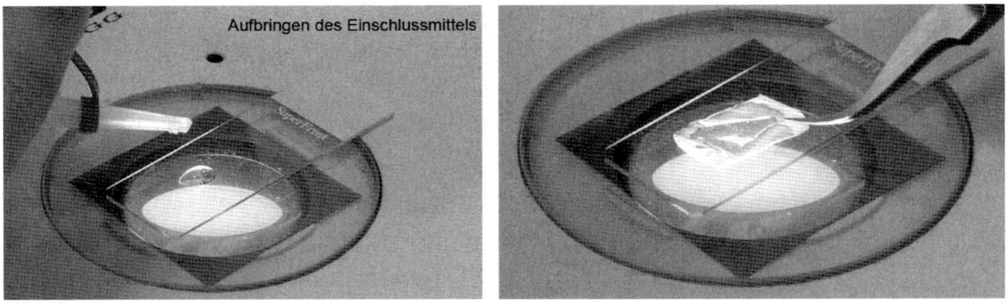

Bild 1.28 Dünnschnitt auf Objektträger positionieren
links: Einschlussmedium aufbringen
rechts: Aufbringen des Mikrotomschnittes

Die geläufigen Einschlussmedien sind Immersionsöl, Acrylharze und Kanadabalsam in Xylol. Das Immersionsöl ist für eine dauerhafte Einbettung ungeeignet. Dafür eignen sich Acrylharze und Kanadabalsam, die beide in Xylol gelöst sind, wobei Acrylharze schneller härten als Kanadabalsam. Bereits nach 20 min ist das Deckglas bei Verwendung von Acrylaten nicht mehr verschiebbar. Bei Xylol besteht die Gefahr, dass der Dünnschnitt angelöst wird, als Alternative empfiehlt sich Silikonöl.

Bei Kanadabalsam kann diese Aushärtezeit bei Raumtemperaturen Tage, bei 60 °C ca. 10 min betragen. Die Einschlussmittel zeichnen sich dadurch aus, dass sie die Dünnschnitte durchsichtig erhalten, ohne ihre Struktur zu beeinflussen, und die Präparate auf dem Objektträger fixieren. Bild 1.29 zeigt Schnitte eines PC-Teils, in das Lösungsmittel aus dem Einschlussmedium eingedrungen ist. Es verursacht Spannungsrissbildung und eine Strukturänderung, erkennbar an der Trübung.

Der innere Teil war ursprünglich hell, der Fortschritt der Trübung von außen nach innen konnte unter dem Mikroskop mitverfolgt werden.

Bei weichen Thermoplasten können durch Messer mit größeren Keilwinkeln verfälschende Deformationen hervorgerufen werden. Es kann von Nutzen sein, die Präparate unterkühlt zu schneiden, was in der täglichen Schadensanalyse sehr selten notwendig ist. Bei PE wird auf ca. −120 °C heruntergekühlt, bei TPU und TPE bis −170 °C.

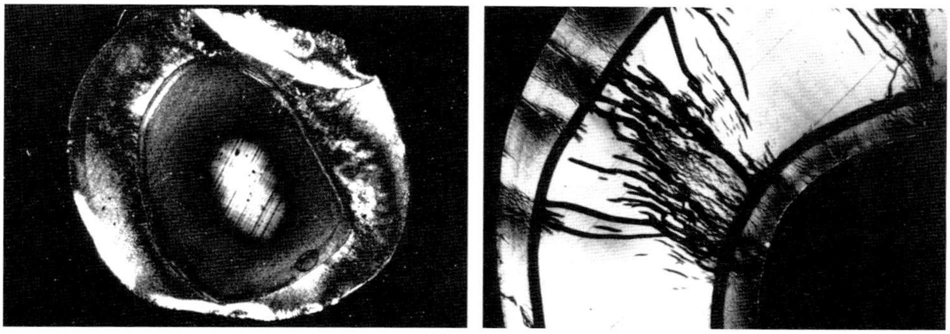

Bild 1.29 Spannungsrissbildung und Trübung in einem Schnitt eines PC-Teils durch Lösungsmittel des Einschlussmediums.

1.4.3.3.2 Abheben der Schnitte

Nach dem Schneiden liegen die Dünnschnitte zusammengerollt und gestaucht auf dem Mikrotommesser, von dem sie plan auf den Objektträger platziert werden müssen.

Für das Einschlussmittel hat sich als vorteilhaft erwiesen:

- möglichst wenig Einschlussmittel zu verwenden. Es ist ausreichend, wenn die Probe allseitig von Einschlussmittel dünn benetzt wird;
- Einschlussmittel sollte nicht unter dem Deckglas hervorquellen;
- Acrylharze und Kanadabalsam sollen dünnflüssig (frisch) und nicht zäh (alt) sein, um eingeschlossene Blasen besser entfernen zu können. Sie können evtl. durch frisches Lösemittel (Xylol) wieder verdünnt werden.
- Allerdings löst Xylol viele Kunststoffe. Eine alternative Lösung ist Silikonöl mit unterschiedlicher Brechungszahl.

Zum Abheben und Konservieren der Dünnschnitte wird ein Objektträger zuerst mit etwas Einschlussmittel versehen und in der Nähe des Mikrotoms abgelegt (Bild 1.28, links). Zusätzlich wird ein Holzstab, z.B. ein Zahnstocher, benötigt. Beim Schneiden der Probe wird der Schnitt mit einer Pinzette gehalten und in Schneidrichtung ohne Zugbeanspruchung über das Messer abgeführt. Der Schnitt sollte möglichst glatt auf den bereitliegenden Objektträger aufgebracht werden. Mit Hilfe der Pinzette und des Holzstäbchens wird der Schnitt so ausgerollt, dass die Wölbung in Schnittmitte vom Objektträger abhebt. Liegt der Schnitt umgekehrt, d.h. mit der Wölbung in der Mitte auf, besteht die Gefahr, dass Teile beim Abdecken mit dem Deckglas umknicken. Nach einem Tropfen Einschlussmittel, der auf den Schnitt gegeben wird, wird das Deckglas geneigt aufgedrückt. Mit dem Ende des Holzstabs wird das Deckglas angedrückt. Luftblasen werden nach außen hinausgedrückt (Bild 1.30).

Eine andere Möglichkeit besteht darin, zunächst das Deckglas und den Objektträger mit etwas Kanadabalsam zu benetzen. Der benetzte Objektträger wird auf das Mikrotommesser gelegt und mit einer Pinzette oder etwas ähnlichem auf das Messer gedrückt und festgehalten. Der entstehende Dünnschnitt wird mit einem Holzstäbchen leicht gespannt auf den Objektträger gezogen. Durch den Kanadabalsam wird der Dünnschnitt leicht fixiert, so dass sich die Probe nicht einrollen kann (Bild 1.30).

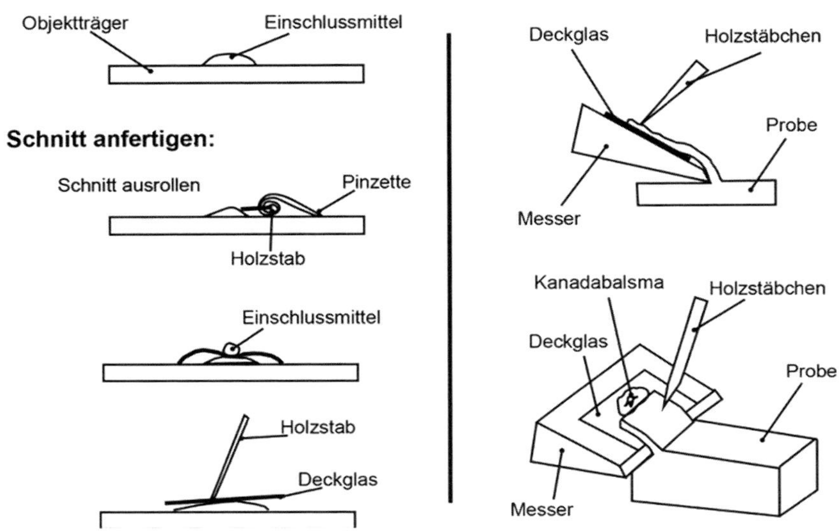

Bild 1.30 Schneiden, Abheben und Konservieren von Dünnschnitten

Bevor der Schnitt zurückrollt, muss das Deckglas auf den vorher benetzten Dünnschnitt gelegt werden. Eingeschlossene Luftblasen werden mit leichtem Druck auf das geneigt aufgelegte Deckglas mit dem austretenden Einschlussmedium entfernt.

1.4.3.3.3 Konservieren der Schnitte

Nach dem Einbetten des Dünnschnitts kann das Präparat bereits im Durchlicht-Mikroskop betrachtet werden. Das Objektiv sollte das Deckglas nicht berühren, um nicht von Einschlussmedien verschmutzt zu werden und um das Präparat nicht zu beschädigen. Sollte das Objektiv dennoch einmal vom Einschlussmittel benetzt sein, kann es mit Lösungsmittel gereinigt werden. Hier sollten die Hinweise der Mikroskophersteller unbedingt berücksichtigt werden. Das betrifft zum einen die Art des Lösungsmittels und zum anderen die genaue Vorgehensweise für die eigentliche Reinigung. (Vorsicht bei älteren Optiken. Alkohol kann die Verkittung der Frontlinse lösen).

Insgesamt ist es besser, die Aushärtung der Einschlussmittel abzuwarten. Um zu vermeiden, dass sich der Schnitt aufwölbt und Luftblasen einzieht, wird er mit einem Gewicht, z. B. einem gedrehten Metallklotz, beschwert. Erfahrungen haben gezeigt, dass je frischer (flüssiger) das Einschlussmittel ist, desto weniger Auflagegewicht benötigt wird. Als Richtwert können 0,1 bis 0,5 kg Auflagegewicht je nach Schnittdicke und Geometrie angesehen werden (Bild 1.33).

Ist beim Aushärten zu viel Einschlussmittel herausgequollen, kann man diese Rückstände mit einem Wattestäbchen zuerst mit Ethanol und anschließend mit Äther beseitigen. Dabei ist auf geringe Mengen zu achten, damit kein Einschlussmittel zwischen den Gläsern gelöst wird (auf Wattefasern achten).

Zum Abheben der Dünnschnitte und zur Konservierung der Proben bestehen mehrere Möglichkeiten (Bild 1.31). Die linke Möglichkeit mit Pinzette und Holzstab dürfte die weniger komplizierte sein, die besonders mit dem Schnitt schonender umgeht.

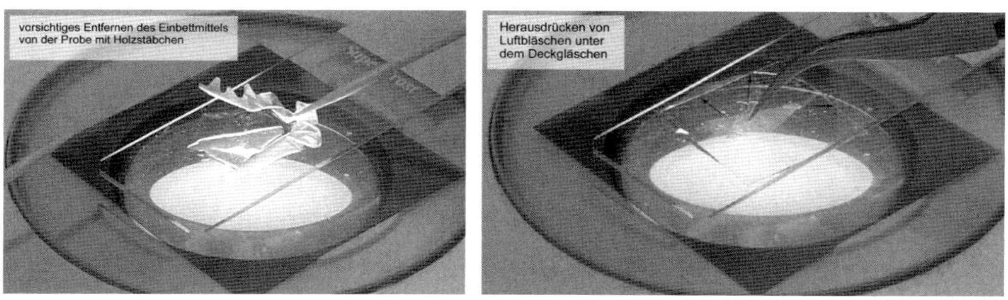

Bild 1.31 Korrigieren des Präparates
links: Entfernen des Einbettmittels mit Holzstäbchen
rechts: Herausdrücken von Luftbläschen unter dem Deckglas

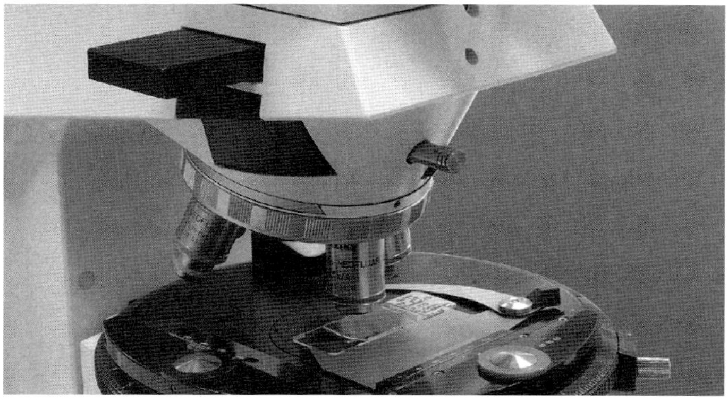

Bild 1.32 Betrachten des Mikrotomschnittes unter dem Durchlichtmikroskop

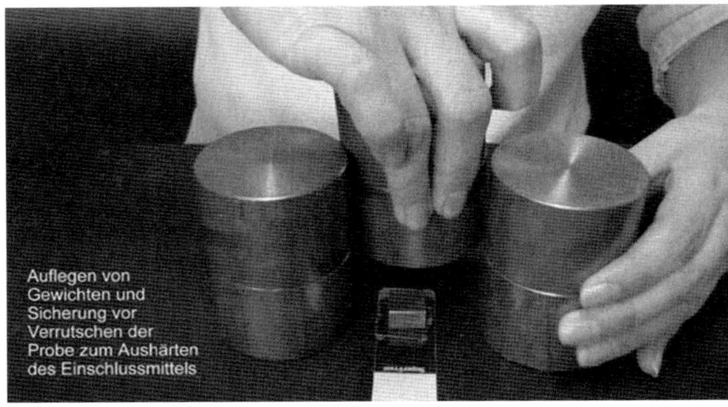

Bild 1.33 Aushärten von Dünnschnittpräparaten mit aufgestellten Gewichten

1.4.3.3.4 Schneidbedingungen

Schneidriefen, ausgefranste Ränder und Stufen im Schnitt und ähnliche, schneid- und materialbedingte Effekte beeinträchtigen die optische Qualität eines Schnittes.

Spulenartiges Aufrollen, Querfalten und Krümmungen erschweren bzw. verhindern die Präparation.

Voraussetzung für saubere, aussagekräftige Schnitte sind handwerkliches Geschick und Erfahrung sowie die Einhaltung bestimmter Schneidbedingungen.

1.4.3.3.4.1 Schnittdicke

Die Schnittdicke bestimmt die optische Auflösung der Strukturen. An PA66-Dünnschnitten von 5, 10, 15, 20, 30 und 40 µm wird der Einfluss der Schnittdicke auf die Abbildung im polarisierten Licht im Durchlichtmikroskop gezeigt. Scharfe, klare Konturen der Sphärolithstruktur ergeben sich bei Schnittdicken von 5, 10 und 15 µm. Dickere Schnitte mit 30 und 40 µm führen zu Verschleierungen und Unschärfen (Bild 1.34).

Mit steigender Schnittdicke ändert sich die Farbe des Bildes. Da das Licht einen längeren Weg durch die Probe zurücklegt, wird der Gangunterschied bei gleicher Doppelbrechung höher. Aus diesem Grund erscheint auch die Randzone bei höherer Schnittdicke heller. Der helle, gewellte obere Rand bei dem 5-µm-Schnitt entsteht durch ein Präparationsartefakt.

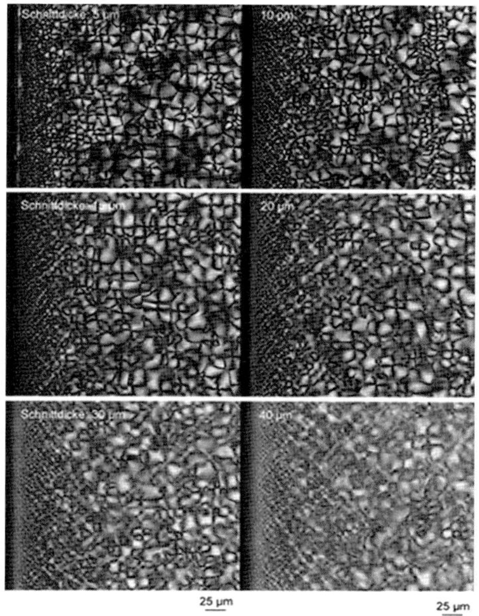

Bild 1.34 Verschiedene Dünnschnittdicken (5, 10, 15, 20, 30 und 40 µm) und deren Auswirkung auf die Abbildung von PA66-Sphärolithen aus Zugstab
Messer: CS = 27°

Die Ursache der diffusen Abbildung bei dicken Schnitten, besonders in den Randbereichen, ergibt sich aus dem geometrischen Verhältnis von Schnittdicke und Sphärolithdurchmesser. Die Sphärolithdurchmesserverteilung der Polypropylenproben der mikroskopischen Bildvorlagen wurden halbautomatisch analysiert. Der mittlere Sphärolithdurchmesser *d* beträgt 38 µm (Bild 1.36).

Die Polymerstruktur zeigt im polarisierten Licht nur dann insgesamt scharfe Konturen, wenn die Schnitte dünner als die kleinsten Sphärolithdurchmesser sind (Bild 1.35). Dies ist in dem Beispiel bei den PA66-Schnittdicken von 5 µm und 10 µm der Fall. Bei teilkristallinen Thermoplasten mit sehr feinsphärolithischer Struktur sind Schnittdicken unter 10 µm erforderlich. Diese müssen mit besonderer Sorgfalt hergestellt werden. Wichtige Voraussetzung sind hier stabile Geräte und Messer sowie geeignete Schneidbedingungen.

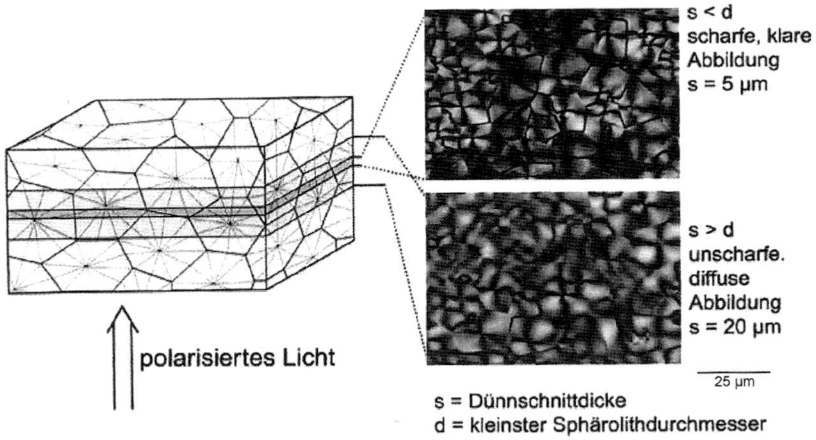

Bild 1.35 Mikroskopische Abbildung der Sphärolithstruktur im Dünnschnitt

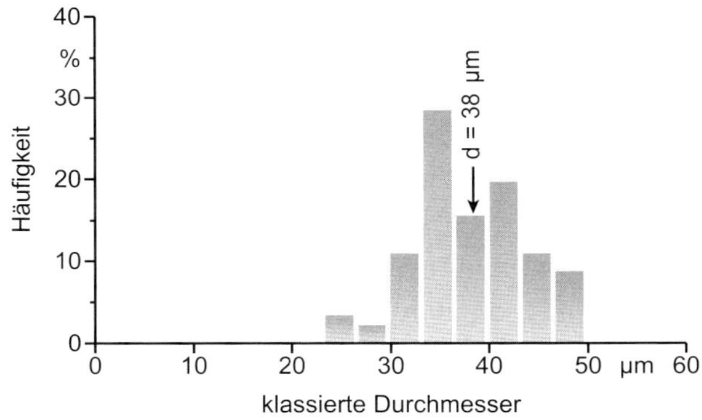

Bild 1.36 Sphärolithdurchmesser in den untersuchten Schnitten

Weiterhin werden bei dicken Präparaten die außerhalb der Fokusebene liegenden Strukturen unscharf abgebildet. Dieser Effekt verstärkt sich mit steigender Objektivvergrößerung.

1.4.3.3.4.2 Stauchung der Schnitte

Bei allen eigenen Messungen der Stauchung lag die Streuung der Ergebnisse stets unter 0,5 % und ist damit vernachlässigbar klein. Die untersuchten Kunststoffe sind unterschiedlich stauchungsempfindlich, wobei die Stauchung mit zunehmender Schnittdicke bei allen Materialien abnimmt, der Dünnschnitt wirkt also steifer. Das höher molekulare PP zeigt bei allen Schnittdicken nur eine geringe Stauchung (< 2 %). Bei einem schnellfließenden und höher kristallinen PP und PA66 liegt die Stauchung zwischen 2 und 7 %, am höchsten ist sie beim amorphen Polyethersulfon mit 12 bis 17%. Auffallend ist weiterhin, dass bei dem höher molekularen PP und dem PA66 die Stauchung praktisch unabhängig von der Schnittdicke ist, dagegen bei dem schnellfließenden PP und PES die Stauchung mit zunehmender Schnittdicke sehr stark abnimmt. Eine Korrelation des Stauchungsverhaltens mit werkstoffspezifischen Kennwerten ist dabei nicht möglich.

Während die Stauchung mit zunehmender Schnittdicke abnimmt, verringert sich die Abbildungsschärfe, sobald die Schnittdicke größer als die mittlere Sphärolithgröße des Materials ist. Für Polypropylen erzielt man bei 10 bis 15 µm Schnittdicke die höchste Abbildungsschärfe, für Polyamid bei 5 bis 10 µm. Diese Schnittdickenwerte korrelieren gleichzeitig mit guten Werten der Stauchungsmessung. Bei größeren Schnittdicken werden zum einen die Sphärolithränder nicht mehr scharf abgebildet, zum anderen erscheint die gesamte Bildstruktur verwaschen.

Ein weiterer wichtiger Gesichtspunkt ist die Maßgenauigkeit und Gleichmäßigkeit des Schnitts. Während des Schneidens findet eine Materialstauchung statt, die als Längenänderung messbar und unter dem Mikroskop gelegentlich sogar als Wellung des Schnitts sichtbar ist. Der Grad der Stauchung hängt vom Keilwinkel des Mikrotommessers ab. Das Verhältnis der Länge des Dünnschnitts zur Probenlänge ergibt ein Maß für die Stauchung. Das Messer HK 1 (Keilwinkel β = 27°) verursacht eine geringfügige Stauchung. Die Schnitte liegen annähernd in der ursprünglichen Probenlänge vor. Das Verhältnis von Schnittlänge zur Probenlänge beträgt 90% bis 100%. Die CD-Messer HK 2 (β = 45°) und HK 3 (β = 55°) verursachen deutlich größere Stauchungen. Die Schnittlängen liegen bei 70% bis 85% (HK 2) bzw. 66% bis 78% der Probenlänge (Bild 1.37).

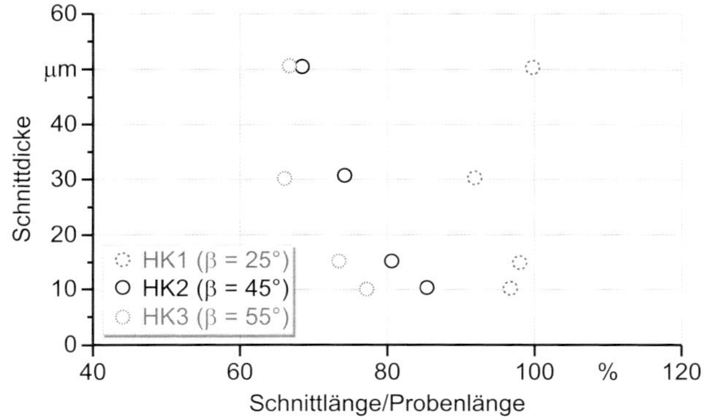

Bild 1.37 Einfluss der Mikrotommesser auf die Stauchung von PP-Schnitten

Neben der Stauchung und der erzielbaren Sphärolithrandschärfe ergibt sich bei der Wahl der Schnittdicke, außerhalb der für Gefügeuntersuchungen optimalen Dicke, in der Mikrotomie die Schwierigkeit der Präparation von extrem dünnen oder dicken Schnitten. Bild 3.40 zeigt für Polyamid das makroskopische Aussehen der Schnitte nach Abnahme vom Mikrotom. Dünnschnitte im Bereich von 5 µm neigen bedingt durch die materialspezifische Stauchung zu starker Verwellung in Längsrichtung. Bei der daran anschließenden flächigen Aufbringung des Schnittes auf den Objektträger kann es bei den geringen Schnittdicken zu einer Probenüberdehnung kommen. Ab Schnittdicken von 15 µm wird der Schnitt steifer. Dabei behindern partiell deformierte Bereiche der Schnitte oder Wellen im Schnitt selbst bei größeren Auflagegewichten eine plane Präparation, so dass sich wegen verschiedener optischer Ebenen nur abschnittsweise scharfe Abbildungen der Strukturen erzielen lassen (Bild 1.38).

Unter dem Durchlicht-Polarisations-Mikroskop sind die Stauchungen bei kleiner Vergrößerung als regelmäßige hell-dunkel Wellungen in den Randbereichen des Schnitts, bei hoher Vergrößerung als unscharfe Bereiche erkennbar. Dieses beginnt bei PP schon bei einer Schnittdicke von 15 µm mit dem CD-Messer HK 2 (Bild 1.38).

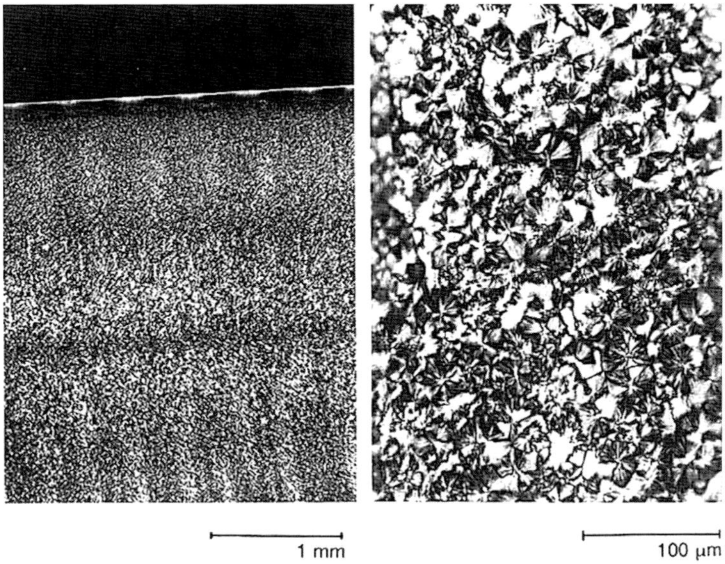

Bild 1.38 Wellungen und Unschärfen in PP, Messer HK 2 (β = 45°), Schnittdicke 15 µm
links: wellenförmiger Schnitt durch Stauchen
rechts: unscharfe Sphärolithränder

Bei Versuchsserien mit Messern mit zunehmendem Keilwinkel unter sonst gleichen Schneidbedingungen sind unter dem Mikroskop messerbeeinflusste Schneidfehler erkennbar. Jedoch können diese durch Wahl der Schnittgeschwindigkeit etwas gemildert werden. Eine übliche Schnittgeschwindigkeit beträgt ca. 1 mm/s. Insgesamt konnten mit dem schärfsten Messer (HK 1) am leichtesten fehlerfreie Schnitte hergestellt werden, mit wenig Anforderungen an Geschick und Übung, da es als Messer mit dem kleinsten Keilwinkel in einem größeren Bereich von Schneidbedingungen zu guten Ergebnissen führt.

Die verschiedenen Thermoplaste sind unterschiedlich stauchungsempfindlich. Eine Korrektion des Stauchungsverhaltens mit werkstoffspezifischen Kennwerten ist allerdings bisher nicht möglich, jedoch lassen sich allgemeine Regeln des Stauchungsverhaltens in Abhängigkeit der Schneidparameter formulieren:

- je höher die erzeugte Schnittdicke ist, desto mechanisch stabiler und weniger gestaucht wird der Schnitt,
- die maximale Schnittdicke wird zum einen durch die scharfe Abbildung der Probenstruktur und zum anderen durch nicht mehr ausgleichbare partiell auftretende deformierte Bereiche oder Wellen im Schnitt begrenzt,
- die optimale Schnittgeschwindigkeit wird durch die Handhabbarkeit beim Abnehmen bestimmt und beträgt zwischen 2 mm/s und 4 mm/s,
- je größer der eingestellte Freiwinkel ist, desto höher wird die Schnittstauchung; optimale Freiwinkel betragen zwischen 3 und 10 Grad,
- eine Erhöhung des Keilwinkels führt ebenfalls zu einer größeren Stauchung des Schnittes, es werden 2 Keilwinkel verwendet (HK 1-Messer Keilwinkel = 25 bis 27°, HK 2-Messer Keilwinkel = 45°).

Die Stauchungen gebräuchlicher Kunststoffe beim Schneiden mit den drei Messertypen ist in Tabelle 1.16 zusammengestellt. Erwartungsgemäß verursacht das Messer, mit dem fehlerfreie Schnitte hergestellt wurden, mit geringstem Keilwinkel (HK 1), bei allen untersuchten Polymeren die geringsten Stauchungen.

Tabelle 1.16 Einfluss des Keilwinkels des Mikrotoms auf die prozentuale Stauchung verschiedener Kunststoffe, Probenausgangslänge 25 bis 35 mm

Werkstoff	Schnittlänge/Probenausgangslänge in %		
	HK 1 (β = 27°)	HK 2 (β = 45°)	HK 3 (β = 55°)
ABS	101-104 *	85-92	82-84
PA66 (trocken)	95	87-88	79-82
PA66 (4 % H_2O)	98-100	85-92	75-78
PBT	87-95	83-84	70-82
PE-HD	86-95	86-90	78-88
PE-LD	98-106 *	88-98	89-100
PP	90-100	70-85	66-78

* Schnittverlängerungen gibt nur *Ischebeck* an

Im Normalfall soll ein Mikrotomschnitt in Proben-Längsrichtung erfolgen. Die Schnittkräfte werden von Schnittdicke, Mikrotommesserwinkel, Anstellwinkel, Schnittbreite und dem Werkstoffwiderstand bestimmt. Da diese Parameter oft festliegen, ist der Einfluss der Schnittkräfte auf das Präparat nur durch Änderung des Anstellwinkels möglich.

Der Anstellwinkel bezeichnet die Schrägstellung der Messerschneide (Bild 1.39). Als Arbeitshilfe wird empfohlen: Je breiter der Schnitt und je fester das Probenmaterial ist, desto größer kann der Anstellwinkel gewählt werden, wodurch sich die Schnittkräfte am Messer verringern.

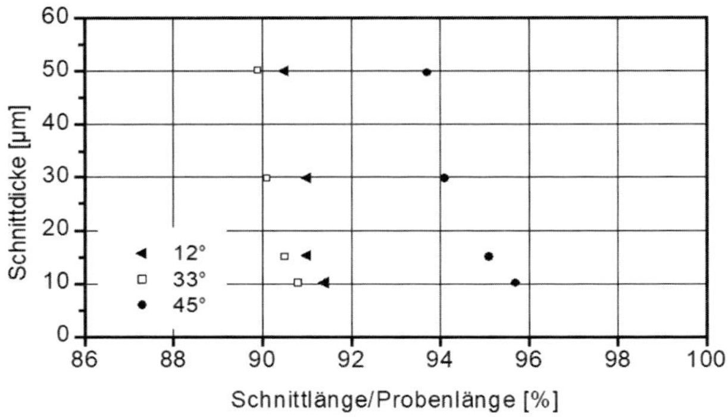

Bild 1.39 Einfluss des Anstellwinkels auf die Stauchung von PP-Schnitten
Mikrotommesser: HK 3 (β = 55 °)

Andererseits können größere Anstellwinkel auch die Deformation in weichen Materialien klein halten. Bild 1.39 zeigt den Einfluss des Anstellwinkels auf die Stauchung der Schnitte bei verschiedenen Schnittdicken. Durch größere Anstellwinkel können auch Messer mit großem Keilwinkel verformungsarm schneiden.

1.4.3.3.4.3 Schnittgeschwindigkeit

Es gibt keine einheitliche Tendenz für den Einfluss der Schnittgeschwindigkeit auf die Stauchung. Je nach Material findet man eine Zu- oder Abnahme der Stauchung mit zunehmender Schnittgeschwindigkeit. Allerdings ist der Einfluss mit einer Änderung um ca. 2 % noch geringer als der Einfluss der Schnittdicke auf die Stauchung. Für das sichere Abnehmen der Proben kann jedoch nur ein begrenzter Geschwindigkeitsbereich genutzt werden. Unter 2 mm/s werden die Schnitte aufgrund der von Hand nicht so exakt nachführbaren Abnahme mit der Pinzette oftmals gedehnt. Über 4 mm/s ist dagegen keine definierbare Erfassung der Probe im Anfangsbereich möglich. Für die Praxis hat sich für alle untersuchten Materialien der Bereich zwischen 2 und 4 mm/s als günstig erwiesen.

1.4.3.3.4.4 Freiwinkel

Beim Schneiden wirkt eine Kraftkomponente senkrecht auf die Probe und staucht diese. Beim Entspannen bzw. Rückfedern besteht die Gefahr, dass die Probe über den unteren Messerteil schleift und so Artefakte entstehen. Der Freiwinkel soll ein Schleifen der Probe auf dem Messer verhindern. Zusammen mit dem am Messer eingeschliffenen unteren Abzugswinkel lässt sich der Freiwinkel am Mikrotom über den Neigungswinkel variieren. Bei dem verwendeten Schlittenmikrotom entspricht die Nullstellung des Neigungswinkels einem Freiwinkel von 5°.

Die Erhöhung des Freiwinkels ändert den Schneidprozess vergleichbar einer Erhöhung des Keilwinkels, was eine höhere Stauchung der Materialien zur Folge hat. In Bild 1.39 ist für die untersuchten Materialien die Stauchung als Funktion des Freiwinkels dargestellt. Für die beiden Polypropylentypen nimmt die Stauchung im Freiwinkelbereich von 3° bis 10° um etwa 4% zu, für das Polyamid um knapp 6%. Bei PES mit einer hohen Stauchung ergibt sich praktisch kein Einfluss durch den Freiwinkel.

Die Überprüfung der Abbildungsschärfe in Abhängigkeit vom Freiwinkel zeigte bei PP und PA eine geringfügige Verschmierung der Sphärolithränder bei einem Freiwinkel von 3°. Die Erhöhung des Freiwinkels von 5° auf 7° und 10° lässt dagegen keinen Einfluss auf die Abbildungsschärfe erkennen.

Zusätzlich zur Überprüfung des Freiwinkeleinflusses auf die Abbildungsschärfe wurde eine Versuchsserie mit Polyamid durchgeführt, die den Einfluss des Freiwinkels auf die Präparierbarkeit zeigen sollte (Bild 1.42). Dabei wurde im Rahmen des oben ermittelten optimalen Freiwinkelbereiches, in Abhängigkeit von der Schnittdicke, ein Freiwinkel von 5° und 7° eingestellt. Man erkennt, dass bei einer Dicke von 5 µm eine deutliche Zunahme der Querwellen bei größerem Freiwinkel vorliegt. Mit Zunahme der Schnittdicke verursacht der Freiwinkel von 7° trotz optimaler Schnittgeschwindigkeit und neuer Messerstelle stärkere Stauchungen speziell im Randbereich der Schnitte.

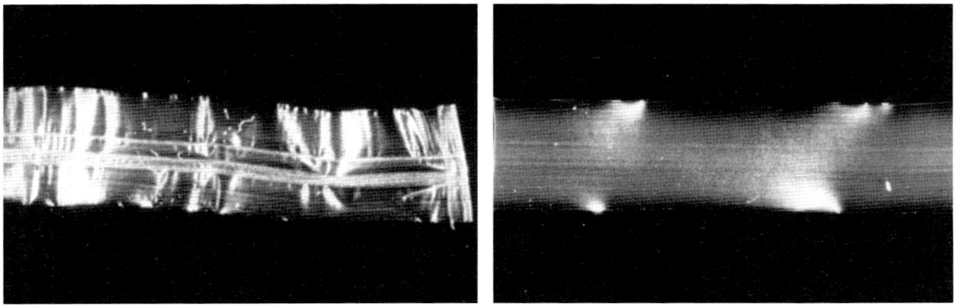

Bild 1.40 Ebenheit der Schnitte in Abhängigkeit von der Schnittdicke, Material PA66 (A4) (FW = 5°, AW = 0°, v = 3 mm/s, Messer CC (27°))
links: Schnittdicke 5 µm
rechts: Schnittdicke 20 µm

1.4.3.3.4.5 Anstellwinkel

Bei Schlittenmikrotomen lässt sich der Anstellwinkel verändern, so dass sich bei gleichbleibender Messergeometrie ein ziehender Schnitt mit einem größeren Spanwinkel ergibt. Man erhält so ein scheinbar „spitzeres“ Messer. Bis auf das schnellfließende PP ist nur eine unwesentliche Verringerung der Probenstauchung zu erzielen. Bei diesem PP dagegen verringert sich die Stauchung bei einem Anstellwinkel von 30° um 4%.

Unter sonst optimalen Schnittbedingungen konnten keine erkennbaren Unterschiede in der Abbildungsschärfe bei Variation des Anstellwinkels festgestellt werden.

Die beim ziehenden Schnitt schräg über dem Querschnitt eingeleitete Deformation (zusätzliche Querkraft) führt materialabhängig zu einer unterschiedlich stark ausgeprägten Verdrillung des Materials, auch als „Schillerlocke“ bezeichnet (Bild 1.41). Dadurch lässt sich die Probe bei Schnittbeginn nur schwer fassen. Bis zu einem Anstellwinkel von 45° erfolgte bei PP ausschließlich eine Verdrillung des Materials mit zusätzlichen Verwellungen in den Randbereichen der Probe. Ab 60° traten deutliche Längswellen auf, so dass die Schnitte nicht mehr flächig plan zu präparieren sind. Polyamid zeigt dagegen bis 45° Anstellwinkel ein paralleles Abgleiten ohne „Schillerlocke“ am Messer mit Randwellen. Ab 60° traten dann Längswellen des Schnittes auf, die eine schädigungsfreie Präparation behinderten.

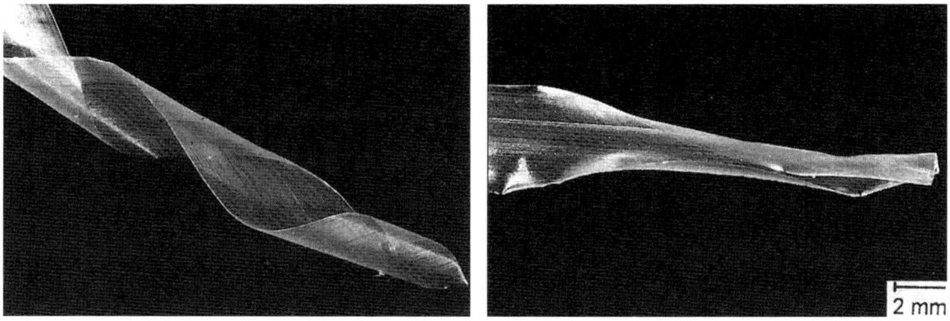

Bild 1.41 Verdrillte Schnitte bei unterschiedlichen Anstellwinkeln für PP und PA (Dünnschnittdicke = 10 µm, Freiwinkel = 5°, Schnittgeschwindigkeit = 3 mm/s, Messer CC (27°))
links: PP, Anstellwinkel = 30°
rechts: PA66, Anstellwinkel = 60°

1.4.3.3.4.6 Messertyp und Messerverschleiß

Bild 1.42 zeigt den Einfluss der Schnittgeschwindigkeit und des Freistellwinkels für die Messer HK 1-CS (27°) und HK 2-CD (45°). Die unterschiedlichen Keilwinkel von CS (27°) und CD (45°) ergeben z.B. für das Polyamid unterschiedliche Schnittgeschwindigkeiten.

Das CD-Messer ergibt für die Schnittgeschwindigkeit von 3 mm/s eine durchschnittlich höhere Stauchung der Probe von 5 % gegenüber dem CC-Messer. Zu höheren Geschwindigkeiten hin vergrößert sich die Stauchung noch geringfügig. Weiter ist festzustellen, dass der Freiwinkel sich bei Verwendung des CD-Messers stärker auf die Stauchung auswirkt.

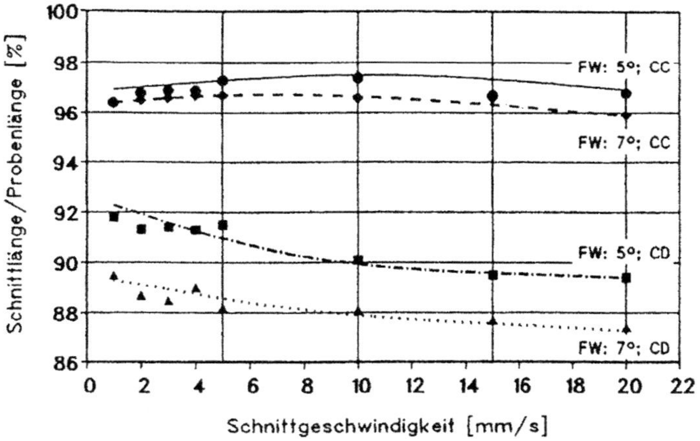

Bild 1.42 Schnittlänge/Probenlänge in Abhängigkeit von der Schnittgeschwindigkeit für Freiwinkel 5° und 7° und Messer CS (27°) und CD (45°) mit einer Schnittdicke d = 10 µm und einem Anstellwinkel von 0 bei PA66

Bild 1.44 links zeigt die mit einem neuen Messer überschnittene „Oberfläche". Die im REM sichtbaren Riefen sind beim CC-Messer deutlich ausgeprägter als beim CD-Messer mit größerem Keilwinkel. Weiterhin ist zu erkennen, dass das Schneiden von härteren Kunststoffen wie PES schon beim ersten Schnitt zu verstärkten Mikroausbrüchen beim CC-Messer führt (Bild 1.44, rechts).

Mit einem CC-Messer sind nur wenige gute Schnitte möglich. Zum Vorschneiden empfiehlt es sich daher, benutzte Messerstellen zu verwenden und den Endschnitt mit einer neuen Messerstelle durchzuführen.

In Bild 1.43 sind für ein CD-Messer die Schnittoberflächen für mehrmals gebrauchte Messerstellen dargestellt. Der Vergleich zwischen neuer und oftmals benutzter Messerstelle zeigt für das CD-Messer eine hohe Stabilität der Schneidenkante in der Mikrotomie von Materialien wie Polyamid 66, erkennbar an der nur geringfügigen Zunahme der Schneidriefen. Gleichzeitig wird die Messerschneide stumpf, wodurch die Sphärolithe an der Oberfläche des Materials verstärkt sichtbar werden.

Im Vergleich zu den weichen Materialien führt das Schneiden eines harten und steifen Materials wie Polyethersulfon zu einem vermehrten Verschleiß und einer Zunahme der Anzahl der Schneidriefen. Die Standzeit einer Messerstelle wird dabei deutlich herabgesetzt.

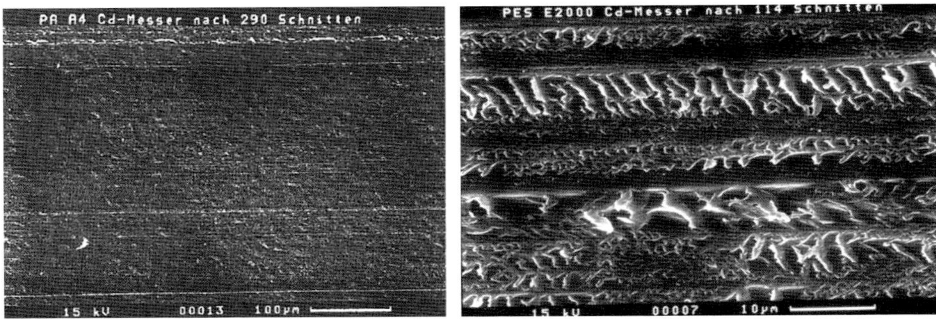

Bild 1.43 Überschnittene Oberflächen nach mehrfacher Nutzung des CD-Messers (45°). Dicke des abgehobenen Schnittes = 10 µm, Anstellwinkel = 0°, Schnittgeschwindigkeit = 3 mm/s
links: PA66 nach 290 Schnitten
rechts: PES nach 114 Schnitten

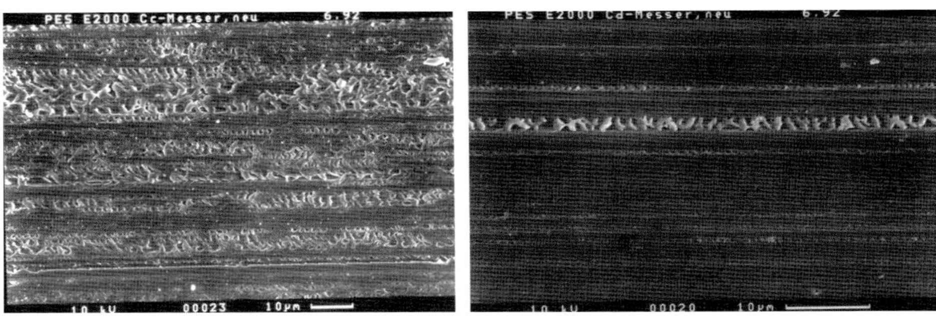

Bild 1.44 Vergleich der Schnittoberflächen von PES bei einem CC-Messer (27°) und einem CD-Messer (45°); Schnittdicke = 10 µm; Freiwinkel = 5°; Anstellwinkel = 0°; Schnittgeschwindigkeit = 3 mm/s
links: PES, CC-Messer
rechts: PES, CD-Messer

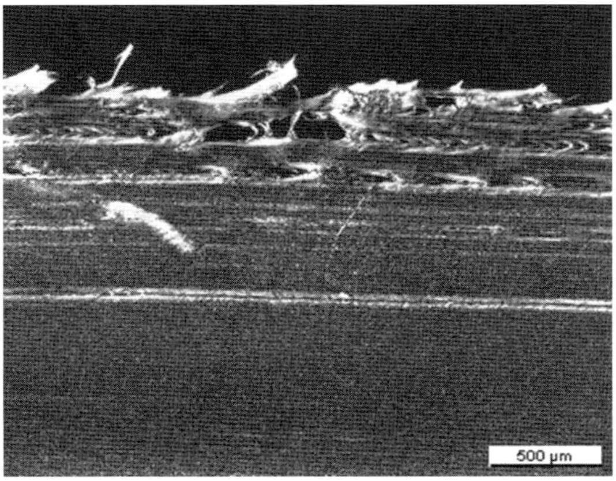

Bild 1.45
Präparationsfehler in Randschicht bei PP, schadhaftes Messer

1.4.3.3.4.7 Oberflächenqualität

Die Verwendung des 45°-Messers bewirkt eine stärkere Deformation der überschnittenen Probenoberfläche, so dass nach dem Schnitt die Sphärolithgrenzen aufgrund des unterschiedlichen Rückstellvermögens der amorphen und teilkristallinen Bereiche sichtbar werden (Bild 1.46).

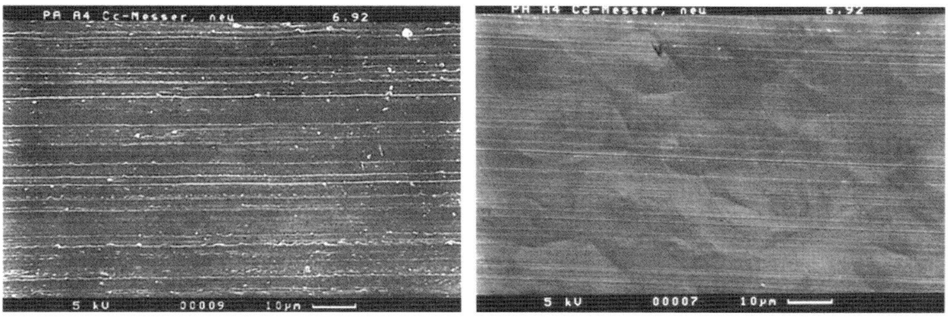

Bild 1.46 Vergleich der überschnittenen Oberflächen (Oberseite des folgenden Schnitts) für 27°-Messer (links) und 45°-Messer (rechts) am Beispiel von PA66

Gleichzeitig sind jedoch die Mikroausbrüche auf den Oberflächen gegenüber den Schnitten mit dem 27°-Messer deutlich verringert. Die in Bild 1.47 gezeigten Oberflächen der verbleibenden Probe wären beim nächsten Schnitt die Oberfläche des neuen Schnitts.

Ein Mikrotomschnitt hat zwei Oberflächen

Aussagen zur Oberflächenqualität von Mikrotomschnitten sind mit dem Rasterelektronenmikroskop möglich. Mit dem Messer HK1 geschnittene PP-Oberflächen sind vergleichsweise glatt. Die sphärolithische Grundstruktur des Polymers wird glatt durchschnitten und ist nur undeutlich zu erkennen. Quer über das Bild sind eine Anzahl von Schneidriefen erkennbar, da die Messer mit stumpferen Keilwinkeln den Kunststoff weniger glatt schneiden, mehr stauchen und stumpf trennen. Dabei werden aufgrund unterschiedlicher Härte der amorphen und kristallinen Sphärolithbereiche die Sphärolithe reliefartig abgebildet bzw. nimmt die Oberflächenrauheit zu (Bild 1.47).

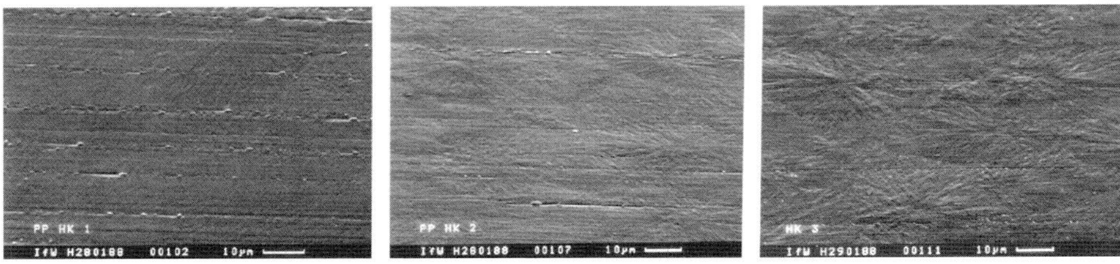

Bild 1.47 Rasterelektronenmikroskopische Abbildung von geschnittenen PP-Oberflächen mit sphärolithischer Grundstruktur

Die Mikrotomie verstärkter Kunststoffe ist schwierig, besonders, wenn die weiche Matrix den steifen Glas- oder Kohlenstofffasern beim Schneiden nicht genügend Widerstand bietet. Die Fasern deformieren die Matrix. Bild 1.48 zeigt die Oberfläche von geschnittenem PA66-CF40. Die Fasern sind zum Teil gebrochen, geschnitten oder von der deformierten Matrix gelöst.

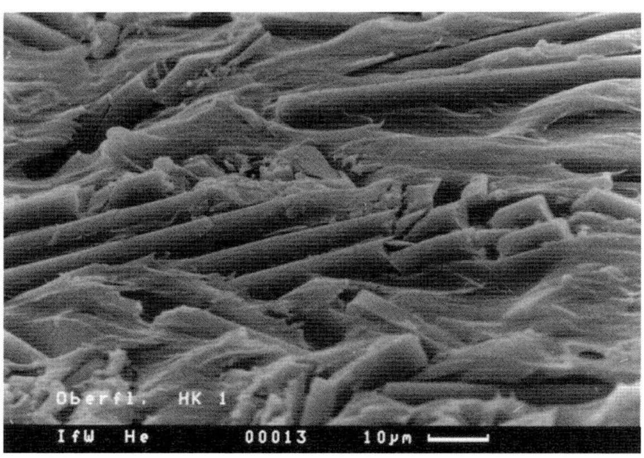

Bild 1.48
Gebrochene, geschnittene und von der deformierten Matrix gelöste Fasern: rasterelektronenmikroskopische Aufnahme einer geschnittenen PA66-CF40 Oberfläche (Mikrotommesser HK 1) (β = 25 °)

Mikroskopische Auflichtaufnahmen sind im Vergleich zur Polarisations-Mikroskopie im Durchlicht i. Allg. weniger aussagefähig, da Kunststoffe nur im Durchlicht polarisations-optisch für die mikroskopische Abbildung ausreichend aktiv sind. Die Auflichtpolarisationsmikroskopie erfordert hohe Anisotropien und sehr lichtstarke Auflichtpolarisationsmikroskope. Im Auflicht reichen die Polarisationseffekte nicht zu einer optimalen Bildwiedergabe. Der Abbildungskontrast bzw. die Auflösung kann durch Verschieben der Aperturblende oder durch Einsatz von Differential-Interferenz-Zusätzen häufig so weit verstärkt werden, dass Strukturen deutlich abgebildet werden können. Bild 1.49 zeigt geschnittene Oberflächen von PP, PA und PBT mit verschobener Aperturblende. Die Sphärolithe sind deutlich erkennbar. Im Vergleich zu PP weisen PA und PBT weitaus kleinere Sphärolithdurchmesser auf.

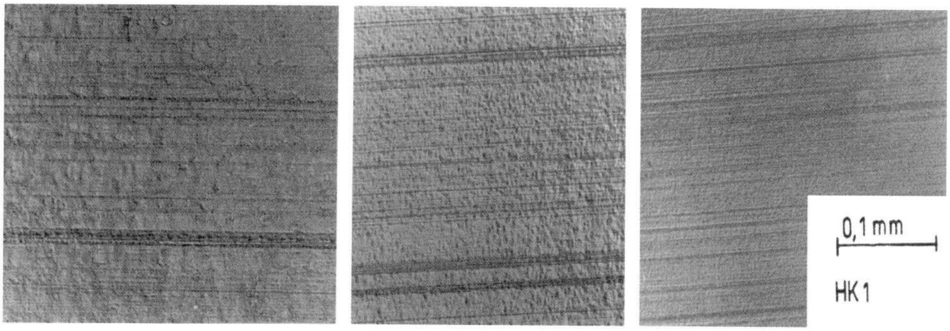

Bild 1.49 Auflichtmikroskopie mit verschobener Aperturblende an geschnittenen Oberflächen sphärolitischer Thermoplaste, HK 1
links: PP
mitte: PA
rechts: PBT

1.4.3.3.5 Gefrierschnitte

Weiche Materialien wie Elastomere, z. B. TPE, können bei Raumtemperatur nur bedingt präpariert werden. Hier eignet sich eine Gefrierschnittpräparation, auch Kryoschnitt genannt (Bild 1.50). Hier wird die entnommene, eventuell nur sehr gering eingebettete Probe auf den Gefrierobjekttisch aufgesetzt und mit einem speziellen Einschlussmittel für Gefrierschnitte unter Stickstoffzufuhr bis zur Einfrier-/Glasübergangstemperatur des Kunststoffs bzw. unterhalb dieser abgekühlt (Bild 1.51). Dabei ist darauf zu achten, dass die Probe nur so groß ist, dass eine gleichmäßige Abkühlung noch möglich ist. Anschließend erfolgt die Schnittabnahme, die prinzipiell der bei Raumtemperatur entspricht.

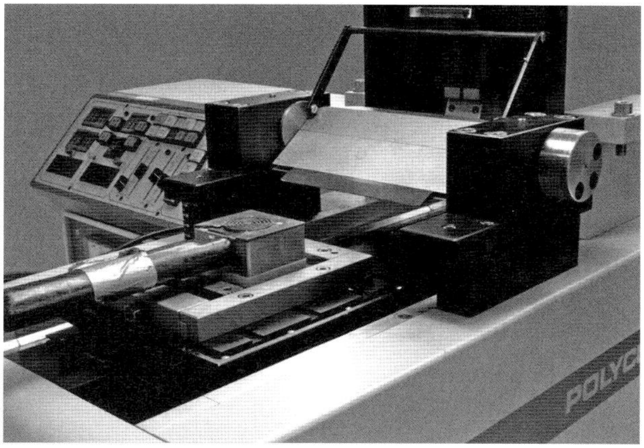

Bild 1.50 Mikrotom mit Gefrierschnitteinheit

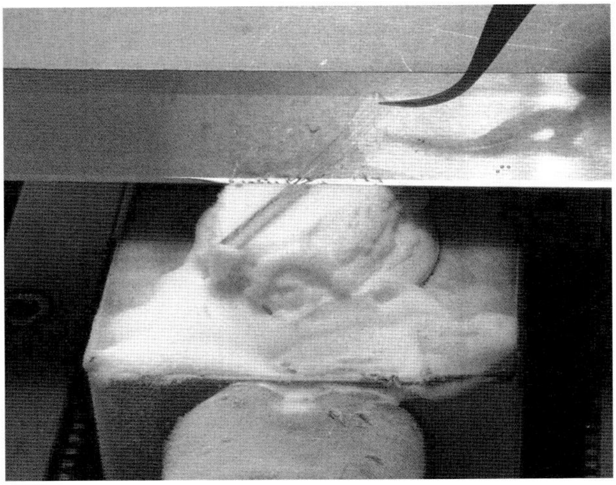

Bild 1.51 Abnehmen eines Gefrierschnitts (Bauteil aus thermoplastischem Elastomer)

Bild 1.52 Gefrierschnitt eines Bauteils aus thermoplastischem Elastomer bei –150 °, Durchlicht, Polarisationskontrast

1.4.3.3.6 Fehler beim Schneiden und Abheben

Bei der Präparation von Dünnschnitten mit Zahnstocher-Holzstift oder Pinzette sind mögliche Präparationsschäden zu berücksichtigen. Bild 1.53 zeigt eine Beschädigung eines Dünnschnitts von einem Zugstab aus PE-HD beim Führen mit einem Zahnstocher (Bild 1.54), einen Schnitt in der Nähe des Angusses eines Dübels aus PE-HD (Bild 1.55) und die gleichzeitige Schädigung durch eine Pinzette und einen Zahnstocher.

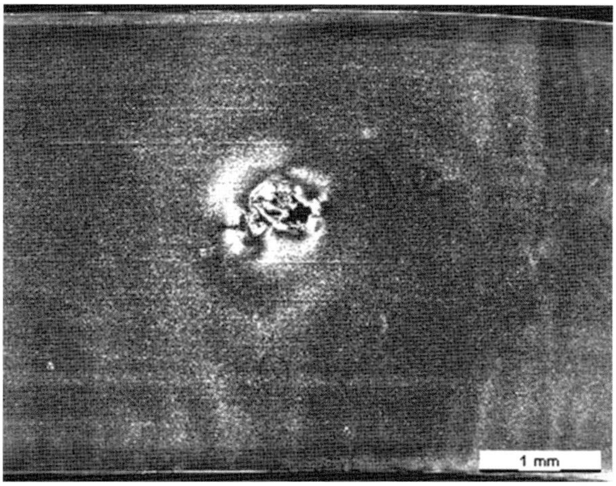

Bild 1.53
Beschädigung eines Dünnschnitts eines Zugstabs aus PE-HD durch einen Zahnstocher mit Luftblase und schlechter Verteilung des Einschlussmittels
Messer CD; Freiwinkel = 13°; Deklination = 0°; 10 µm; Durchlicht polarisiert

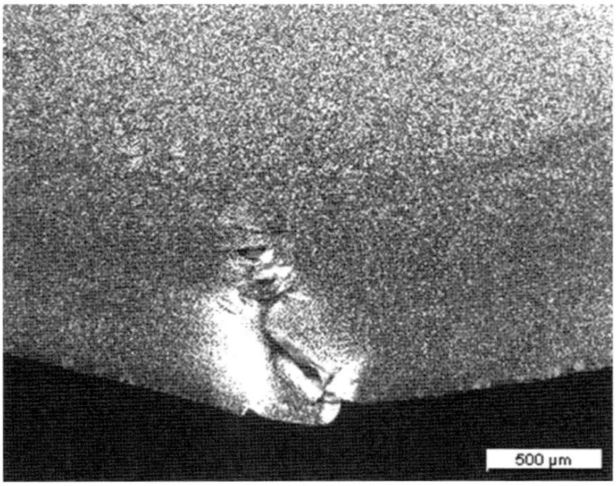

Bild 1.54
Beschädigung eines Dünnschnittes eines Dübels aus PE-HD in der Nähe des Angusses durch Pinzette bei Abnahme des Schnittes,
Messer CD; 10 µm; Durchlicht polarisiert

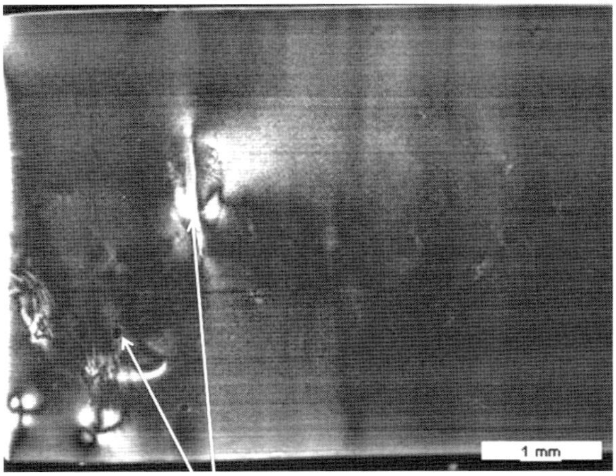

Bild 1.55
Beschädigung eines Dünnschnittes eines Zugstabes aus PE-HD durch Pinzette und Zahnstocher während der Präparation
Messer CD, Freiwinkel = 9°; Deklination = 0°; Durchlicht polarisiert;
linker Pfeil zeigt auf Zahnstocherfehler
rechter Pfeil auf Pinzettenfehler

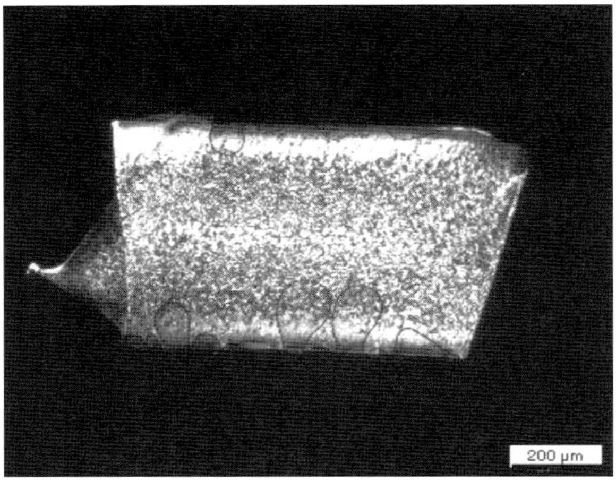

Bild 1.56
Dünnschnitt eines kleinen Zugstabs aus POM mit umgeschlagenen Seiten und Luftblasen wegen zu wenig Einschlussmittel; Doppellagen kaum interpretierbar
Messer CD; 10 µm, Durchlicht polarisiert

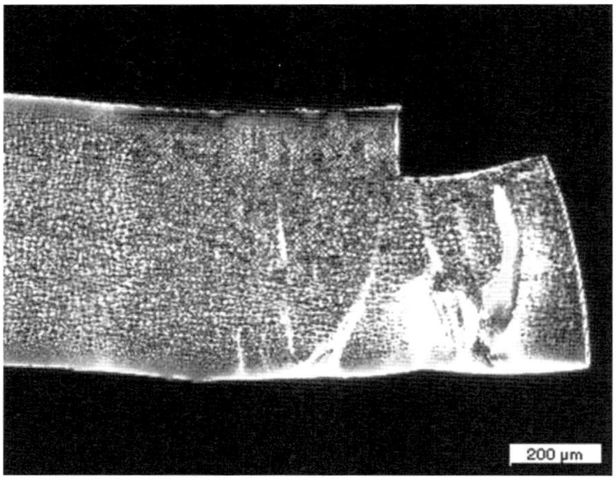

Bild 1.57
Dünnschnitt eines kleinen Zugstabs aus PA66 aus einem mit PEEK beschichtetem Werkzeug mit Beschädigung durch eingeknickte Ecke und hantierende Pinzette sowie Luftblasen wegen zu wenig Einbettmittels
Schnitt liegt teilweise doppelt und kann an dieser Stelle nicht mehr interpretiert werden
Messer CD; 10 µm; Durchlicht polarisiert

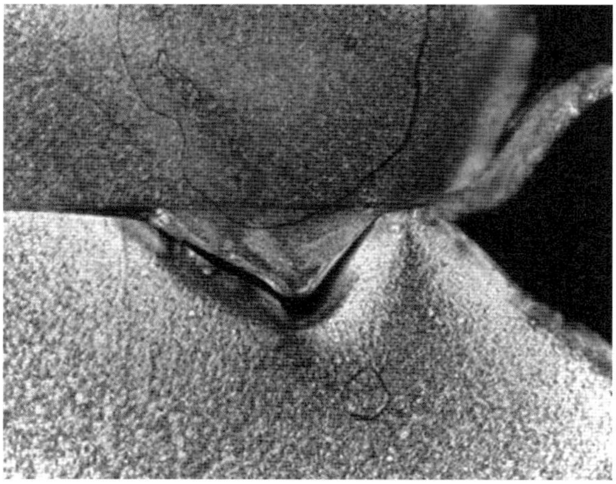

Bild 1.58
Dünnschnitt eines POM-Teiles mit zu wenig und unzureichend verteiltem Einbettmittel mit Wellung am Rand, dadurch unscharfe Abbildung
Messer CD; 20 µm; Durchlicht polarisiert

Beim Schneiden eines Zugstabes aus PE-HD ergaben sich bedingt durch die Abnutzung des Messers Schneidriefen bzw. Rattermarken (Bild 1.59).

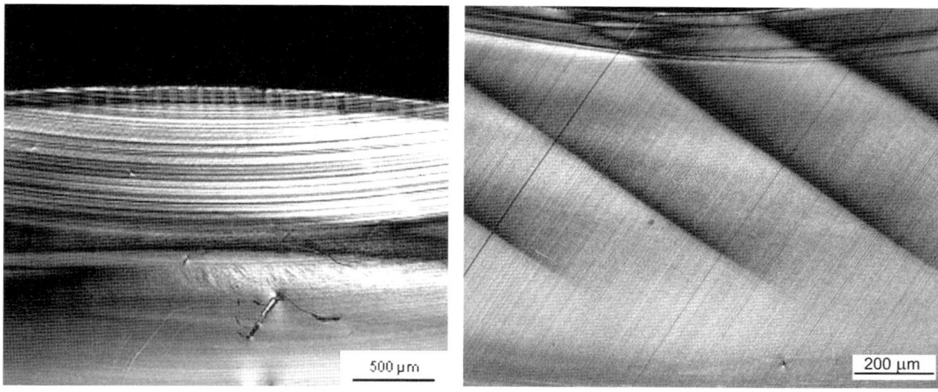

Bild 1.59 Schneidriefen und Rattermarken in Dünnschnittprobe aus PE HD
links: Schneidriefen
rechts: Rattermarken
Durchlicht - Polarisationskontrast; Dünnschnitt: 10 µm

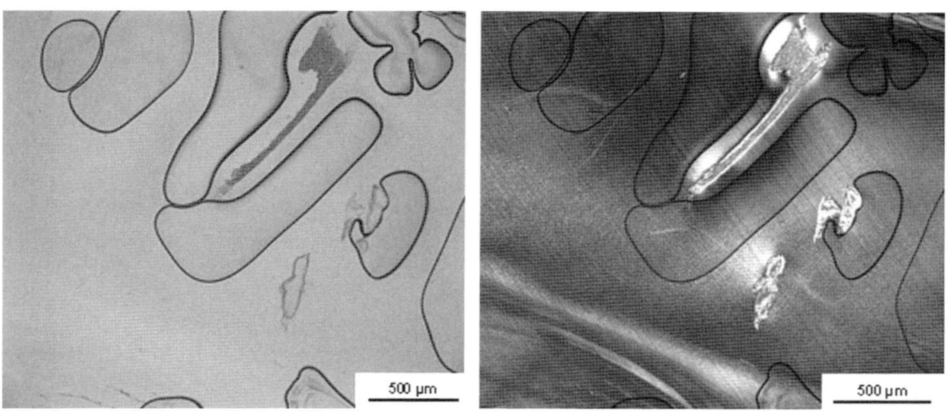

Bild 1.60 Blasen und Fremdpartikel im Eindeckmittel zwischen Objekt-Träger und Deckglas; Dünnschnitt: 10 µm
links: Hellfeld;
rechts: Polarisationskontrast

Eine Arbeitsanleitung zur Herstellung von Dünnschnittproben für die Lichtmikroskopie zeigt Tabelle 1.17.

Tabelle 1.17 Arbeitsanleitung: Dünnschnittherstellung

- Bestimmung der Untersuchungsstellen am Formteil und Festlegen der Beobachtungsebene
- reicht eine Beobachtungsrichtung? Flach, Längs-, Quer-, Schrägschnitt
- Proben entsprechend der Mikrotomhalterung vorbereiten: Einbetten, einspannen, heraustrennen
- Mikrotommesser auswählen:
  Auswahlkriterien: Verfügbarkeit, Materialhärte, Probengröße, Schnittgüte
- Metall- oder Hartmetallklingen, Metallmesser, Glasmesser, Diamantmesser
- Probe immer so im Mikrotom einsetzen, dass die Schnittkräfte minimiert werden, wodurch die Probe stabilisiert wird.
- beschichtete Verbunde immer zum Grundwerkstoff hin schneiden
- Dünnschnitt anfertigen, Schnittdicke 3 µm bis 30 µm, meist 10 µm
- wenn der Schnitt zerfällt oder sich stark rollt, kann auf die Schnittfläche ein lichtpausfähiger Spezialklebefilm aufgebracht werden, wenn nötig, wird dieser mit einem Fenster versehen
- Schnitt mit weichem Pinsel, Spritzenkanüle oder Holzspitze sehr vorsichtig auf gesäuberten Objektträger in das vorher aufgebrachte Immersionsmittel überführen
- darauf achten, dass die Probe vollständig vom Immersionsmittel umgeben ist
- Schnitt mit einem gereinigten Deckglas abdecken, mögliche Luftblasen vorsichtig herausdrücken, Deckglas mit Nagellack fixieren

Trotz sorgfältiger Arbeitsweise kann auch bei der Dünnschnittherstellung eine Reihe von Fehlern auftreten. Die wichtigsten werden in Tabelle 1.18 dargestellt.

Tabelle 1.18 Fehler und Vorschläge zu deren Vermeidung bei der Dünnschnittpräparation von Kunststoffen

Fehler/Fehlerursache	Auswirkung auf die Probe	Vorschläge zur Behebung
parallele, gerade Kratzer meist über die ganze Schnittfläche durch Scharten im Messer	mikroskopische Untersuchung wird erschwert, keine sauberen Schnitte mehr möglich	neues Messer, oder wenn möglich, Messer neu schleifen
trotz Dickenzustellung am Mikrotom schneidet das Messer nicht. Durch Fehl-einstellung am Mikrotom negativer Freiwinkel. Klemmung von Probe und/oder Messer locker	Herstellung eines Dünnschnittes nicht möglich	Freiwinkel korrigieren, Klemmungen von Probe und Messer überprüfen und gegebenenfalls korrigieren
ungleichmäßige Schnittdicke durch lockere Probe und/-oder Probenverformung während des Schneidens	kaum mikroskopische Probenuntersuchung möglich	Probe optimal trimmen, Probeneinspannung überprüfen und gegebenenfalls korrigieren

Fehler/Fehlerursache	Auswirkung auf die Probe	Vorschläge zur Behebung
Ratterspuren senkrecht zur Schnittrichtung auf der ganzen Probe oder nur innerhalb begrenzter Bereiche durch zu großen Freiwinkel und/oder harte Probe bzw. Einbettung. Dünnschnitt zu dick	durch Überlagerung der Wellenstruktur des Fehlers mit der Probenstruktur keine saubere mikroskopische Probenuntersuchung möglich	Veränderung des Freiwinkels am Mikrotom. Bei harten Proben sollte ein großer (etwa 7 bis 10°) Freiwinkel, bei weichen Proben ein kleiner (unter 5°) Freiwinkel angewendet werden
Dünnschnitt zerreißt in begrenzten Bereichen durch harte Einlagerungen	durch partielle Probenzerstörung keine saubere mikroskopische Probenuntersuchung möglich	neuen Dünnschnitt herstellen
Schnitt rollt sich oder zerfasert curch Inhomogenitäten	Schnitt lässt sich nicht über größeren Bereich gleichmäßig scharf stellen, beim Aufbringen des Deckglases auf den gerollten Dünnschnitt liegen Teile des Schnittes übereinander und lassen damit keine Auswertung zu	vor dem Schnitt eine Klebefolie auf die Schnittfläche aufbringen; Schnitt sehr vorsichtig mit kleinen angespitzten Holzstäbchen spreizen und glätten
Luftblasen im fertig immergierten und eingedeckten Präparat; Probe wird nicht vollständig vom Immersionsmittel eingeschlossen	unterschiedlich große, schwarze Kreise mit hellem Zentrum im mikroskopischen Bild, diese wandern manchmal langsam durch das Bildfeld. Starke Beeinträchtigung der mikroskopischen Probenuntersuchung	Probe vollständig im Immersionsmittel eintauchen, notfalls Probe in den ersten Tropfen legen und nochmals einen Tropfen auf den schon eingebetteten Dünnschnitt geben
Probe ist über die ganze Fläche stark deformiert und/oder weist breite deformierte Streifen durch stumpfe Messer auf	durch völlige Zerstörung der Probenstruktur keine mikroskopische Untersuchung möglich	neues Messer oder wenn möglich Messer schärfen
Quetschen der Probe beim Einspannen	Anpressdruck des Probenhalters auf die Probe zu hoch	Nutzung von Klemmbacken, die ein Verrutschen der Probe verhindern, diese jedoch nicht quetschen. Probe sollte nach oben oder unten nicht verrutschen können
Schnittabnahme ist nicht kontinuierlich, sondern nur alle zwei bis drei Schnitte	Schnittdicke ist zu dünn	Vorschub vergrößern, größere Schnittdicke
Schnitt rollt sich	Messer ist stumpf oder Schnittgeschwindigkeit zu hoch	Messer nachschleifen, geringere Schnittgeschwindigkeit
Stauchung der Probe	Schnittkräfte sind zu hoch ($F = p/A$) → Schnitt zu breit oder Schnittgeschwindigkeit zu hoch	Probekörper sollte nicht zu breit sein, Schnittgeschwindigkeit verringern
Probenoberfläche schmiert	Probenmaterial zu weich	Kryoschnitt
Schnitt zeigt Riefen	Messer ist nicht richtig sauber oder beschädigt	Reinigung mit Ethanol, neue Schneidfläche suchen, evtl. neues Messer

Eine weitere Zusammenstellung von Fehlerursachen hat *Kurr* vorgelegt (Tabelle 1.20 und 1.21).

Tabelle 1.19 Fehler und Fehlerkorrektur beim Schneiden von Dünnschnitten *(Kurr)*

	Fehler beim Schneiden von Dünnschnitten																
Dünnschnitt ist/hat	Messer nachschleifen	neue Messerstelle suchen	Messerausbrüche	Probe fester einspannen	Probe einbetten	Probe zu weich (kühlen)	Schnittfläche zu groß	Schnittgeschwindigkeit klein	Schnittkraft zu groß	Schnittdicke zu groß	Schnittdicke zu gering	Deklination größer	Inklination kleiner	Inklination größer	Glasmesser verwenden	Klebstreifenmethode	Pinzettenzug verringern
gestaucht	●	●				●		●	●	●		●		●			
Stufen (chatter)	●	●		●		●		●	●			●	●				
stark gerollt (coil)	●	●								●			●			●	
Riefen		●	●												●		
abwechselnd dick/dünn	●	●		●										●			
verschmierte Oberfläche	●	●				●				●				●			
ausgefranste Ränder	●	●	●		●	●										●	
< 5 µm problematisch	●	●		●	●	●	●	●	●			●			●	●	
Querfalten	●	●				●		●									
gekrümmt	●	●	●									●				●	
verstreckt								●	Skalpellschnitt nicht vergessen								●
klebt auf dem Messer									elektrost. Aufladung: anhauchen								

Tabelle 1.20 Fehler und Fehlerkorrektur beim Platzieren von Dünnschnitten auf dem Objektträger (Kurr)

	Fehler beim Platzieren von Dünnschnitten																
der Dünnschnitt ist/hat	Druckstellen von Präpariernadeln	mit 2 Präpariernadeln glätten	zu rau platziert	Objekt- und Deckglas reinigen	Luftblasen	Benetzungsfehler	Deckglas verrutscht	Deckglas geneigt aufdrücken	Schnitt zu dick, federt zurück	zu viel Kanadabalsam	zu wenig Kanadabalsam	Kanadabalsam zu alt	Kanadabalsam zu flüssig	Kanadabalsam am Druckstempel	Kanadabalsam am Objektiv	Kanadab. noch nicht ausgehärtet	Trockengewicht zu gering
helle Schlieren	•		•														
Wellen							•		•	•			•				•
Punkte und Flusen				•				•									
Kreise mit hellem Zentrum			•		•			•	•	•		•					•
scharfrandige Flecken						•		•	•		•	•	•			•	•
eingerissen, gereckt			•				•						•				
umgelegte Enden		•	•				•										
Fäden auf Objektträger										•		•				•	
verschmiertes Deckglas										•		•	•	•	•	•	
schwimmt weg							•			•			•			•	
klebt zusammen	elektronische Aufladung, anhauchen																

1.4.4 Bruch- und Oberflächenpräparate

Für viele Untersuchungen an Kunststoffen werden Bruch- oder Oberflächenpräparate verwendet. Bei der Herstellung der Brüche sollen leicht und sicher zu reproduzierende Methoden angewendet werden. Im Allgemeinen wird die Probe längere Zeit mit Stickstoff gekühlt und in einer Zugmaschine oder einem Pendel mit genau eingestellten Maschinenparametern gebrochen. Damit lässt sich z.B. die Verformungsgeschwindigkeit leicht einstellen, dokumentieren und gegebenenfalls reproduzieren. Bild 1.61 zeigt die Bruchfläche einer Kerbschlagprobe aus Kunststoffrecyclingmaterial mit groben Einlagerungen. Zur Kontrastverbesserung im Auflicht können auch die für die Lichtmikroskopie vorgesehenen Proben mit Aluminium, Kupfer oder Gold bedampft werden. Die Beobachtung erfolgt vorzugsweise bei geringen Vergrößerungen im Stereo- oder Auflichtmikroskop im Hell- und/oder Dunkelfeld.

Für viele Proben reichen bereits Beobachtungen im Bereich der Lupenvergrößerung aus. Während der Kunststoffherstellung, z.B. durch Extrusion, kommt es durch eine falsch eingestellte Werkzeugtemperatur im fertigen Formteil oder Halbzeug zum Schmelzenbruch. Die dabei entstehenden typischen Oberflächenstrukturen zeigt Bild 1.61.

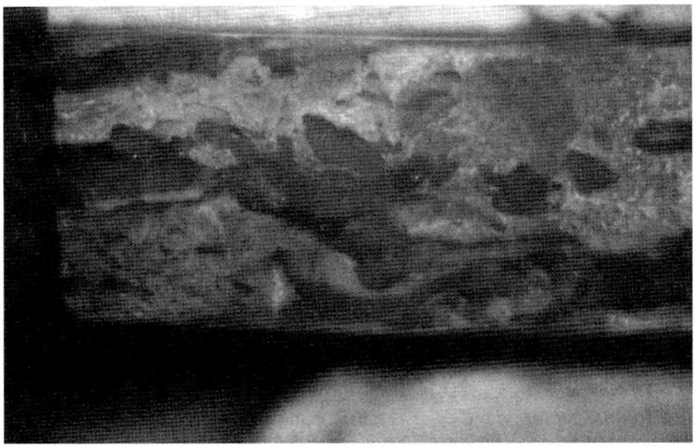

Bild 1.61 Bruchfläche einer Kerbschlagprobe aus Recyclingmaterial, Auflicht – Hellfeld

Tabelle 1.21 Fehler und Vorschläge zu deren Vermeidung bei der Bruch- und Oberflächenpräparation von Kunststoffen

Fehler/Fehlerursache	Auswirkung auf die Probe	Vorschläge zur Behebung
Probe wird ohne Bruch nur deformiert. Das Probenmaterial ist über den Gesamtquerschnitt nicht genügend gekühlt	keine mikroskopische Probenauswertung möglich	Probe vollständig bis unter die Glastemperatur des Werkstoffes kühlen
die Probe bricht zwar, aber der Kernbereich ist noch nicht genügend gekühlt	die Probe bricht als Verformungsbruch und ist sehr schlecht auswertbar	Probe vollständig bis unter die Glastemperatur des Werkstoffes kühlen
ungenügende Reflexion der Probenoberfläche	das mikroskopische Bild ist flau, kontrastarm und kaum auswertbar	Probe dünn mit Aluminium, Kupfer oder Gold bedampfen

1.4.5 Filmpräparate

Zur Herstellung von Filmpräparaten gibt es zwei grundsätzliche Wege. Einerseits wird eine Lösung der zu untersuchenden Probe auf einem Glasobjektträger dünn aufgestrichen. Nach dem Verdunsten des Lösungsmittels kann sofort oder nach dem Eindecken mit Immersionsmittel mikroskopiert werden. Wird die Probe zu schnell getrocknet, so bilden sich leicht Risse aus (Bild 1.62). Die Präparation sollte in einem Exsikkator mit eingestellter Luftfeuchte erfolgen. Von größter Wichtigkeit ist eine staubgeschützte Trocknungsumgebung, da sich sonst leicht Schmutzteilchen in den Film einlagern können. An diesen findet u. U. bei teilkristallinen Thermoplasten eine bevorzugte Kristallisation statt (Bild 1.63). Wird dagegen eine Faser erst während des Einbettens im Immersionsmittel in das Präparat gebracht, so sind Probe und Faser nicht gleichzeitig zu fokussieren und die Faser hat keine Beziehung zur Folienstruktur (Bild 1.64).

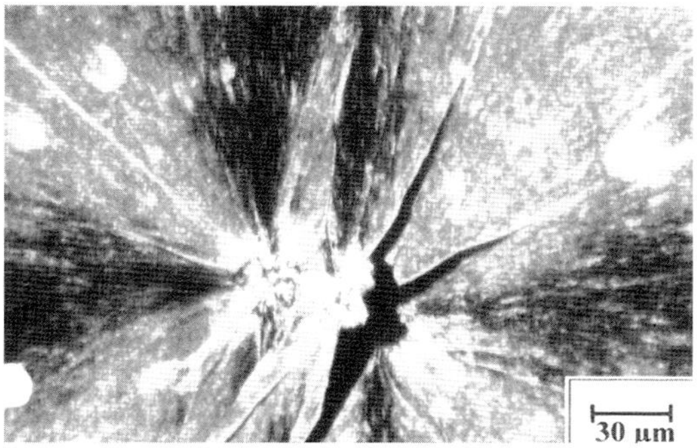

Bild 1.62
Risse in einem durch Lösungsmittelverdunstung auf einem Objektträger hergestellten Filmpräparat aus Collagen und Polyethylenoxid, Durchlicht - Hellfeld, linear polarisiertes Licht, uneingebettet und ohne Deckglas

Bild 1.63
Tuchfaser in einer durch Lösungsmittelverdunstung hergestellten Collagenprobe, Durchlicht - Hellfeld, linear polarisiertes Licht, Kompensator ROT I, immergiert in Silikonöl

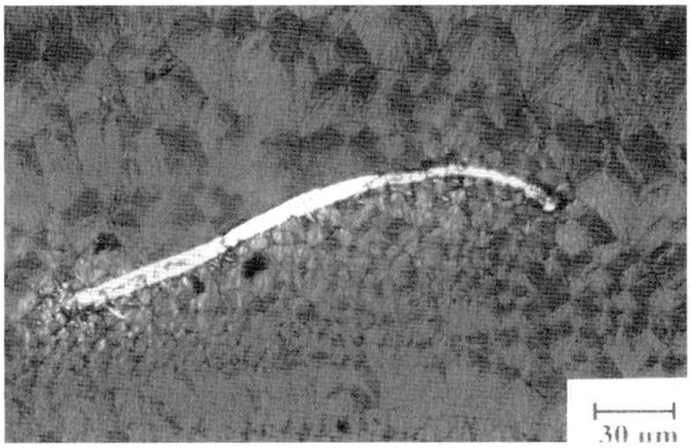

Bild 1.64
Tuchfaser auf einer Collagenprobe durch verunreinigtes Immersionsmittel oder schlecht gereinigten Objektträger bzw. Deckglas, Durchlicht - Hellfeld, linear polarisiertes Licht, Kompensator ROT I, immergiert in Silikonöl

Bei einer weiteren Präparationsart wird die Probenschmelze auf eine erwärmte Flüssigkeit höherer Dichte vorsichtig aufgegossen. Beim anschließenden Erstarren der Schmelze sind die Wachstumserscheinungen für die Polymerfolie wesentlich ungestörter. Nach der Abkühlung der Schmelze kann der Film abgenommen werden und steht für die weitere Präparation zur Verfügung. Bei dieser Präparationsmethode kommt es sehr leicht zu Löchern in der fertigen Folie (Bild 1.65). Abhilfe schafft entweder mehr Polymerlösung oder langsameres Abkühlen.

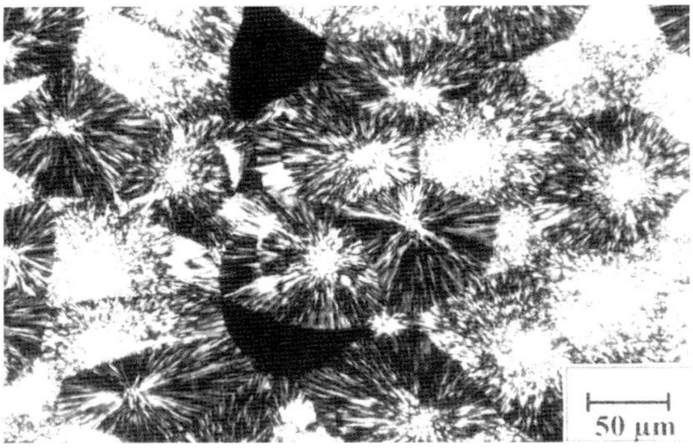

Bild 1.65 Löcher in einer Polypropylenfolie durch langsames Abkühlen der Polymerschmelze auf einem Lösungsmittel hergestellt,
Durchlicht - Hellfeld, linear polarisiertes Licht, immergiert in Silikonöl

Tabelle 1.22 Fehler und Vorschläge zu deren Vermeidung bei der Filmpräparation von Kunststoffen

Fehler/ Fehlerursache	Auswirkung auf die Probe	Vorschläge zur Behebung
fertiger Probenfilm auf dem Glasobjektträger zeigt Risse und/oder Löcher durch zu schnelles Verdunsten des Lösungsmittels	kein geschlossener Film vorhanden, Auswertung ist bei vereinzelten Rissen und/oder Löchern noch eingeschränkt möglich	Verdunstungsgeschwindigkeit durch Probenabdeckung mit Petrischale oder Uhrenglas verringern
frischer Probenfilm auf dem Objektträger bildet Inseln durch unsaubere Glasoberfläche	mikroskopische Auswertung ist nicht möglich. Probe weist starke Dickenunterschiede auf	Objektträger sehr sorgfältig reinigen
in der fertigen Probe sind im Mikroskop im polarisierten Licht hellleuchtende Fasern zu erkennen. Diese kommen durch ein faserndes Tuch beim Reinigen des Objektträgers auf die Glasoberfläche und werden mit eingegossen	Auswertung ist bei vereinzelten Fasern noch eingeschränkt möglich	Objektträger sorgfältig reinigen und vor dem Beschichten mit dem flüssigen Probematerial im Mikroskop auf Sauberkeit prüfen

1.4.6 Körnerpräparate

Bei einem optimalen Körnerpräparat sollten die einzelnen Partikel getrennt voneinander in dem flüssigen oder festen Immersionsmittel liegen. Dabei darf das Immersionsmittel nicht mit der Probensubstanz reagieren, sich entmischen oder kristallisieren. Körnerpräparate können oft gut im Auflicht - Dunkelfeld untersucht werden. Müssen die Partikel auf dem Objektträger befestigt werden, ist die einfachste Möglichkeit die Verwendung von doppelseitigem Klebeband. Weitere Möglichkeiten sind das Bestreichen des Objektträgers mit einem hochviskosen Silikonfett oder mit gelöster und wieder erstarrter Gelatine. Besonders bei Körnerpräparaten entscheidet die Brechzahl des Immersionsmittels über die Beobachtungsmöglichkeiten. Bild 1.66 links zeigt PVC Körner in einem Immersionsmittel (Wasser n = 1,33), welches sehr stark von der PVC-Brechzahl mit n= 1,54 abweicht. Die Sichtbarkeit ist bei maximalem Kontrast entsprechend schlecht. Wesentlich besser können die Körner in einem Immersionsmittel (Silikonöl n = 1,512) ausgewertet werden (Bild 1.66, rechts).

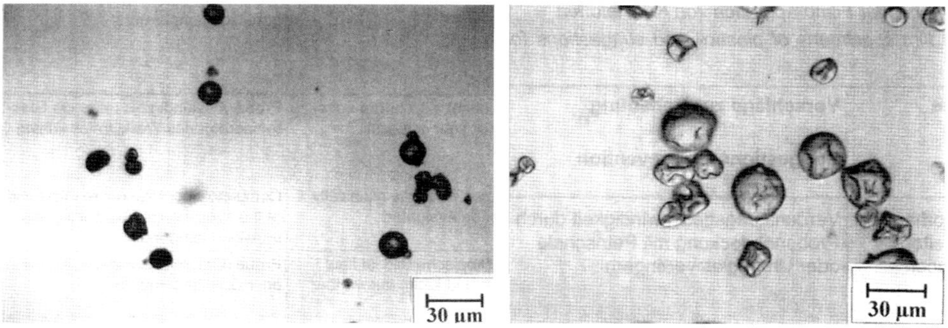

Bild 1.66 Präparation von PVC-Körnern mit n = 1,54 in Immersionsmitteln mit unterschiedlichem Brechungsindex
links: Wasser - n = 1,33
rechts: Silikonöl - n = 1,5

■ 1.5 Zusammenfassung

Die Ausführungen zeigen, dass sich die große Palette der Kunststoffe mit ihren vielfältigen Eigenschaften mit den entsprechenden Methoden so präparieren lässt, dass Artefakte minimiert oder erkannt und ignoriert werden können. Ähnlich wie bei der Präparation von Metallen oder Keramiken sind einige allgemeine Grundsätze zu beachten:

1. Möglichst klare Definition des Untersuchungszieles
   - Wird dieses Ziel mit einer Makro- oder Mikrountersuchung erreicht?
   - Worauf könnten mögliche Schäden zurückzuführen sein?
   - Lunker, Füllstoffart, -menge, -verteilung, Gefügeausbildung, Fließnähte, falscher Werkstoff, falsche Einsatzbedingungen, wie z.B. Chemikalien und/ oder Temperatureinflüsse usw.
2. Untersuchung zur vorliegenden Kunststoffart und Einordnung, ob der vorliegende Werkstoff amorph, teilkristallin, vernetzt, gemischt oder gefüllt ist. Amorphe und vernetzte Kunststoffe bilden kein im Lichtmikroskop sichtbares Gefüge aus, Untersuchungen an diesen Werkstoffen sind nur mit den Methoden der messenden Mikroskopie (Brechzahl, Doppelbrechung) möglich.
3. Festlegen der Präparateart und der optimalen Präparation: Bruchpräparat, Anschliff, Dünnschliff, Dünnschnitt, Mikrotomanschnitt, Körner-, Faser oder Filmpräparat. Mögliche Kontrastierungsverfahren im Rahmen der Präparation (Ätzen, Reliefpolitur, Wahl des optimalen Einbettmediums). Dabei sollten die späteren Untersuchungsmethoden schon klar vorgegeben werden.
4. Bestimmung der Untersuchungsstelle am Formteil und Festlegen der Beobachtungsebene: Reicht eine Beobachtungsrichtung? Welche Richtung ist günstig? (Flach-, Längs-, Querschnitt oder -schliff.) Ist die Anfertigung einer schräg zur Struktur verlaufenden Beobachtungsebene zur Verbreiterung der interessierenden Details von Vorteil?
5. Anfertigung des Präparates: Wichtig ist bei Kunststoffen und/oder biomedizinischen Materialien immer eine sehr gute Kühlung, kratzerfreie Schliffe sind besonders bei weichen Kunststoffen nicht immer möglich. Ausgeprägte Chemikalienempfindlichkeit der Proben beachten!
6. Aufbau des Lichtmikroskops für Auf- oder Durchlichtuntersuchungen Festlegen der optimalen Vergrößerung und der optischen Kontrastierungsverfahren wie z.B. Polarisation, differentieller Phasenkontrast, Dunkelfeld, einseitige Schräglichtbeleuchtung
7. Untersuchung der Probe und Dokumentation der Ergebnisse: Gefüge, Struktur, optische Daten, Körner, Einschlüsse, Abkühlungseinflüsse, Phasenart, -menge, -verteilung, Anisotropie, Brechzahl, Transparenz, Reflexion, Fluoreszenz (immer mehrere Verfahren anwenden)

Die häufigsten Bearbeitungs- und Auswertefehler nach *Trempler*

1. Falsche Probennahme durch Nichtbeachten der Molekül- und Füllstoffvorzugsrichtung;
2. Mechanische und thermische Probenschädigung beim Abtrennen der Präparate;
3. Thermische und chemische Probenschädigung beim Einbetten;

4. Unzureichende Kühlung beim Schleifen und Polieren;
5. Verformung der Probenoberfläche durch zu hohen Anpressdruck beim Schleifen und Polieren;
6. Chemische und thermische Probenschädigung beim Trocknen der Auflichtpräparate;
7. Starke Deformation der Präparate bei der Anfertigung von Dünnschnitten;
8. Unzureichende Anpassung der Schnittdicke an die Größe der zu untersuchenden Phasen;
9. Chemische Schädigung der Präparate durch das Immersionsmittel;
10. Ungünstige Brechzahlanpassung zwischen Präparat und Immersionsmittel für die angestrebte Charakterisierung der Probenstruktur;
11. Eintrocknen des Immersionsmittels bei Dünnschnittdauerpräparaten;
12. Unzureichende Dispergierung von Pulverpräparaten;
13. Bevorzugte Durchstrahlungsrichtung bei Pulverpräparaten senkrecht zur größten Fläche

1.6 Normen

DIN ISO 8037-1:2003-05

Optik und optische Instrumente - Mikroskope; Objektträger - Teil 1: Maße, optische Eigenschaften und Kennzeichnung (ISO 8037-1:1986)

DIN ISO 8576:2002-06

Optik und optische Instrumente – Mikroskope – Bezugssysteme der Polarisationsmikroskopie (ISO 8576:1996)

DIN 53733:2015-10

Prüfung von Kunststoffen – Zerkleinerung von Kunststofferzeugnissen für Prüfzwecke

DIN 58629-1:2006-01

Optik und optische Instrumente – Begriffe für die Mikroskopie – Teil 1: Lichtmikroskopie

Verwendete Literatur

- Ehrenstein, G. W.: Kunststoff-Schadensanalyse; Methoden und Verfahren, Carl Hanser Verlag, München 1992
- Berndsen, N.; Jansen, F. J.: Präparation von Polymeren für die Licht- und Elektronenmikroskopie, IKV Aachen
- Gerstner, J.: Präparation und Schnitttechniken, Seminarunterlagen zum Fortbildungskurs: Mikroskopie der Polymere, der deutschen Gesellschaft für Materialkunde e. V. und der Martin-Luther-Universität Halle-Wittenberg, Institut für Werkstoff-Wissenschaft, 27. bis 29. Juni 2000 in Merseburg
- Jörg, F.: Präparative und mikroskopische Verfahren in der Materialprüfung, Ecomed Verlagsgesellschaft mbH; Landsberg 1991
- Petzow, G.: Metallographisches, keramographisches, plastographisches Ätzen, 6. überarbeitete Auflage, Gebr. Bornträger Berlin, Stuttgart 1994
- Trempler, J.: Materialmikroskopie unter besonderer Berücksichtigung der Kunststoffe – Teil I: Präparation von Kunststoffen für die Licht-mikroskopie Praktische Metallographie, Mai 2001 Teil II: Beobachtende Lichtmikroskopie an Kunststoffen Praktische Metallographie, Oktober 2003
- Trempler, J.: Failure Analysis of Plastics – Schadensanalyse von Kunststoffen; Pract. Metallogr. 53 (2016) 8
- Walter, F.: Das Mikrotom, 2. überarbeitete Auflage von W. Schmitt, Leitz Wetzlar 1980
- Waschull, H.: Präparative Metallographie, Deutscher Verlag für Grundstoffindustrie, Leipzig 1984
- Leica Mikrosysteme: Seminarunterlagen zur Fortbildungsveranstaltung, der Firma Leica Mikrosysteme GmbH, Präparationsechniken und Lichtmikroskopische, Untersuchungsmethoden im industriellen Anwendungsbereich, 03.-04. Mai 2000 in Bensheim
- VDI Richtlinie 3822: Grundlagen und Durchführung einer Schadensanalyse, Beuth-Verlag, Berlin 2011
- Petukhov, H.: Präparation unverstärkter Kunststoffe, 19. Hochschulseminar Präparation und Mikroskopie, an Kunststoffen; LKT – Universität Erlangen, 2017

2 Präparation hochgefüllter Kunststoffe

2.1 Einleitung

Die Präparation hochgefüllter Kunststoffe ist im Prinzip immer identisch: Man spricht von der Herstellung eines Anschliffs; geschliffen wird auf Siliziumkarbid-Papier und anschließend mit Tüchern mit Diamantsuspension poliert. Die Körnungen der Schleifpapiere und die Tücher und Suspensionen zum Polieren können auf unterschiedlichste Weise kombiniert werden. Die Vielfältigkeit der unterschiedlichen Kunststoffe, verbunden mit den unterschiedlichen Füllstoffen (Glas, Mineral, Metall usw.) lassen kein allgemeingültiges Rezept zu, da auch Füllgrad sowie Form und deren Haftung Einfluss auf die Präparation nehmen. Aus diesen Gründen werden bei der Vielfalt der Proben keine Vollautomaten eingesetzt. Jede Probe wird „nach Gefühl" bearbeitet. Leider ist die Präparation bei den hochgefüllten Kunststoffen nicht so einfach wie bei den Metallen *[persönliche Mitteilung: B. Kaiser]*.

Die meisten Füllstoffe sind lichtundurchlässig, so dass schon geringe Füllstoffmengen bei Untersuchungen mit der optischen Durchlichtmikroskopie zu wenig brauchbaren Ergebnissen führen. Außerdem ist es wegen der Härte der Füllstoffe und deren geometrisch geringen Verankerungen ähnlich wie bei den Glasfasern kaum möglich, Dünnschnitte herzustellen. Einerseits werden die Füllstoffe innerhalb der Matrix verschoben, andererseits leiden die Messer.

Somit beschränken sich die mikroskopischen Untersuchungsmethoden vor allem auf die Auflicht- und Rasterelektronenmikroskopie. Perspektiven bietet die Computertomographie; allerdings noch nicht bei Füllstoffen im einstelligen µm-Bereich als längster Dimension (die Kennzeichnung der Größe von Füllstoffen erfolgt meistens nach der größten Längenausdehnung).

Für die Präparation der Proben bieten sich daher die Anschliff- und im begrenzten Rahmen bei weichen Füllstoffen die Frästechnik mit einer Ultrafräse an. Ziel der Präparation ist eine plane, reflektierende Oberfläche der Proben. Beim Schleifen und Polieren ist darauf zu achten, dass die Ränder der Füllstoffe nicht gerundet werden. Durch Härteunterschiede zwischen Füllstoffen und Matrix erhält man auch bei sorgfältiger Präparation einen geringen Höhenunterschied. Diesen kann man dann zur deutlichen Darstellung der Füllstoffe im Differenzial-Interferenz-Kontrast im Auflicht nutzen, (DIK)-Methode (Abschnitt 2.1.3 in Mikroskopie). Soll neben den Füllstoffen auch die Morphologie der Matrix dargestellt werden, kann die Probe geätzt werden (Kapitel 4 „Ätzen für Strukturuntersuchungen“).

Das grundsätzliche Vorgehen bei der Präparation eines Anschliffes ist in Abschnitt 1.4.2 im Kapitel „Präparation unverstärkter Kunststoffe“ und in diesem Kapitel im Abschnitt 2.1.4 „Probenpräparation“ dargestellt.

2.1.1 Besonderheiten bei Reaktionsharzen

Die Wortwahl „Füllstoffe“ täuscht. Die Zugabe von Füllstoffen – in den meisten Fällen mineralische Stoffe – zur Reaktionsharzmasse macht die Verarbeitung größerer, kompakter Ansätze überhaupt erst möglich. Der Grund hierfür liegt in der Reaktion zwischen den organischen Komponenten – Harz und Härter. Es handelt sich um eine exotherme Reaktion, die unter Wärmeentwicklung stattfindet. Ein Großteil der Wärmeenergie wird von den mineralischen Bestandteilen aufgenommen und die Exothermie auf diese Weise gedämpft.

Des Weiteren ermöglicht der gezielte Einsatz der Zusatzstoffe die Erreichung spezieller Eigenschaften des Formstoffs.

Thermische Eigenschaften:

- *Wärmedehnzahl (WDZ)*
  Mineralische Zuschlagstoffe weisen in der Regel niedrigere Wärmedehnzahlen auf als die organischen Bestandteile des Formstoffes. Bei der Abkühlung des Bauteils von Härtungstemperatur auf Einsatztemperatur werden Abkühlungsspannungen verringert.
- *Wärmeleitzahl (WLZ)*
  Organische Werkstoffe weisen in der Regel niedrige Wärmeleitzahlen auf. Die Erhöhung der Wärmeleitzahl durch die Zugabe von mineralischen Füllstoffen stellt eine deutliche, in vielen Fällen unverzichtbare Verbesserung des Formstoffs dar.

Wärmedehnzahl und Wärmeleitzahl stellen außerdem wichtige Eigenschaften von Isolierstoffen dar. Die WDZ verhindert Schrumpfspannungen z. B. bei der Umhüllung metallischer Leiter. Die Verbesserung der WLZ ermöglicht bessere Abführung der Verlustwärme des Isolierstoffs und verringert so die Entstehung von Wärmedurchschlägen.

Einwirkung der Füllstoffzugabe auf die mechanischen Eigenschaften der Formstoffe – siehe hierzu DIN 16945 Gießharzformstoffe Typen.

Einige Tipps zur Eingangsprüfung an mineralischen Füllstoffen:

In der Praxis findet die Anlieferung von zu verarbeitendem Material häufig unter Zeitdruck statt. Die Lieferanten sind in der Regel nicht in der Lage, einen aufwendigen und langwierigen Prüfprozess ihrer Waren abzuwarten. Ein Tanklaster mit etlichen Tonnen Quarzmehl oder Kreidemehl oder Mikrodol soll möglichst bald entladen werden. Eine Prüfung zu unterlassen kann jedoch schwerwiegende und teure Folgen haben. Unerlässlich ist es daher, die wichtigsten Eigenschaften der Ware zu prüfen:

- *Die Korngrößenverteilung*
  Diese Eigenschaft beeinflusst die Verarbeitungseigenschaften der Mischung unmittelbar. Es gibt natürlich Messverfahren für diesen Wert. Sie erfordern Prüfmuster in der Größenordnung von 0,5 g und Zeit. Hier ist der Praktiker gefragt. Eine schnelle Möglichkeit bietet die Messung der Viskosität eines Gemischs von 1 kg Füllstoff und 1 kg Harz, welches unter definierten Bedingungen hergestellt wurde.
  Als Gefahr bei zu hohem Anteil von Feinstpartikeln im Füllstoff kann bei der späteren Reaktionsharzmasse Strukturviskosität auftreten; ein Puddingeffekt. Dieser ist äußerst störend in der Verarbeitung und Erreichung gemischter Endeigenschaften, weil der Entgasungsverlauf durch Blasenbildung gestört wird.
- *Der Feuchtegehalt*
  Auch hier ist die Gefahr gegeben, dass in der gefüllten Reaktionsharzmasse Strukturviskosität auftritt. Eine Menge von ca. 0,5 kg wird entnommen und im Vakuumtrockner nach Ausbreitung einer dünnen Schicht getrocknet.
- *Verunreinigung des Füllstoffs mit ionogenen Bestandteilen*
  Werden ionogene Verunreinigungen in den späteren Formstoff eingeschleppt, besteht die Gefahr, dass es nach Lagerung der Bauteile zu einem nicht akzeptablen Anstieg dielektrischer Verluste kommt. Der Schaden kann beträchtlich sein, weil die Eigenschaftsänderung erst nach einiger Zeit eintritt.

Zwei Verfahren haben sich bewährt:

- Ermittlung des ph-Werts eines wässrigen Auszuges, der unter stets gleichbleibenden Bedingungen hergestellt wurde.
- Elektrische Leitfähigkeit eines ebensolchen Auszuges.

Ein negatives Beispiel: Waschung von Quarzsand vor der Mahlung mit Meerwasser.

Die Erfahrung hat gezeigt, dass die genannten Methoden – einen vertrauenswürdigen Lieferanten vorausgesetzt – vor größeren Schäden bewahren.

2.1.2 Ultrafräse

Das Ultrafräsen erfolgt mit einer auf ein Schlittenmikrotom aufgesetzten Ultrafräse (Bild 2.1). Die Präparation mittels der Ultrafräse vermindert grundsätzlich das

Ausbrechen von Füllstoffpartikeln aus der Präparationsoberfläche. Besonders bei kugelförmigen Füllstoffpartikeln brechen die Füllstoffe beim Schleifen leicht aus, wenn über die Hälfte der Kugeln abgetragen wurde. Durch leichtes Verkanten beim Schleifen wird das Ausbrechen der kugelförmigen Füllstoffe verstärkt.

Bild 2.1 Schlittenmikrotom Polycut E mit Ultrafräsaufsatz

Bei der Präparation in der Ultrafräse wird hingegen das Material mittels eines Fräskopfes abgetragen, wobei die Probe fest in eine Vorrichtung eingespannt ist. Das Verkanten beim Abtragen des Materials sowie die auf die einzelnen Füllstoffpartikel wirkenden Kräfte werden so vermindert. Das Ausbrechen von kugelförmigen Füllstoffpartikeln kann so stark vermindert werden (Bild 2.2).

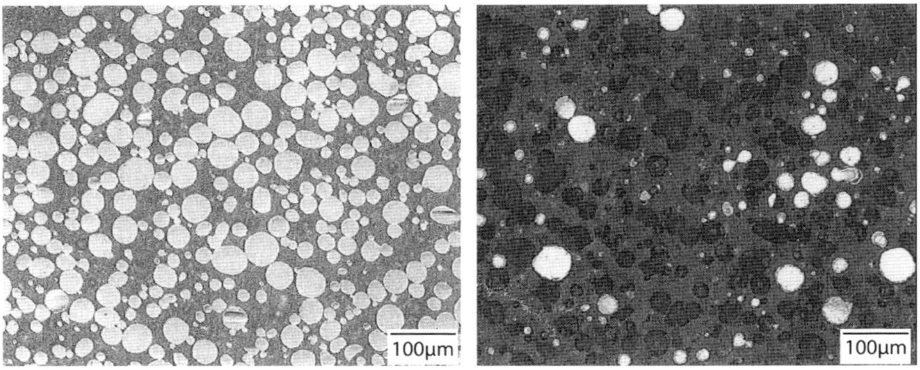

Bild 2.2 PA6 + 50 Vol.-% Kupferkugeln
links: RT gefräst, Auflicht, DIK
rechts: Anschliff, Auflicht, Dunkelfeld

Der Fräsvorgang wird in die zwei Stufen des Vorfräsens und Fertigfräsens eingeteilt. Der grundlegende Unterschied beider Stufen liegt in der Beschaffenheit des Fräskopfes. Beim Vorfräsen wird das Material des Prüfkörpers auf die zu betrachtende Ebene abgetragen (Bild 2.3). Als Fräskopf wird beim Vorfräsen eine dreiseitige Diamantschneide mit einem Spanwinkel von −1° und einem Freiwinkel von +3° verwendet.

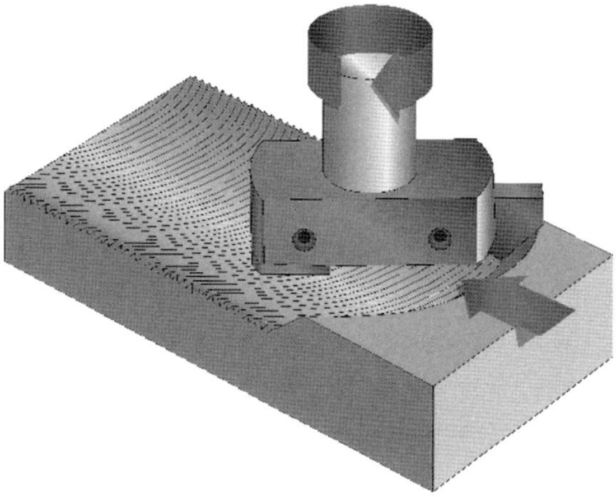

Bild 2.3
Auflauf des Vorfräsvorganges

Die Frässpindel mit dem Vorfräser dreht sich im Uhrzeigersinn (Rundpfeil), während der Schlitten mit einer aufgespannten Probe in Pfeilrichtung unter der Fräse hindurchfährt. Beim Vorfräsen entsteht zunächst eine gezackte Probenoberfläche, die anschließend in einem zweiten Arbeitsgang mit dem Fertigfräser glatt überfräst wird.

Im zweiten Schritt wird beim Fertigfräsen nur noch eine dünne Schicht abgetragen (Bild 2.4). Ziel ist es, eine sehr glatte Oberfläche zu erhalten, so dass als Fräskörper ebenfalls eine dreiseitige Diamantscheibe zum Einsatz kommt, die jedoch einen Spanwinkel von +3° und einen Freiwinkel von +4° besitzt.

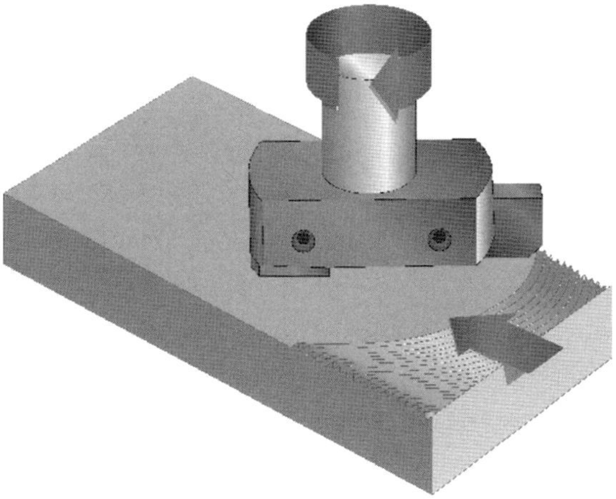

Bild 2.4
Auflauf des Fertigfräsvorganges

Die Frässpindel mit dem Fertigfräser dreht sich im Uhrzeigersinn (Rundpfeil), während der Schlitten mit der aufgespannten Probe in Pfeilrichtung unter der Fräse hindurchfährt. Beim Fertigfräsvorgang wird die beim Vorfräsen entstandene, gezackte Probenoberfläche mit dem Fertigfräser glatt überfräst.

Während des Fräsens rotiert der Fräskopf mit einer definierten Umdrehungszahl. Der Schlitten, auf dem der Probekörper eingespannt ist, kann mit einer definierten Vorschubgeschwindigkeit zum Abtragen des Materials unter den rotierenden Fräskopf gefahren werden. Der Einfluss dieser Parameter auf die Darstellungsqualität wird im Folgenden untersucht.

Eine Grenze der Präparation in der Ultrafräse stellt die Härte der Füllstoffe dar. Mittels der Ultrafräse können nur weiche Füllstoffe, wie z. B. Kupfer, abgetragen werden, da sich bei sehr harten Füllstoffen der Fräskopf stark abnutzt und die Füllstoffe nicht glatt geschnitten werden können. Weiterhin dürfen keine Fe-haltigen Materialien gefräst werden. Fe diffundiert in den Diamanten und zerstört diesen.

Die Rotations- und Vorschubgeschwindigkeit des Fräsers im Rahmen des gewählten Parameterraums hat nur einen untergeordneten Einfluss auf die Oberflächenqualität. Einen deutlichen Einfluss auf die Oberflächenqualität hat hingegen der Zustand des Fräskopfes Bild 2.5 und Bild 2.6.

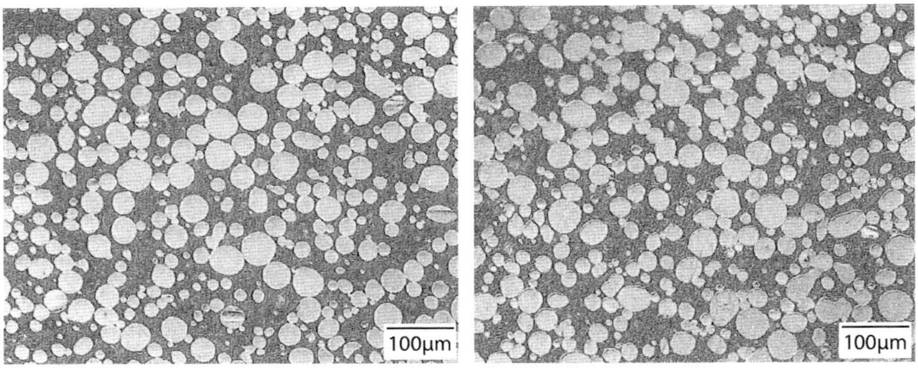

Bild 2.5 PA6 + 50 Vol.-% Kupferkugeln, RT gefräst, Auflicht DIK
links: Vorfräser: 1750 U/min, 2mm/s; Fertigfräser: 2000 U/min, 2 mm/s
rechts: Vorfräser: 2500 U/min, 3mm/s; Fertigfräser: 2500 U/min, 3 mm/s

Während zu Präparaten der in Bild 2.6 dargestellten Oberfläche ein neuer Fräskopf eingesetzt wurde, können an der in Bild 2.7 gezeigten Oberfläche, die mit denselben Parametern präpariert wurde, deutliche Spuren des abgenutzten Fräskopfes erkannt werden. Die Kupferkugeln werden deformiert und teilweise aus der Matrix ausgerissen. Somit ist es notwendig, für jede Präparation den Fräskopf zu überarbeiten, was einen deutlichen Nachteil dieser Präparationstechnik darstellt.

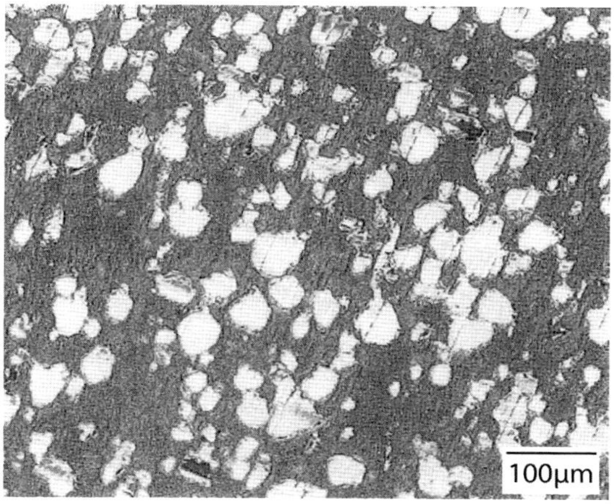

Bild 2.6 Gleiche Probe wie in Bild 2.6, nur mit bereits verschlissenem Fräser bearbeitet

Während die Fräsparameter Rotations- und Vorschubgeschwindigkeit keinen erkennbaren Einfluss auf die Oberflächenqualität haben, konnte eine deutliche Beschädigung durch abgenutzte Fräsköpfe festgestellt werden. Auch die Geometrie der Füllstoffe entscheidet wesentlich über die Qualität der gefrästen Oberfläche. Ausgerissene Kupferblättchen verursachen deutliche Kratzer, während dies beim kugelförmigen Füllstoff nicht beobachtet werden konnte. Eine Absenkung der Temperatur führt bei den Präparaten der mit Plättchen gefüllten Probe zu einer weiteren Verschlechterung der Oberflächenqualität.

Präparation mittels Ultrafräse:

- Einspannen der Probe auf den Schlitten
- Abtragen von Material bis zur gewünschten Schicht mittels Vorfräsen (Fräskopf mit Spanwinkel = – 1° und Freiwinkel = + 3°)
- Erzeugung einer glatten Oberfläche mittels Fertigfräsen (Fräskopf mit Spanwinkel = + 3° und Freiwinkel = + 4°)

Tabelle 2.1 Vor- und Nachteile des Ultrafräsens

Vorteile	Nachteile
kurze Präparationsdauer ~ 20 min	nur weiche Füllstoffe können präpariert werden (z. B. Kupfer)
kein Einbetten nötig	Fräskopf muss nach jeder Verwendung überarbeitet werden
geringes Ausbrechen von Füllstoffpartikeln	

2.1.3 Mikroskopie-Methoden

Für die Untersuchung hochgefüllter Kunststoffe existiert eine Vielzahl verschiedener Mikroskopie-Methoden, die jeweils für die Beurteilung unterschiedlicher Qualitäts- oder Schadensmerkmale besser oder schlechter geeignet sind. Neben den Photonen (Licht-)basierten Verfahren, existieren auch die elektronenbasierten Verfahren, beide Verfahren können außerdem sowohl transmissiv als auch reflexiv verwendet werden. Im Folgenden werden die relevanten Verfahren aufgeführt und hinsichtlich ihrer Eignungsbereiche beschrieben.

Tabelle 2.2 Reflexionsbasierte Mikroskopie-Methoden und die jeweiligen Einsatzbereiche

Photonengestützt			Elektronengestützt	
Hell- und Dunkelfeld	**Polarisation**	**DIC**	**Fluoreszenz**	**Rasterelektronenmikroskop (REM)**

Hellfeld
Verteilungen einzelner Füllstoffe, Fremdeinschlüsse, Pigmentverteilungen, Lunker, Vakuolen sichtbar
Dunkelfeld
Darstellung von Rissen, Fremdpartikeln, Füllstoffen
	im Bereich der gefüllten Kunststoffe wenig verwendet	angewendet bei Objekten mit geringen Höhenunterschieden (zw. 370 – 750 nm), oft wird „überpoliert“ um Höhenunterschiede zu erzeugen
		Verunreinigungen
		kristalline Strukturen z. B. bei PA, nach Ätzen bei PP
		Fasern sichtbar
			Risse, Spalten, Löcher (nur bei floureszierenden Einbettmitteln)	▪ Aussagen über das Bruchverhalten
				▪ Aufnahme der Topographie
				  ▪ mittels SE-Detektor: topographische Aufnahme, Beurteilung der Füllstoff-Matrix, Haftung, Oberflächeneffekte;
				  ▪ mittels RE-Detektor: Materialkontrast und Topographie darstellbar, tiefere Wirkung

Tabelle 2.3 Transmissionsbasierte Mikroskopie-Methoden und die jeweiligen Einsatzbereiche

Photonengestützt			Elektronengestützt
Hellfeld	**Polarisation**	**Phasenkontrast**	**Mikroradiographie**
▪ Verteilung und Orientierung von Füllstoffen ▪ nicht-polymere Zusatzstoffe erkennbar (z. B. Farbpigmente)	▪ Verfahren für anisotrope Werkstoffe geeignet ▪ Gefügeveränderungen, therm. Schädigungen, Verarbeitungseinflüsse, Sphärolithformen, -Größen und -Verteilungen erkennbar	▪ wird vor allem bei Polymergemischen angewendet ▪ nicht-polymere Verunreinigungen Einschlüsse können sichtbar gemacht werden	▪ faserverstärkte Kunststoffpräparate bis zu Stärken von 250 µm können durchstrahlt werden ▪ Beurteilung von Faserorientierung mit hoher Tiefeninformation, Füllstoffen und Lunker ▪ keine Aussagen zur Struktur der Matrix möglich ▪ Füllstoffe < ca. 10 µm nicht scharf oder gar nicht darstellbar

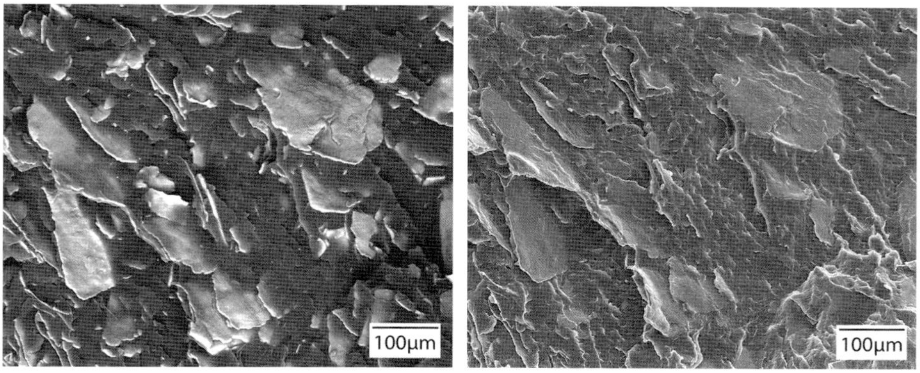

Bild 2.7 Vergleich SE/RE-Detektoren PA6 mit Cu-Plättchen, Bruch
links: SE-Detektor [Oberflächeneffekte]
rechts: RE-Detektor [tiefere Wirkung]

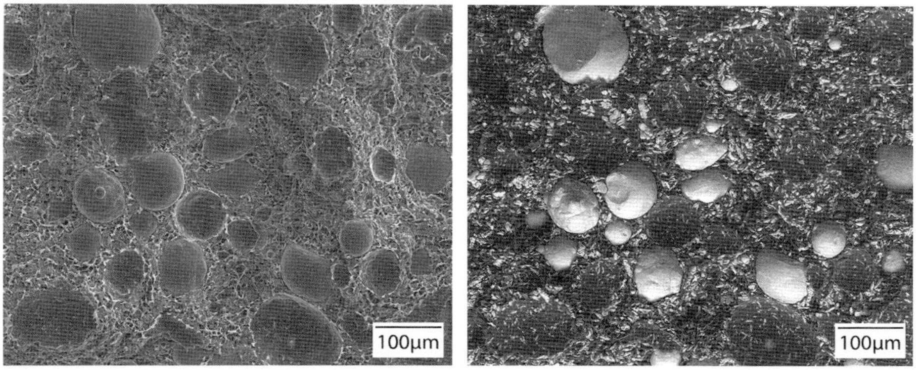

Bild 2.8 PA6 + 50 Vol-% Cu Bruchoberfläche
links: SE-Detektor
rechts: RE-Detektor

2.1.4 Probenpräparation

Die **Schliffpräparation** ist generell anwendbar bei allen verstärkten und gefüllten Kunststoffen, ist aber mit Bearbeitungszeiten von 2 Stunden (Anschliff) bzw. 4 Stunden (Dünnschliff) aufwendiger als die Mikrotomie. Sollen Art und Verteilung der Füllstoffe untersucht werden, eignet sich ein Anschliff, für Untersuchungen der Matrixstruktur und Orientierung allgemein ist ein Dünnschliff besser geeignet. Über ein abschließendes Polieren lässt sich die Oberflächenstruktur verbessern, und durch Ätzen kann auch bei Anschliffen die Erkennung der Matrixstruktur ermöglicht werden.

Das grundsätzliche Vorgehen bei der Präparation eines Anschliffes ist bei allen festen Kunststoffarten gleich. In der Nähe der zu betrachtenden Ebene wird parallel zu ihr mit einer wassergekühlten Diamantsäge ein Schnitt angefertigt. Je nach ihrer Form wird vor oder nach diesem Sägevorgang die Probe in ein kalthärtendes, wenig schrumpfendes Epoxidharz-Einbettmittel fixiert. Die Reaktionstemperaturen sollten möglichst gering sein, um keine strukturellen Änderungen im Probenwerkstoff zu bewirken. Die Aushärtezeit beträgt bei RT ca. 1 Tag.

Nach der Aushärtung und festen Fixierung der eingebetteten Probe wird diese auf Siliziumkarbid-Schleifpapier mit abnehmender Körnung bis zur Qualität 4000 (6 µm) geschliffen und anschließend mit einer Diamantsuspension mit Partikelgrößen von 6, 3 oder sogar 1 µm auf harten Poliertüchern poliert. Magnetische Füllstoffe müssen in einem Ultraschallbad entfernt werden, weil sie gerne an der Probe haften bleiben.

Die einzelnen Schritte bei der Präparation eines Anschliffes sind:

- Sägen der Probe mit diamantbesetztem Sägeblatt unter Wasserkühlung; 10 min
- Einbetten der Probe vor oder nach dem Sägen mit einem kalthärtenden wenig schrumpfenden Epoxidharz-Einbettmittel, und dessen Aushärten (ca. 1 Tag); 15 min
- Schleifen auf Siliziumkarbidpapier mit abnehmender Körnung bis 4000 (6 µm); 20 min
- Polieren mit Diamantsuspension mit Partikelgrößen von 6, 3 bis 1 µm auf hartem Poliertuch; 30 min
- Reinigen der Probe im Ultraschallbad in neutraler Flüssigkeit [Probe darf nicht weich werden]; bis ca. 15 min

Für REM-Untersuchungen muss die diamantpolierte, ölbenetzte Oberfläche kurz mit Al_2O_3 nachpoliert werden, ansonsten besteht die Gefahr, dass die für die REM-Untersuchungen aufgesputterte Goldschicht, vermutlich, auf der Präparationsoberfläche (Probenoberfläche) nicht haftet.

Da eine REM-Untersuchung im Vakuum, z. B. in einem Hochvakuum-REM, stattfindet, muss die zu untersuchende Probe vakuumstabil sein. Dazu ist es beispielsweise notwendig, dass sie wasser- und ölfrei ist und somit auch kein Wasser und Öl ausgasen kann.

Vorteile des Anschliffs

- Präparation mit den meisten Füllstoffen möglich
- Präparation mit üblicher Ausstattung möglich

Nachteile des Anschliffs

- zeitaufwendige Präparation (keine Mikrotomie möglich bei harten Füllstoffen)
- häufig besonders bei schwacher Haftung Ausbruch bei runden Füllstoffpartikeln

Die dargestellte gewöhnliche Abfolge einer Schliffpräparation wird einseitig, für einen Dünnschliff beidseitig durchgeführt.

Tabelle 2.4 Hilfsmittel und Abfolge einer Schliffpräparation

	Körnung	Schleif-, Poliertuch, Suspension	Flächen-pressung	Zeitdauer	V-Rotation 8″ Ø
1	80 - 2500	SiC- Schleifpapier	normal	30 min bis 60 min	200 U/min
2	6 µm	Diamantsuspension, hartes Poliertuch	normal	3 min bis 10 min	200 U/min
3	3 µm	Diamantsuspension, hartes Poliertuch	normal	3 min bis 5 min	200 U/min
4	1 µm	Diamantsuspension, hartes oder hochfloriges Poliertuch	normal	1 min bis 2 min	200 U/min
5	0,25 µm	Diamantsuspension, hochfloriges Poliertuch	gering	ca. 1 min	200 U/min

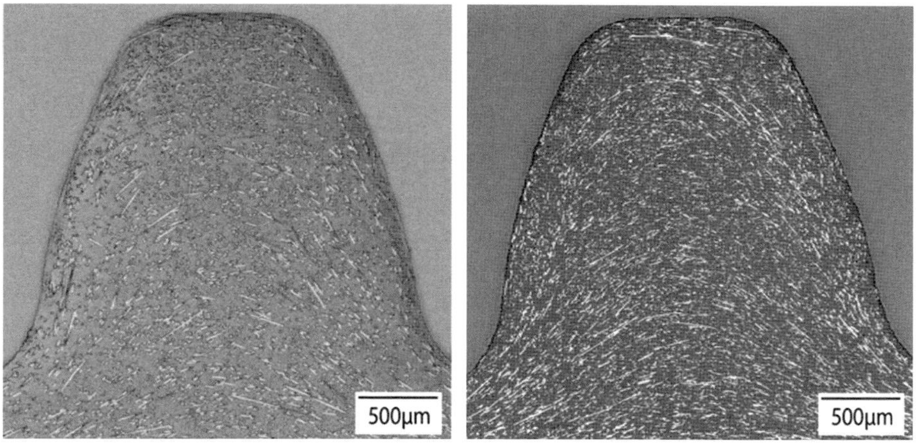

Bild 2.9 Vergleich Anschliff/Dünnschliff PA66 + 35 Gew.% Glasfasern

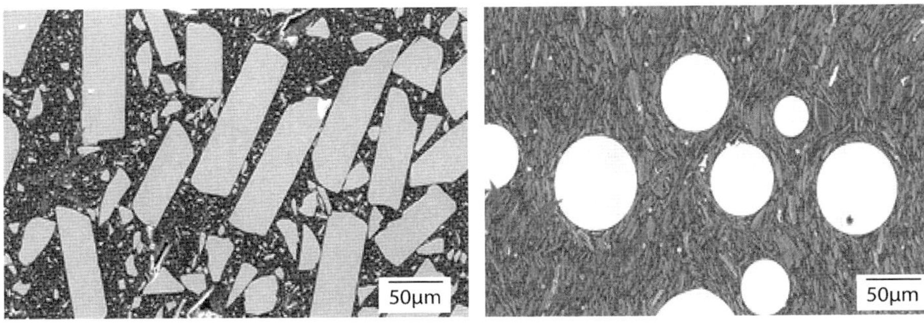

Bild 2.10 links: PPS + 60 Vol.-%NdFeB REM (SE)
rechts: PA6 + 20 Vol.-% GK (Glaskugel) +20 Vol.-% BN (Stäbchen) REM (SE)

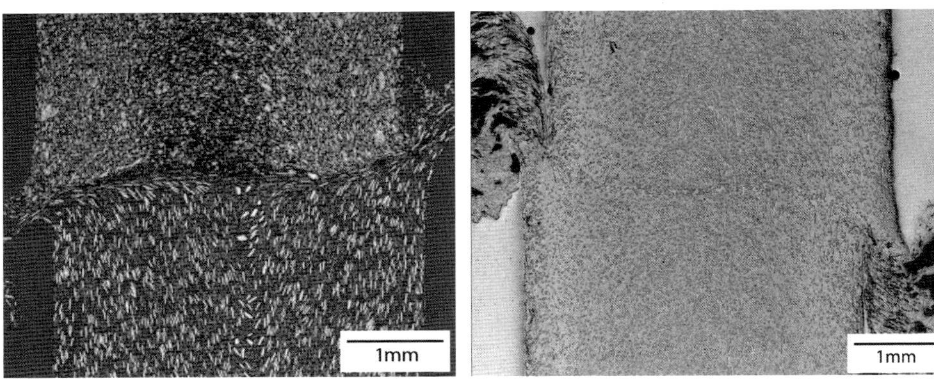

Bild 2.11 Schweißnaht
links: PA/Cu + PA/Alu CF (Hellfeld)
rechts: PA66 GF25 Vibrationsschweißnaht, viel flüssiges Material

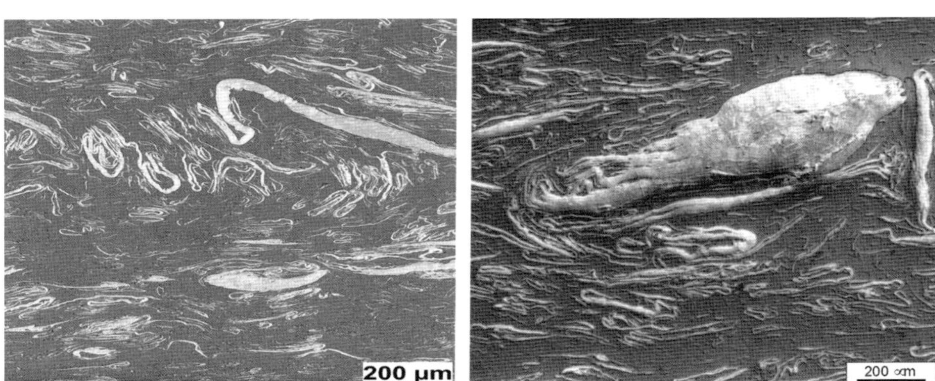

Bild 2.12 PP/Graphit (Auflicht-Hellfeld)

Bild 2.13 PPS + 65 % Magnetit (FeO_4) - HDR-Aufnahme, damit hochflektierende Metall-Flakes nicht überstrahlen; dunkle Löcher sind Ausbrüche
links: HDR - Hellfeld;
rechts: HDR - Dunkelfeld
HDR = High Dynamic Range = große Helligkeitsunterschiede

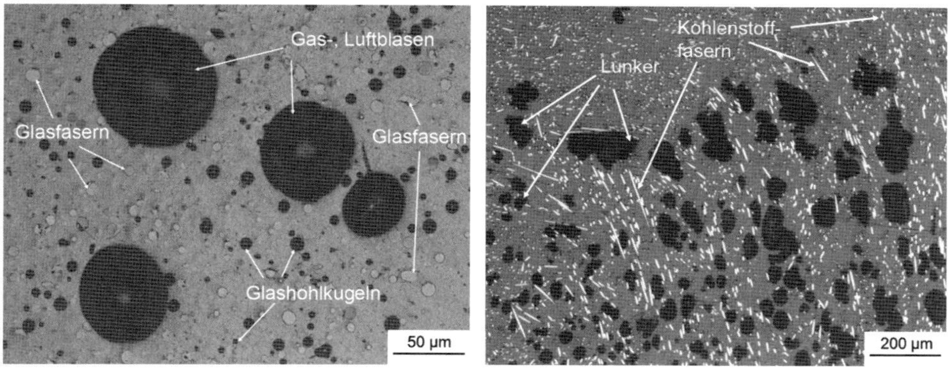

Bild 2.14 Runde und unregelmäßige Hohlräume in Polyamid
links: PA 6 mit kleinen Glaskugeln und großen Gasblasen
rechts: Schwindungs-Lunker in unregelmäßiger Form in PA 66 mit 40 % C-Fasern

2.1.4.1 Frästechnik

Die Frästechnik eignet sich wie die Schliffpräparation zur Herstellung von Anschnitten für die Reflexionsmikroskopie, bietet jedoch mit einer Präparationsdauer von ca. 20 Minuten einen enormen Zeitvorteil gegenüber dieser. Allgemein lassen sich bei derart präparierten Proben die Füllstoffverteilungen gut beurteilen, besonders wenn die Füllstoffe nur geringen Halt in der Matrix haben. Außerdem eignet sich diese Form der Präparation gut bei sphärischen Füllstoffen wie etwa Kupferkugeln. Das folgende Bild 2.15 zeigt mit der Frästechnik präparierte Proben.

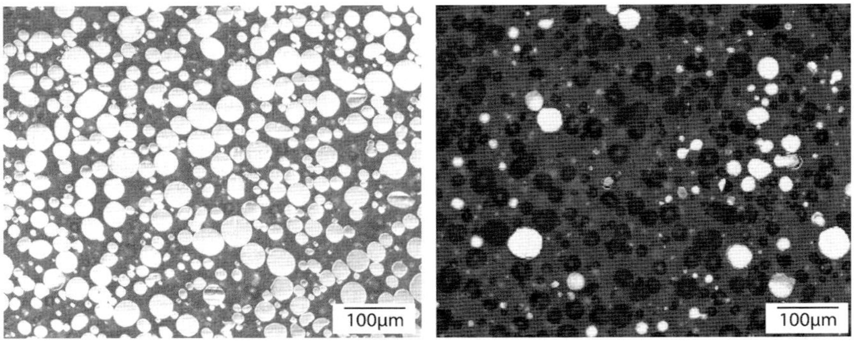

Bild 2.15 Mit der Frästechnik präparierte Proben, PA6 + 30 Gew.% Kupferkugeln (ohne Haftvermittler) im Auflichtmikroskop
links: DIC
rechts: Hellfeld

2.1.4.2 Ätzen

Für das Ätzen existieren verschiedene Ansätze, so ist etwa für Anschliffe die Plasma-Ätzung gebräuchlich während bei mit Fräsen hergestellten Anschnitten häufig eine chemische Ätzung durchgeführt wird. Durch das Ätzen können kristalline Strukturen sichtbar gemacht werden, außerdem ist die Morphologie der Matrix, auch bei harten Füllstoffen, die ansonsten nicht geschnitten werden können, gut erkennbar (siehe Kapitel 4 „Ätzen für Strukturuntersuchungen").

Verschiedene kristalline oder amorphe Strukturen reagieren ebenso wie die Matrix und Füllstoffe verschieden auf eine Ätzung, was schließlich zu unterschiedlichem Materialabtrag führt. Diese Höhenunterschiede sind dann in Rasterelektronen- und Auflichtmikroskopen sichtbar. Beispiele für Ätzungen zeigen die folgenden Bilder in 2.16.

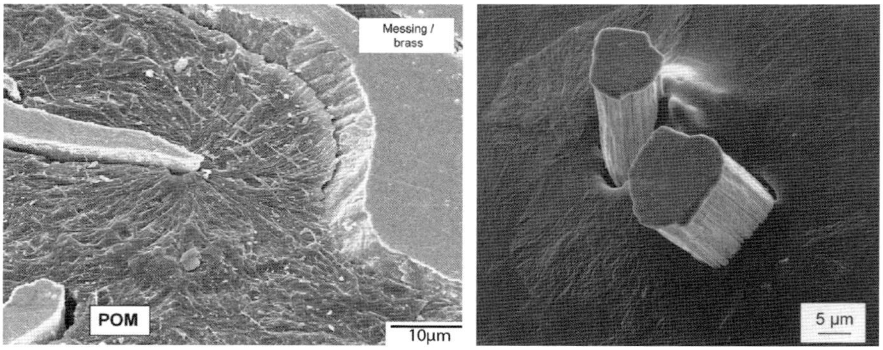

Bild 2.16 links: POM/20 Vol.-% Messing; Plasmaätzung; $O_{2/2,5}$ mbar/500 W/15 min, Anschliff (REM-SE)
rechts: PP + Stahlfaser, Anschliff, nasschemisch geätzt $KMnO_{4}$/60 °C/2 h, REM-SE

2.1.4.3 Innenlochsäge

Durch das Herstellen des Dünnschnittpräparates mit einer Innenlochsäge können idealerweise Faserausbrüche vermieden werden. Eine geeignete Säge zur Herstellung von gleichförmigen 50 µm bis 150 µm dicken Dünnschnitten ist eine Innenlochsäge, welche über ein wassergekühltes, rotierendes, diamantbeschichtetes Sägeblatt verfügt. Die aufzuwendende Zeitdauer für einen Sägevorgang beträgt ca. 15 bis 60 min je nach gewählter Vorschubgeschwindigkeit (Bild 2.17).

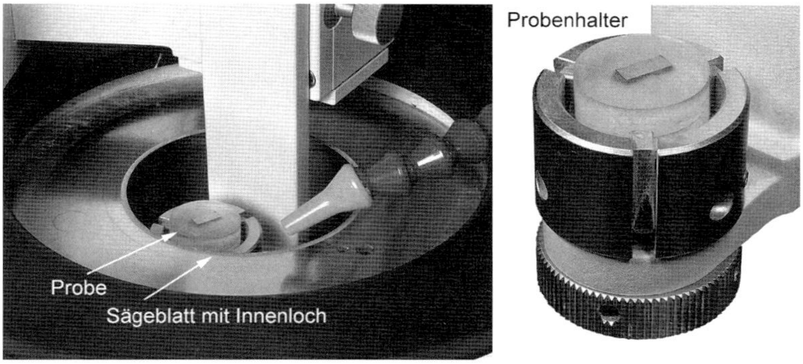

Bild 2.17 Innenlochsäge für 50 bis 150 µm dicke Schnitte

Vorher muss die Probe gegebenenfalls eingebettet werden und anschließend auf eine entsprechende Platte aufgeklebt werden.

In Bild 2.18 sind Oberflächen, erzeugt mit einer Innenlochsäge, dargestellt. Es sind keine Faserausbrüche und -umorientierungen erkennbar. Die Matrix in Bild 2.18 links sieht jedoch deformiert aus und liegt teilweise über den Fasern. Die Matrixzipfel lassen auf ein Verschmieren der Matrix durch zu langsame Sägegeschwindigkeit schließen.

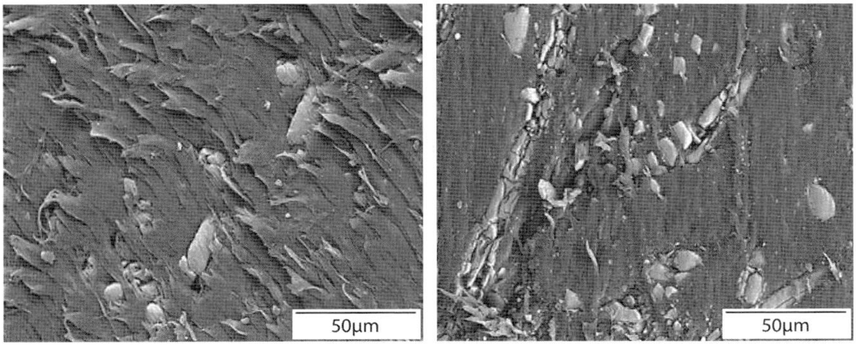

Bild 2.18 PA6 mit 30 Gew.% Glasfasern, Dünnschnitt mit Innenlochsäge, REM SE-Detektor
links: Dünnschnitt 100 µm, langsame Vorschubgeschwindigkeit,
rechts: Dünnschnitt 100 µm, schnelle Vorschubgeschwindigkeit

Bild 2.18 rechts zeigt ebenfalls die Oberfläche eines Dünnschnittes, hergestellt mittels Innenlochsäge, jedoch mit deutlich höherer Vorschubgeschwindigkeit. Aus den dabei auftretenden höheren Kräften folgern Faserbrüche und -ausbrüche, welche die Bewertung der Faserorientierung und -verteilung erschweren.

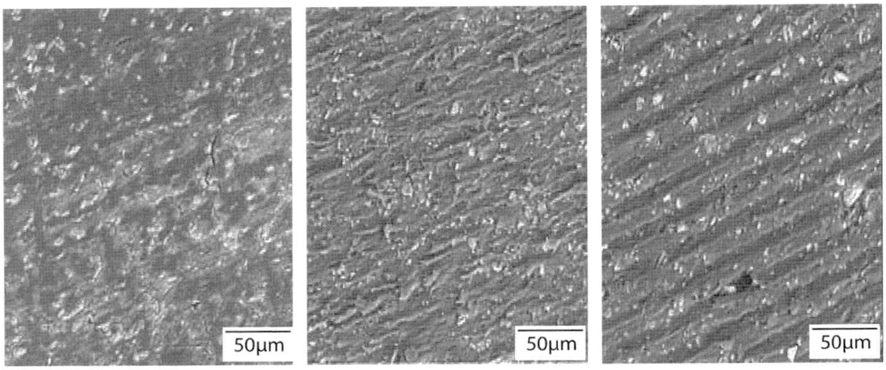

Bild 2.19 PA6 mit 50 Gew.% Al_2O_3 – mit unterschiedlichen Vorschubgeschwindigkeiten an Innenlochsäge präpariert, REM RE-Detektor, 500 x
links: 2,5 µm/s,
mitte: 50 µm/s,
rechts: 100 µm/s

Die Präparation mit einer **Innenlochsäge** führt zu Proben, die für Mikroradiographie geeignet sind, auf Grund der Schnittdicken von mehr als 50 µm sind sie dabei jedoch für Lichtmikroskopie meist ungeeignet. Die Oberflächenqualität ist vergleichsweise schlecht, so dass reflektive Mikroskopieverfahren mit derart präparierten Proben ebenfalls wenig brauchbare Ergebnisse liefern.

Mit der Mikroradiographie werden Informationen zur Faserorientierung erhalten und nicht zur Morphologie, so dass eine langsame Sägegeschwindigkeit ohne Faserbrüche bevorzugt werden sollte. Zum Beobachten mittels Lichtmikroskopie eignen sich diese Dünnschnitte nicht, weil die hohe Schnittdicke ein Durchleuchten behindert. Außerdem kann bei der Präparation an einer Innenlochsäge mit zu hoher Sägezeit die Matrix leicht deformiert werden, so dass morphologische Aussagen über den Ausgangszustand vor der Präparation nicht getroffen werden können. Demnach muss zur Analyse der kristallinen Struktur einer Matrix auf die Präparation eines Dünnschliffs bzw. geätzten Anschliffs zurückgegriffen werden.

Das folgende Bild 2.20 zeigt vergleichend mit Innenlochsäge und Schliffpräparation angefertigte Präparate.

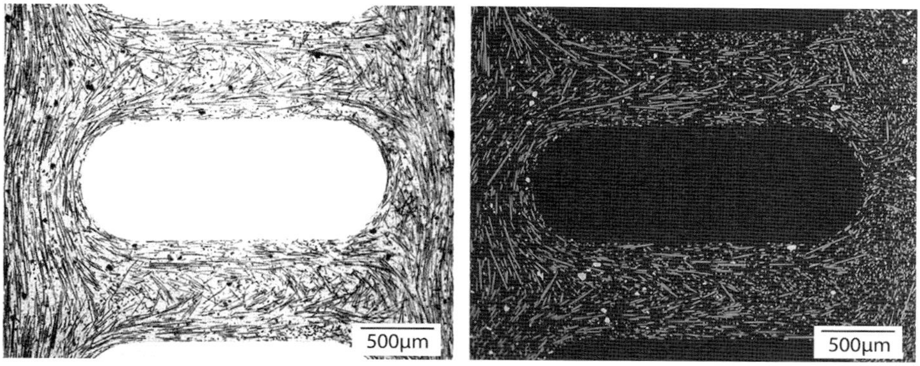

Bild 2.20 Vergleich der Präparation mit einer Innenlochsäge (links) und mittels Schliffpräparation (rechts); PA6 mit 30 Gew.% Glasfaser

2.1.4.4 Bruch

Schließlich stellt die Präparation mittels eines Bruchs eine weitere, in der Regel weniger aufwendige Möglichkeit dar. Zwar eignen sich die so hergestellten Proben nicht für die Untersuchung aller relevanten Parameter, jedoch kann die Faser-Matrix-Haftung so gut untersucht werden. In der Regel sind kryogene Brüche notwendig.

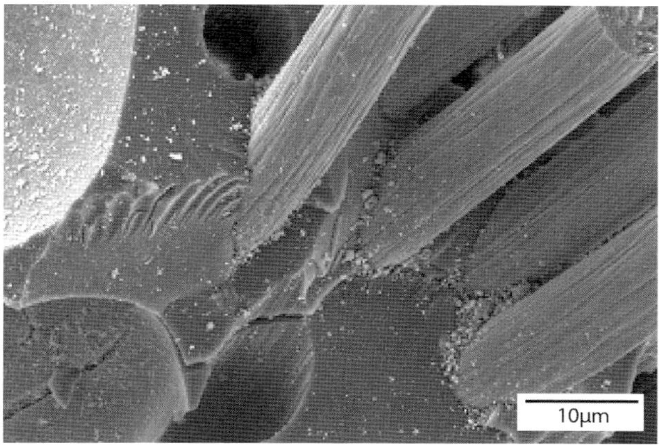

Bild 2.21 VE-Harz + PUR + Aramidfaser + Keramik RE, präpariert als kryogener Bruch

2.1.5 Übersicht Füllstoffe im Verbund

Kupfer

Die thermischen und die elektrischen Eigenschaften von Kupfer beeinflussen das Verbundsystem erheblich. Zum einen wird dadurch die Kühlzeit im Werkzeug erheblich reduziert, zum anderen muss aber auch berücksichtigt werden, dass Kupfer mit vielen Kunststoffen, und besonders auch mit zusätzlichen Komponenten, negativ reagiert.

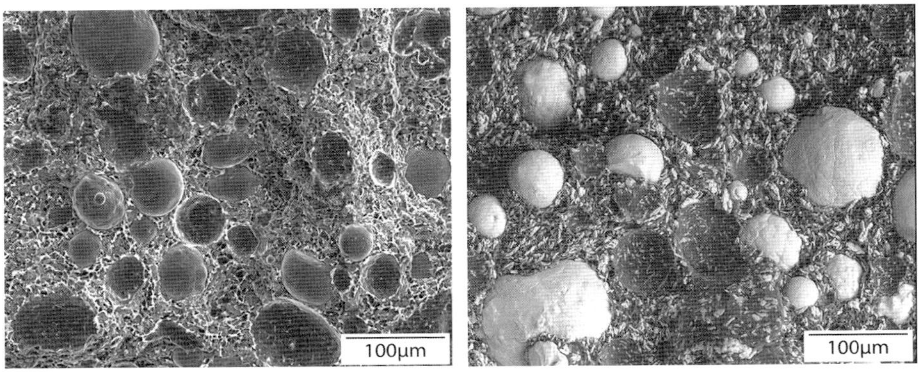

Bild 2.22 Darstellung der Haftung von Kupferkugeln als Füllstoff; PA6 + 50 % Kupferkugeln, V: 250-fach Bruch, REM (RE)
links: REM mit SE-Detektor (oberflächennahe Effekte)
rechts: REM mit RE-Detektor (tiefere Wirkung, stärkerer Materialkontrast)

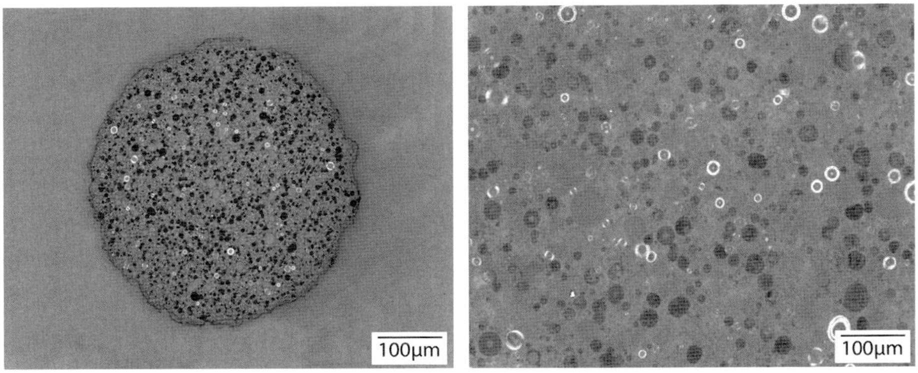

Bild 2.23 PBT + Voll-Glaskugeln SG 3000 zur Versteifung

Die kleinen schwarzen Kreise in Bild 2.23 sind Glashohlkugeln, 10 µm bis 20 µm groß. Diese werden bei der Präparation (schleifen und polieren) häufig zerbrochen und fallen als kleine Scherben heraus oder bleiben in der Kugelform. Auf dem Bild sieht man diese Scherben als Reflexion vom einfallenden Licht als kleine weiße Punkte in der Kugelmitte.

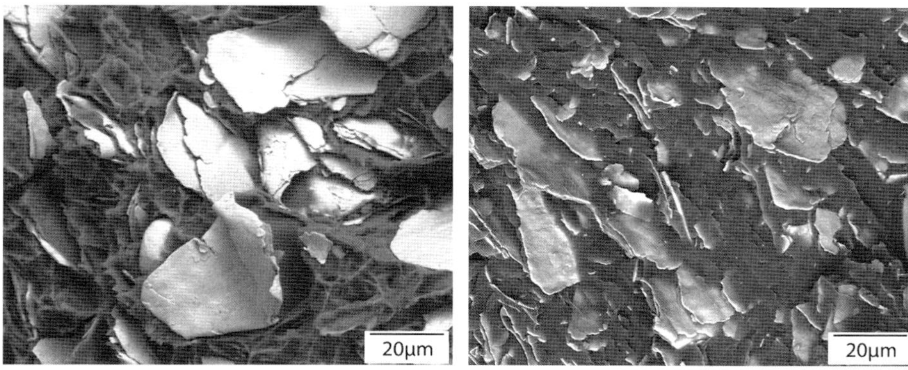

Bild 2.24 Darstellung der Haftung von Kupferplättchen; PA6 + 60 % Cu-Plättchen;
links: REM – SE (Oberflächeneffekte)
rechts: REM - RE (tiefere Wirkung)

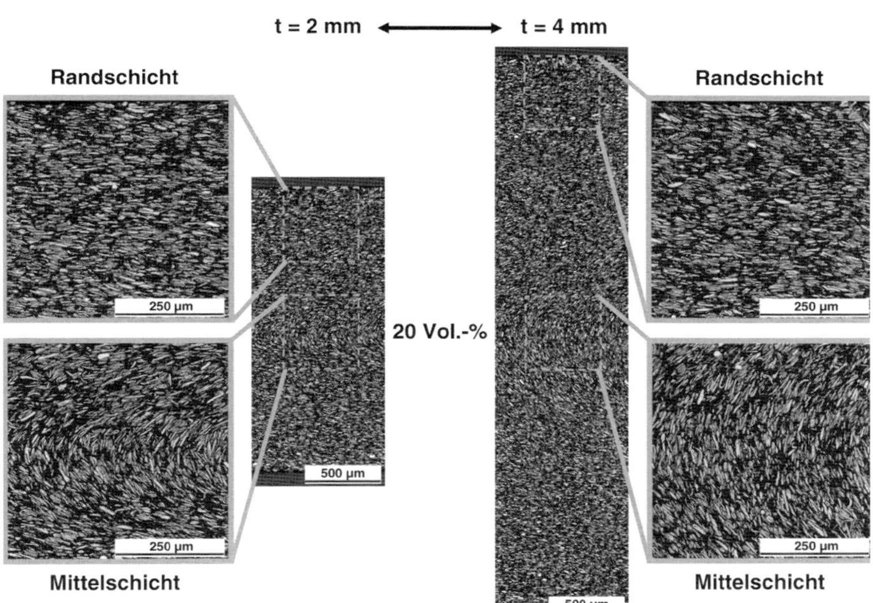

Bild 2.25 Darstellung der Verteilung von Kupferplättchen; PA6 + 40 Vol.-% Cu, V: Anschliff, REM (RE)

Neben diesen beiden Aspekten der gleichmäßigen Verteilung bzw. Agglomeration zeigt sich an dem sehr duktilen Füllstoff ein weiteres sehr interessantes, bislang eigentlich nicht direkt beobachtbares/visualisierbares Phänomen: die Füllstoffumformung aufgrund von Schergradienten und Quellströmung. Bei genauerer Ansicht sieht man, dass einige Kupferpartikel teilweise bis um 180° umgebogen sind. Glasfasern werden folglich häufig bei so einer Belastung einfach gebrochen bzw., da Anschliffe nur 2D sind, sieht man das Umbiegen häufig schlicht nicht. Da das Kupfer eine Plättchengeometrie und damit eine dritte Dimension besitzt, kann dieser Effekt visualisiert werden. Der Effekt der Füllstoffverkürzung ist ja bekannt.

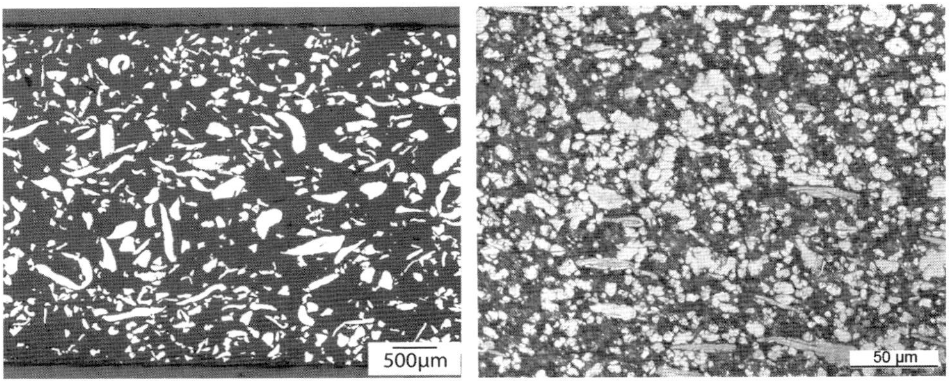

Bild 2.26 Darstellung der Verteilung
links: von Staxx Cu-Fasern in PA6; 30 Vol.-% mit unterschiedlichen Verformungen;
rechts: von Cu-Dendriten; PA6 PA6 + Cu-Dendriten und -Plättchen, Anschliff, Auflichtmikroskop, DIC

Aluminium

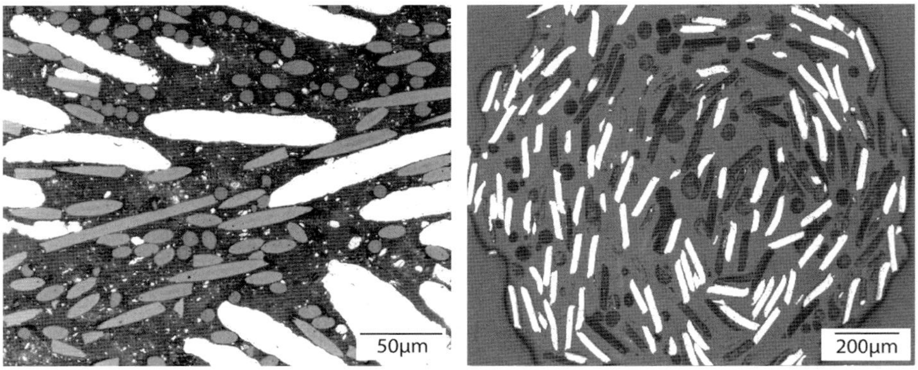

Bild 2.27 Darstellung der Verteilung von Aluminium-Flitterfäden;
links: PA6 + 30 Gew.% CF und 30 % Alu-Flakes, Anschliff, Hellfeld
rechts: PBT + 30 Gew.-% Aluflakes (dunkle flache und runde Stellen = herausgefallene Flakes)

Strontiumferrit

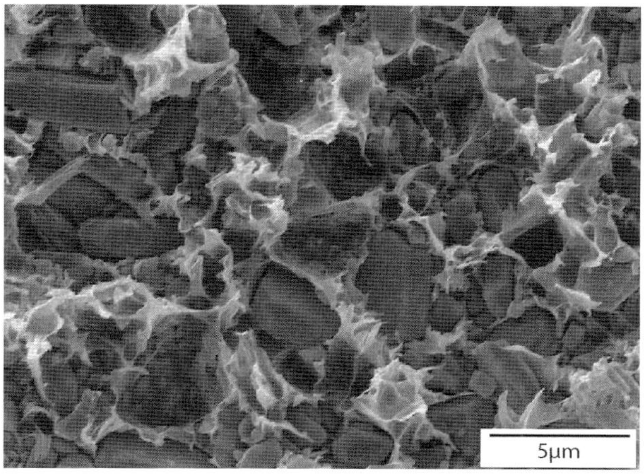

Bild 2.28 Darstellung der Haftung von SrFeO-Pulver; PA6 + 50 % SrFeO, V: 5000-fach, Bruch, REM (SE) Eine Partikelgrößenverteilung ist aber aufgrund der kleinen Partikelgröße (ca. 1 bis 2 µm) und der hohen Agglomerationsneigung der Pulverpartikel nur schwierig zu charakterisieren.

Bei dem verwendeten Strontiumferrit in den Darstellungen handelt es sich um hartmagnetische Füllstoffpartikel mit magnetischer Anisotropie, die innerhalb des Spritzgießprozesses durch ein Magnetrichtfeld in der Kavität orientiert werden können. Der Orientierungsgrad der Füllstoffpartikel hängt von der Höhe des anliegenden Magnetrichtfelds ab, so dass eine Angabe des im Prozess wirkenden Richtfelds sinnvoll ist. Bei der Verarbeitung der dargestellten Probekörper wirkt ein Richtfeld von 1 Tesla [T].

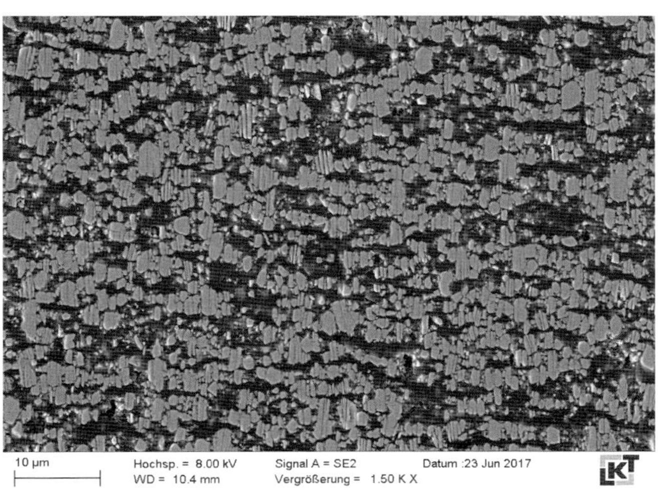

Bild 2.29 Darstellung der magnetisch induzierten Partikelorientierung von SrFeO-Pulver *PA12 + 55 Vol.-% SrFeO, Richtfeld in der Kavität: 1 T Vergrößerung: 1500-fach, Anschliff, REM (SE)*

SE sind die erzeugten Sekundärelektronen, die von einem Detektor (der Everhart-Thornley-Detektor, hier SE2-Detektor genannt) erfasst sind. Die Elektronen haben eine niedrige Energie und stammen nur aus den obersten Nanometern der Oberfläche. Somit bilden solche Elektronen nur die Topographie des Objektes ab.

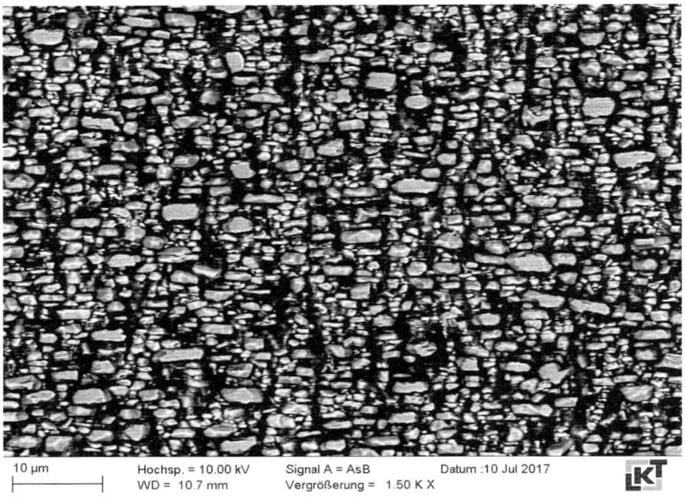

Bild 2.30
Darstellung der magnetisch induzierten Partikelorientierung von SrFeO-Pulver PA12 + 55 Vol.-% SrFeO, Richtfeld in der Kavität: 1 T
Vergrößerung: 1500-fach, Anschliff mit nachfolgendem Plasmaätzen, REM (AsB)

AsB-ist ein Detektor der die Rückstreuelektronen erfasst. Die Elektronen haben eine hohe Energie und ermöglichen dann ein Materialkontrastbild. Die schweren Elemente sorgen für eine starke Rückstreuung, so dass entsprechende Bereiche hell erscheinen. Bereiche mit leichteren Elementen erscheinen hingegen dunkler.

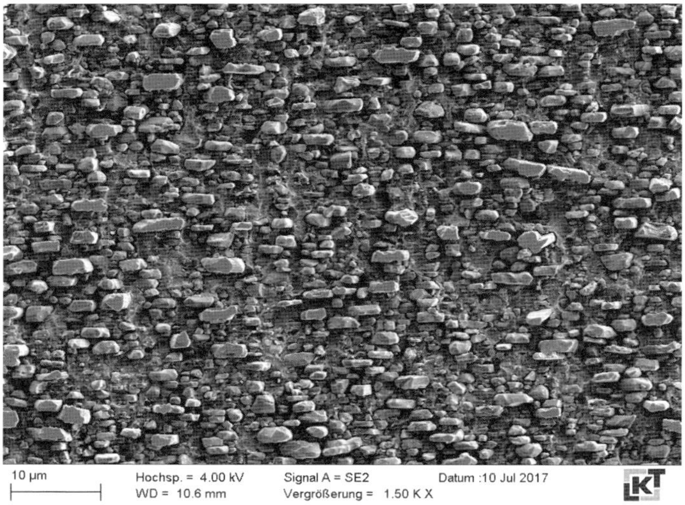

Bild 2.31
Darstellung der magnetisch induzierten Partikelorientierung von SrFeO-Pulver PA12 + 55 Vol.-% SrFeO, Richtfeld in der Kavität: 1 T
Vergrößerung: 1500-fach, Anschliff mit nachfolgendem Plasmaätzen, REM (SE)

Bild 2.32 Darstellung der magnetisch induzierten Partikelorientierung von SrFeO-Pulver PA12 + 55 Vol.-% SrFeO, Richtfeld in der Kavität: 1 T
Vergrößerung: 7500-fach, Anschliff mit nachfolgendem Plasmaätzen, REM (SE)

Eine Füllstofforientierung von NdFeB in PA 66 senkrecht zur Zugbeanspruchung in einem rotierenden Bauteil schwächt den Verbund erheblich und führt zu einer Rissbildung. Selbst eine kleine obere Randphase von ½ mm mit in Zugrichtung verlaufenden Füllstoffen verstärkt und bleibt beim Bruch zunächst erhalten (Bild 2.33).

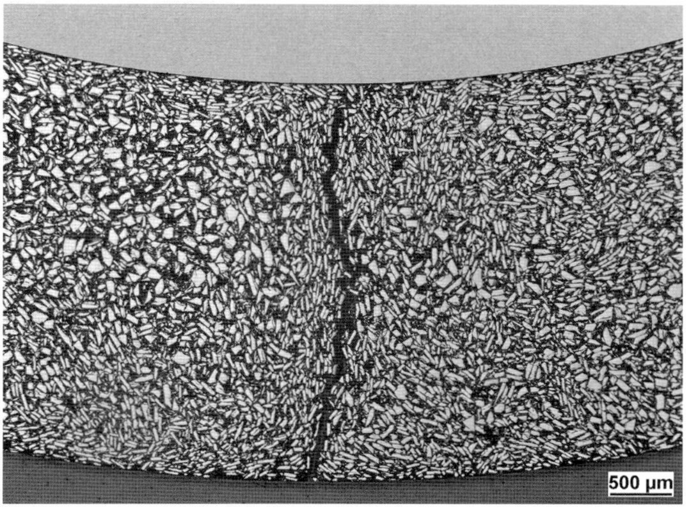

Bild 2.33 Riss aufgrund einer Füllstofforientierung senkrecht zur Zugbeanspruchung in einem Bauteil aus mit NdFeB gefüllten PA66

Bornitrit

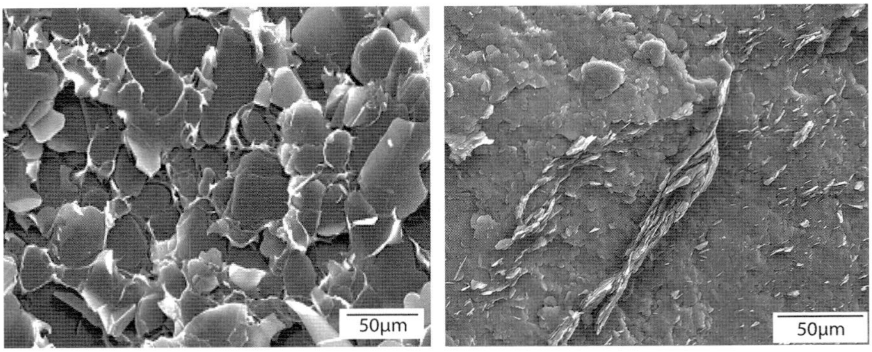

Bild 2.34 Darstellung der Haftung von Bornitrid; PA6 + 80% BN, Bruch, REM (RE)

Bild 2.35 Darstellung der Verteilung von Bornitrid-Pulver;
rechts: PA6 mit 30% BN, V: 1000-fach, Anschliff, REM
links: PA6 mit 20% Bornitrid und 20% Glaskugeln, reines Bornitrid

Bariumferrit

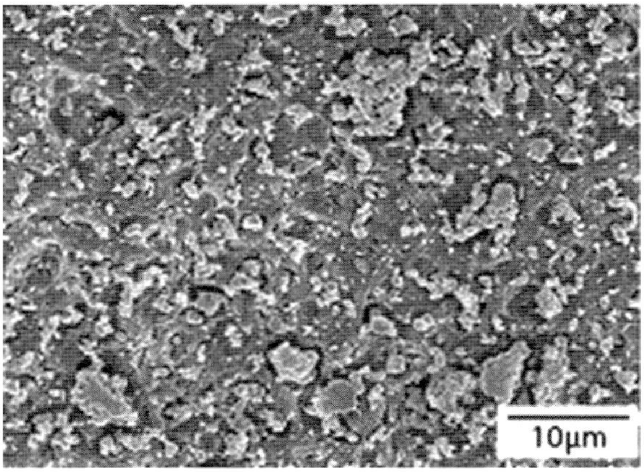

Bild 2.36
Darstellung der Matrix-Morphologie von POM mit eingelagertem Bariumferrit; POM mit 20% BaFe, Anschliff, Plasma geätzt, O_2, 15 min, REM

Aluminiumdioxid

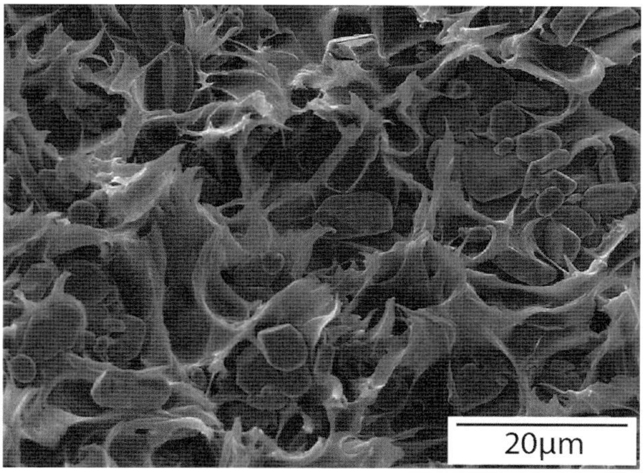

Bild 2.37 Darstellung der Haftung von Aluminiumoxid; PA6 + 40% Al_2O_3, Bruch, REM (SE)

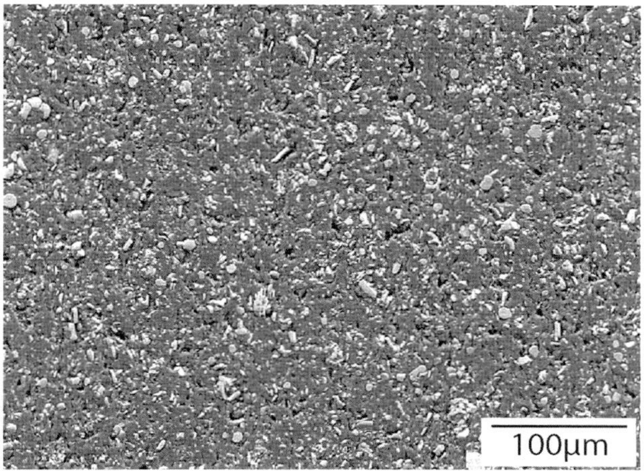

Bild 2.38 Darstellung der Verteilung von Aluminumoxid-Pulver; PA6 + 40% Al_2O_3, Bruch, REM (SE)

2.1.6 Füllstoffarten

2.1.6.1 Pulverförmige Füllstoffe

Tabelle 2.5 Präparation und Mikroskopie pulverförmiger Füllstoffe

Präparation	Untersuchung
REM	
▪ Aufbringen der Füllstoffe auf Probenteller (mit Leitpad) ▪ lose Füllstoffe abblasen ▪ Besputterung	Bestimmung der Topographie, Partikelgröße und -form

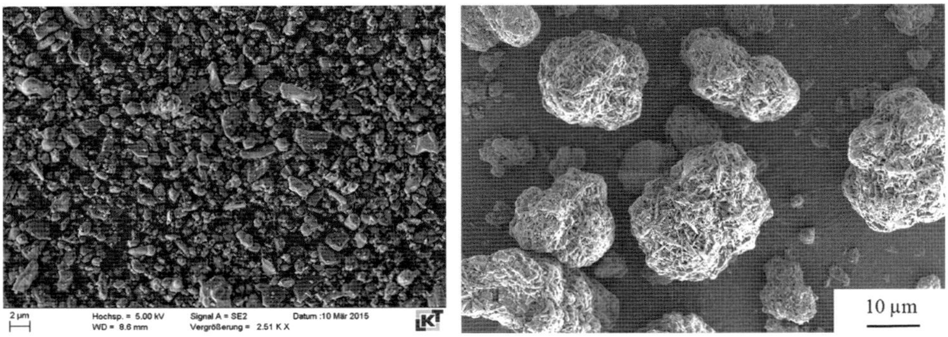

Bild 2.39 Pulverförmiges Aluminiumoxid (Al_2O_3) als Füllstoff im Rasterelektronenmikroskop
links: CT1200SG, Almatis GmbH

Bild 2.40 Graphitpulver
links: synthetisches Timrex C-Therm;
rechts: natürliches Thermophit GFG 1200 µm

Bild 2.41 Pulverförmiges Bornitrid als Füllstoff im Rasterelektronenmikroskop

Bild 2.42 Pulverförmiges Strontiumferrit OP 71 als Füllstoff im Rasterelektronenmikroskop

Bild 2.43 Strontium/Barium-Pulver HM 170 als Füllstoff im Rasterelektronenmikroskop

Bild 2.44 Talkum D90
links: 7 µm
rechts: 50 µm

Bild 2.45 Flammschutzmittel
links: Magnesiumhydroxid (APYMAC 60S), [Flammschutzmittel]
rechts: Aluminium-Oxid-Hydroxid (Actilox B60) [halogenfreies Flammschutzmittel]

2.1.6.2 Kugelförmige Füllstoffe

Untersuchungsmethode

Tabelle 2.6 Präparation und Mikroskopie kugelförmiger Füllstoffe

Präparation	Untersuchung
REM	
▪ Aufbringen der Füllstoffe auf Probenteller (mit Leitpad) ▪ Besputterung	▪ Bestimmung der Topographie, Partikelgröße und -form, Größenverteilung ▪ evtl. Haftvermittler sichtbar
Makroskop	
Füllstoffe auf Objektträger auflegen	▪ Schrägbeleuchtung: Bestimmung der Form ▪ Schattenbild: Bestimmung der Partikelgröße, Größenverteilung, Agglomeratbildung

Bild 2.46 Glaskugeln, D90 = 35 bis 43 µm, REM – SE2 3000 x (links), 500 x (rechts)

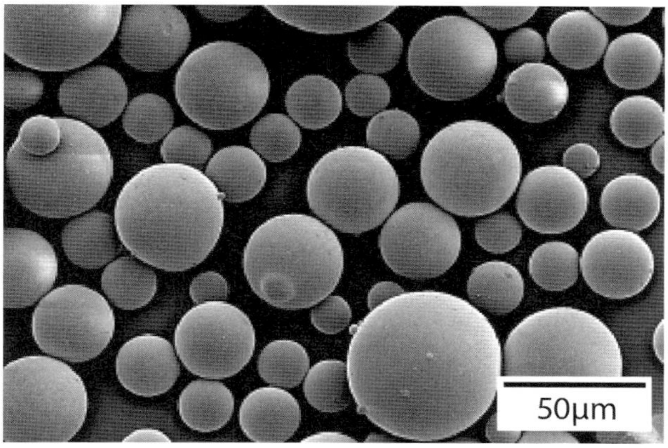

Bild 2.47 Graphitpulver als Füllstoff im Rasterelektronenmikroskop

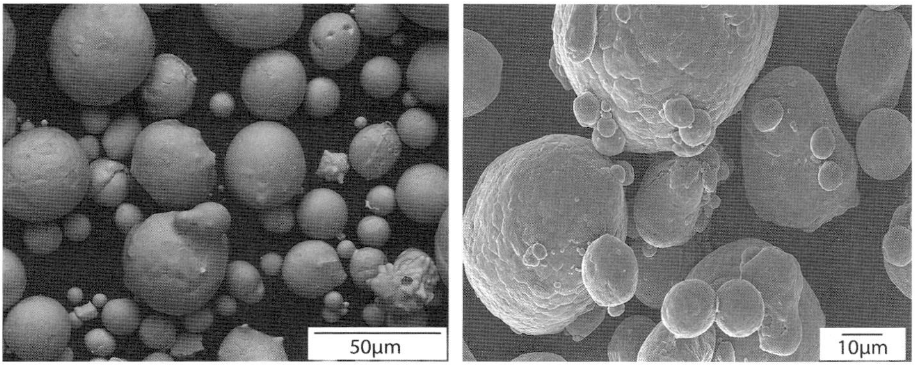

Bild 2.48 Kugelförmiges Al_2O_3, MQP-B
links: niedrige Vergrößerung
rechts: hohe Vergrößerung

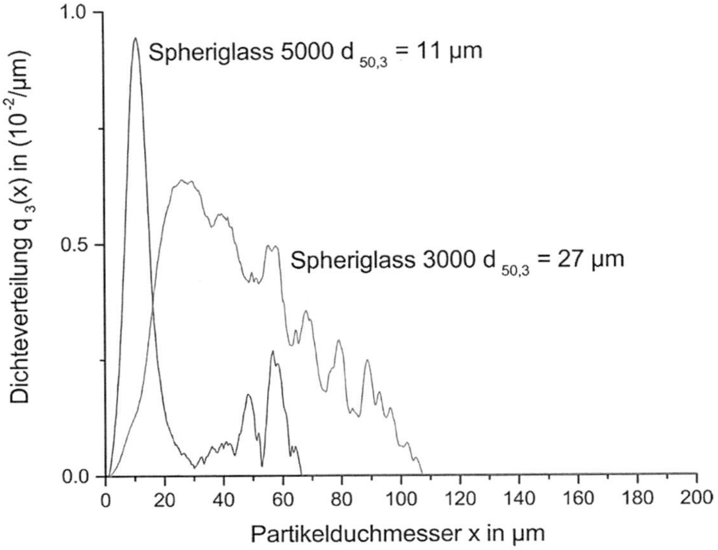

Bild 2.49 Volumetrische Dichteverteilung von Glaskugeln

Die Verteilungsdichte oder auch Dichteverteilung in Bild 2.49 hat bei der Partikelgrößenanalyse nichts mit der Rohstoffdichte zu tun. Sie beschreibt den Anteil an Partikeln eines bestimmten Größenintervalls bezogen auf die Gesamtmenge der Partikeln und auf die Intervallbreite.

Daher rührt auch die Einheit in μm^{-1}. Die Auftragung der Dichteverteilung rührt aus der Siebanalyse, bei der jeweils z. B. der Mengenanteil einer Fraktion bezogen auf die Intervallbreite aufgetragen wurde. Die 11 und 27 µm sind die mittlere volumetrische Partikelgröße also $d_{50,3}$.

2.1.6.3 Faserförmige Füllstoffe

Tabelle 2.7 Präparation und Mikroskopie faserförmiger Füllstoffe

Präparation	Untersuchung
REM	
Kurzfasern ▪ Aufbringen der Füllstoffe auf Probenteller (mit Leitpad) ▪ Besputterung *Langfasern* ▪ in Xylol gelöstes Graphit auf Probenteller aufbringen ▪ Fasern auflegen, so dass sie leicht nach oben stehen ▪ Besputterung	Bestimmung der Topographie, Faserdurchmesser evtl. Haftvermittler sichtbar
Makroskop (nur Sichtprüfung)	
Füllstoffe auf Objektträger auflegen	Schrägbeleuchtung: Bestimmung der Faserlänge, Dickenverteilung der Faser

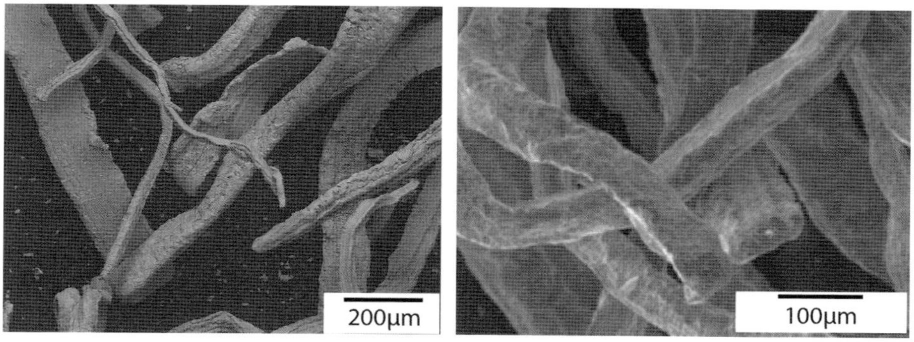

Bild 2.50 Staxx-Cu-Fasern/REM

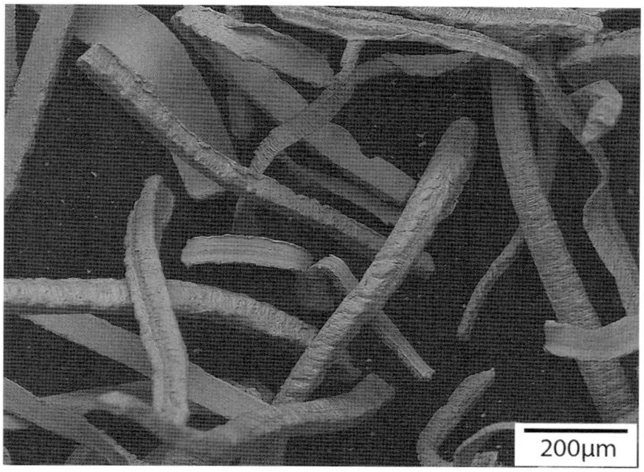

Bild 2.51 Ms-Fasern M67/REM

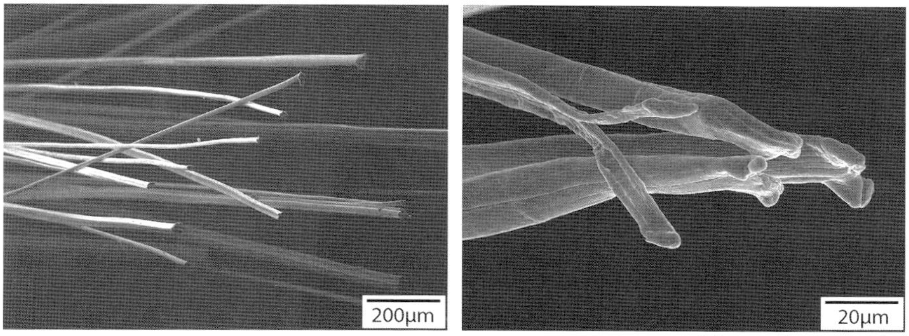

Bild 2.52 Kunststofffasern (PE) im Rasterelektronenmikroskop
links: niedrige Vergrößerung
rechts: hohe Vergrößerung

Bild 2.53
Aluminium Flitterfäden 2118 im Rasterelektronenmikroskop

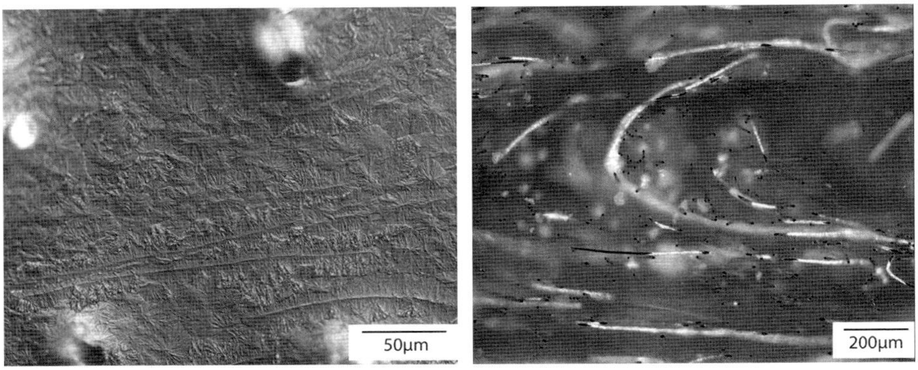

Bild 2.54 PP mit 10 % Stahlfasern, Anschliff
links: geätzt, DIC
rechts: Dunkelfeld

2.1.6.4 Plättchenförmige Füllstoffe

Tabelle 2.8 Präparation und Mikroskopie plättchenförmiger Füllstoffe

Präparation	Untersuchung
REM	
▪ Reinigen und Lösen der Agglomerate durch Ultraschallbad ▪ Trocknen ▪ Aufbringen der Füllstoffe auf Probenteller (mit Leitpad) ▪ lose Füllstoffe abblasen ▪ Besputterung	▪ Bestimmung der Topographie, Partikelgröße und -form ▪ evtl. Haftvermittler sichtbar

Makroskop	
▪ Reinigen und Lösen der Agglomerate durch Ultraschallbad ▪ Trocknen ▪ Füllstoffe auf Objektträger auflegen	Schrägbeleuchtung: Bestimmung der Form und Größe

Bild 2.55 Kupferflakes [Cubrotec 5000]; D50 = 38 µm; REM

Bild 2.56 *links: Aluminium-Pulver 310/rechts: Edelstahl-Flakes; D 50 ~ 35 µm/REM*

Bild 2.57 *links: Neodym-Eisen-Bor (NdFeB (MOP-B))/REM*
rechts: Glass Flakes, silbrig ; D 50 ~ 25 - 35 µm/REM

Bild 2.58 *links: Aluminium-Glitter;*
rechts: hexagonaler Aluminium-Glitter/REM

Bild 2.59 *links: Naturgraphit-Flakes teildelaminiert; [elektrisch leitend]*
rechts: Bornitrid-Flakes/REM, weiß-D 50 ~ 45 µm [hart, wärmeleitend]

2.1.6.5 Grießförmige Füllstoffe

Tabelle 2.9 Präparation und Mikroskopie grießförmiger Füllstoffe

Präparation	Untersuchung
REM	
▪ Aufbringen der Füllstoffe auf Probenteller (mit Leitpad) ▪ lose Füllstoffe abblasen ▪ Besputterung	Bestimmung der Topographie, Partikelgröße und -form

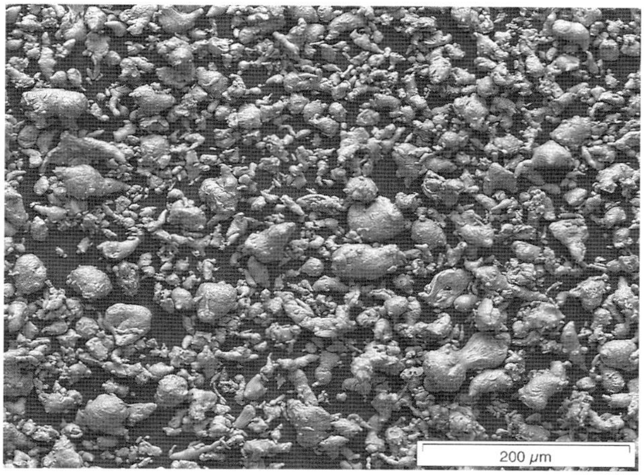

Bild 2.60
Ecka AlGrieß im Raster-
elektronenmikroskop

Bild 2.61
Royal Messing III/0/63 im
Rasterelektronenmikroskop

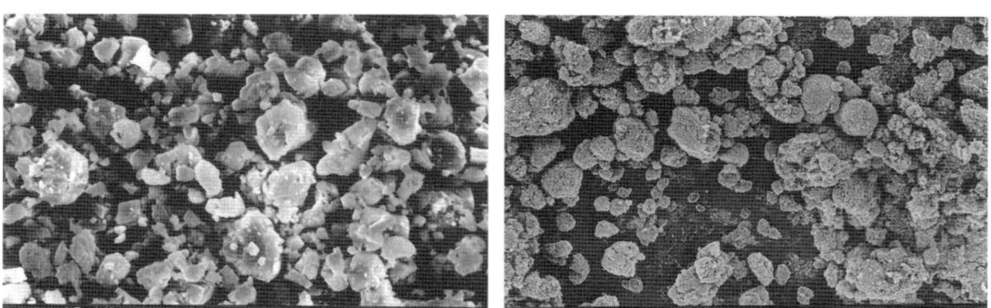

Bild 2.62 Typische raue grießförmige Füllstoffe
links: feines Calciumcarbonat, oberer Schnitt 12 µm, mittlerer Durchmesser 3,5 µm
rechts: Ruß, universeller Licht- und UV-Stabilisator

2.1.6.6 Sonstige Füllstoffe

Tabelle 2.10 Präparation und Mikroskopie sonstiger Füllstoffe

Präparation	Untersuchung
REM	
▪ Aufbringen der Füllstoffe auf Probenteller (mit Leitpad) ▪ lose Füllstoffe abblasen ▪ Besputterung	Bestimmung der Topographie, Partikelgröße und -form

Bild 2.63 Kupfer-Dendriten; REM

2.2 Normen

DIN EN ISO 527-1 (06/2012)

Kunststoffe – Bestimmung der Zugeigenschaften – Teil 1: Allgemeine Grundsätze

DIN EN ISO 527-2 (06/2012)

Kunststoffe – Bestimmung der Zugeigenschaften – Teil 2: Prüfbedingungen für Form- und Extrusionsmassen

DIN EN ISO 527-3 (07/203)

Kunststoffe – Bestimmung der Zugeigenschaften – Teil 3: Prüfbedingungen für Folien und Tafeln

DIN EN ISO 527-4 (07/1997)

Kunststoffe – Bestimmung der Zugeigenschaften – Teil 4: Prüfbedingungen für isotrop und anisotrop faserverstärkte Kunststoffverbundwerkstoffe

DIN EN ISO 527-5 (01/2010)

Kunststoffe – Bestimmung der Zugeigenschaften – Teil 5: Prüfbedingungen für unidirektional faserverstärkte Kunststoffverbundwerkstoffe

DIN EN ISO 584 (03/1998)

Kunststoffe – Ungesättigte Polyesterharze – Bestimmung der Reaktivität bei 80 °C (herkömmliches Verfahren)

DIN EN ISO 2535 (02/2003)

Kunststoffe – Ungesättigte Polyesterharze – Bestimmung der Gelzeit bei Umgebungstemperatur

DIN EN ISO 3672-2 (07/2002)

Kunststoffe – Ungesättigte Polyesterharze (UP-R) – Teil 2: Herstellung von Probekörpern und Bestimmung von Eigenschaften

DIN EN 14879-1 (12/2005)

Beschichtungen und Auskleidungen aus organischen Werkstoffen zum Schutz von industriellen Anlagen gegen Korrosion durch aggressive Medien – Teil 1: Terminologie, Konstruktion und Vorbereitung des Untergrundes

DIN EN 12971-2 (07/1999)

Verstärkungen – Spezifikation für geschnittene Textilglasgarne – Teil 2: Prüfverfahren und allgemeine Anforderungen

DIN 16945 (03/1989)

Reaktionsharze, Reaktionsmittel und Reaktionsharzmassen; Prüfverfahren

DIN 16946-1 (03/1989)

Reaktionsharzformstoffe; Gießharzformstoffe; Prüfverfahren

DIN 8580 (09/2003)

Fertigungsverfahren – Begriffe, Einteilung

DIN 4281 (08/1998)

Beton für werkmäßig hergestellte Entwässerungsgegenstände – Herstellung, Anforderungen, Prüfungen und Überwachung

DIN EN 1115-6 (12/1993)

Kunststoff-Rohrleitungssysteme für erdverlegte Druckentwässerung und Druckabwasserleitungen; Glasfaserverstärkte duroplastische Kunststoffe (GFK) auf der Basis von Polyesterharz (UP); Teil 6: Empfehlungen für die Verlegung

VDI 3821 (09/1978)

Kunststoffkleben

Verwendete Literatur

- Marchetti, K.: Schadensanalyse an Elastomerbauteilen, 25. Hochschulseminar LKT, Universität Erlangen, 2018
- Stieß, M.: Mechanische Verfahrenstechnik – Partikeltechnologie 1, Springer Verlag, Berlin, 2009
- Bohnet, M.: Mechanische Verfahrenstechnik, WILEY-VCH, Weinheim, 2007
- Maier, R. D.: Handbuch Kunststoff-Additive, Kap. 12: Füllstoffe und Verstärkungsstoffe, Carl Hanser Verlag, München, 2016
- Fischer, A.: Eigenschaften und Präparation verstärkter und gefüllter Kunststoffe, 25. Hochschulseminar Präparation und Mikroskopie von Kunststoffen LKT, Universität Erlangen, 2018
- Schemme, M.: Präparation verstärkter und gefüllter Kunststoffe, Schadensanalyse – Seminar LKT, Universität Erlangen, 2017
- Ehrenstein, G. W.; Drummer, D.: Hochgefüllte Kunststoffe mit definierten magnetischen, thermischen und elektrischen Eigenschaften, Springer VDI Verlag, Düsseldorf, 2002
- Kurth, K. H.: Persönliche Mitteilungen

3 Präparation verstärkter Kunststoffe

3.1 Einleitung

Die Präparation von Faserverbundkunststoffen erweist sich wegen der Kombination zweier Materialien unterschiedlicher Festigkeit und Steifigkeit als problematisch. Es werden die unterschiedlichen Präparationsmethoden sowie die verschiedenen mikroskopischen Methoden an glas-, kohlenstoff- und aramidfaserverstärkten Kunststoffen dargestellt und verglichen. Zu den beschriebenen mikroskopischen Methoden gehören die Lichtmikroskopie im Auflicht und Durchlicht, die Rasterelektronenmikroskopie sowie die Mikroradiographie, zu den Präparationsmethoden die Schliff-, Säge- und Frästechnik sowie die Mikrotomie. Die Mikroradiographie wird zunehmend durch die Computer-Tomographie ersetzt. Außerdem wird auf mögliche Präparationsfehler an Faserverbundkunststoffen eingegangen.

Faserverstärkte Kunststoffe stellen einen Verbund aus einer polymeren Matrix niedriger Festigkeit und Steifigkeit mit Fasern höherer Steifigkeit dar. Aufgrund der daraus resultierenden positiven Eigenschaftskombination, hohe Steifigkeit und Festigkeit bei gleichzeitig geringer Dichte, finden Faserverbundkunststoffe (FVK) viele Anwendungsmöglichkeiten.

Um in der Verarbeitung die Qualität der faserverstärkten Bauteile sicher zu stellen, findet neben mechanischen und thermischen Analysen eine mikroskopische Bewertung der Faserverbundkunststoffe statt. Auch in der Werkstoffentwicklung und in der Schadensanalyse hat die mikroskopische Analyse wegen ihrer zahlreichen Aussagemöglichkeiten einen hohen Stellenwert. Typische Aufgabenfelder der mikroskopischen Bewertung sind:

- die Werkstoffidentifizierung,
- die Kontrolle der Faserorientierung, der Faserverteilung und der Schichtung der Fasern,
- die Bestimmung der Faserquerschnitte und Faserflächenanteile,
- die Detektion von Lunkern und Rissen sowie
- die Untersuchung der Faser-Matrix-Haftung und Grenzflächen.

Zur optischen Analyse von faserverstärkten Kunststoffen stehen verschiedene mikroskopische Methoden zur Verfügung, die Lichtmikroskopie, die Rasterelektronenmikroskopie sowie die Mikroradiographie bzw. Computer-Tomographie.

Als Grundlage der mikroskopischen Analyse von Faserverbundkunststoffen ist eine ordentlich durchgeführte Präparation unabdingbar. Trotz der für die Präparation ungünstigen Kombination einer weichen Matrix mit einer steiferen, harten Faser (Tabelle 3.1) dürfen durch die Präparation keine Veränderungen und Schädigungen, d. h. Ausbrüche, Risse oder Delaminationen am Faserverbundkunststoff entstehen. Diese würden eine Bewertung der tatsächlichen Materialsituation erschweren bzw. unmöglich machen.

Tabelle 3.1 Steifigkeit verschiedener Fasern im Vergleich zu Kunststoffen

Material	Elastizitätsmodul in N/mm^2
Epoxidharz	500 bis 2500
Polyamid	750 bis 3200
Glasfaser	73 000
Kohlenstofffaser	240 000 bis 550 000
Aramidfaser	65 000 bis 130 000

Tabelle 3.2 Überblick Präparations- und Mikroskopiemethoden an FVK

Präparation	Lichtmikroskopie		Rasterelektronenmikroskopie	Computer-Tomographie
	Auflicht	Durchlicht		
Bruch		●		
Anschnitt	●		●	
Anschliff	●		●	
Dünnschliff (ca. 10 µm dick)		●		
Dünnschnitt (ca. 10 µm)		●		
Dünnschnitt (ca. 100 µm)				●

Prinzipiell können die Methoden in zwei Gruppen unterteilt werden. Mit Hilfe der Präparationen Bruch, Anschnitt und Anschliff werden Präparatoberflächen analysiert. Dagegen werden die Dünnschliffe bzw. Dünnschnitte über ihr gesamtes Probenvolumen beobachtet, in dem die Präparate durchleuchtet bzw. durchstrahlt werden.

3.2 Präparationsmethoden

Vor der Präparation ist die Probenentnahmestelle sinnvoll zu wählen. Um aussagekräftige Ergebnisse zu erhalten, ist eine Präparatherstellung sowohl in Längs- als auch in Querrichtung zur Faser ratsam. Zweckmäßig ist auch, das Bauteil vor Beginn der Präparation in seiner Gesamtheit aufzunehmen. Proben sollten an folgenden Bauteilregionen entnommen werden:

- an einer repräsentativen Stelle, welche Aussagen über das gesamte Bauteil zulässt,
- an Schwachstellen, äußerlich erkennbaren Fehlstellen und belastungsrelevanten Stellen, wie z. B. Bindenähten, Schweißnähten, Grenzflächen oder
- in der Schadensanalyse an der entsprechenden geschädigten Stelle.

Bei der Präparation ist stets Sorge zu tragen, dass die Probe durch die Entnahme aus dem Bauteil oder Halbzeug nicht geschädigt wird. So können zu starke mechanische, thermische oder chemische Beanspruchungen zu Veränderungen an der Faserorientierung, an der Struktur des Kunststoffes oder der Faser-Matrix-Haftung führen. Zum schonenden Teilen von Kunststoffen haben sich kleine Bügel- oder Laubsägen und zur weiteren Trennarbeit eine niedertourige, wenn möglich wassergekühlte Säge mit Diamanttrennscheibe bewährt.

3.2.1 Probenentnahme und Einbettung

Für mikroskopische Untersuchungen müssen Proben an belastungsrelevanten Stellen, wie z. B. Bindenähten, Schweißnähten, Grenzflächen, äußerlich erkennbaren Fehlstellen oder, im Fall von Schadensuntersuchungen, an der beschädigten Stelle des Bauteils entnommen werden. Um aussagekräftige Ergebnisse zu erhalten, ist eine Präparatherstellung sowohl in Längs- als auch in Querrichtung zur Hauptfaserorientierung ratsam. Zweckmäßig ist auch, das Bauteil vor Beginn der Präparation in seiner Gesamtheit aufzunehmen und eine eindeutige Kennzeichnung der Präparate vorzunehmen.

Die zunächst notwendigen Materialtrennungen zur Probenentnahme sollten zur Vermeidung von Strukturveränderungen, verursacht durch thermische, chemische oder mechanische Einflüsse, vorsichtig mit einer kleinen Bügel- oder Laubsäge durchgeführt werden. Zum weiteren präzisen Trennen kleiner Teile eignet sich besonders eine Niedertourensäge mit Diamantrennscheibe und einer speziellen Einspannvorrichtung. Gegebenenfalls kann während der Entnahme Wasser als Kühlmittel und zum Niederschlagen des Schleifstaubs eingesetzt werden.

Mit wenigen Ausnahmen bei der Dünnschnittpräparation ist es bei allen Präparationsverfahren notwendig, die Proben zur weiteren Präparation in einem Zweikomponenten-Harz einzubetten. Bei der Auswahl des Einbettharzes kommt der bei der Aushärtung entstehenden Wärmeentwicklung, speziell bei Matrixwerkstoffen mit niedriger Glasübergangstemperatur, eine besondere Bedeutung zu, da unter Umständen das Gefüge der Proben in der Randschicht durch Nachkristallisation und Schrumpfung nachhaltig verändert werden kann. Für Einbettharze gilt vereinfacht: Je kürzer die Aushärtezeit des Einbettharzes, desto größer ist die Wärmeentwicklung, d. h. desto größer ist die Wärmebelastung der einzubettenden Probe.

Handelsübliche Methylmethacrylat-Harze haben als Polymerisate eine kurze Aushärtezeit von 4 bis 10 Minuten. Sie eignen sich daher für eine schnelle Präparation. Allerdings liegt die während der kurzen Aushärtezeit erreichte Maximaltemperatur bei ca. 90 bis 110 °C. Dabei besteht außerdem die Gefahr, dass sich das Harz stellenweise durch Schwindung von der Probe ablöst, so dass der Probenrand bei den weiteren Präparationsschritten mechanisch unzureichend gestützt wird. Daher werden zur Einbettung häufig kaltaushärtende, wenig schwindende Epoxidharze eingesetzt. Die Aushärtezeiten dieser Harze als Polyaddukte liegen jedoch mit ca. 24 Stunden bei Raumtemperatur deutlich höher als die der Methylmethacrylate.

Weist die Probe Hinterschnitte auf, sollte zur besseren Verankerung ein niedrigviskoses Harz verwendet werden. Für die Einbettung der Proben können Formen aus Silikonkautschuk, Polypropylen oder Polyoxymethylen genutzt werden, die kommerziell erhältlich sind. Runde Einbettformen sind zu bevorzugen, da diese zum Schleifen und Polieren wegen der beliebigen Winkeleinstellung besser geeignet sind. Da der eher in der Mitte liegende zu präparierende Probekörper härter und verschleißfester als das umgebende Einbettharz ist, wird der zu schleifende Einbettkörper leicht kissenförmig abgetragen.

Es gilt: Je größer der Durchmesser der Probe, desto geringer ist die Kissenbildung beim Polieren, desto länger aber die Polierzeit.

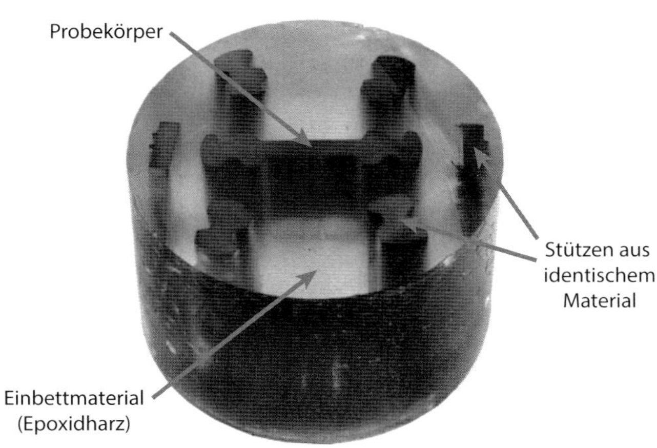

Bild 3.1
Zusätzlich eingebettete Stützen aus ähnlichem Material wie die Probe verhindern die Kissenbildung beim Schleifen

Durch Einbringen von Stücken des gleichen oder eines ähnlichen Materials ins Einbettharz rund um den zu untersuchenden Probekörper wird das Flachschleifen und Polieren erleichtert und mögliche Schrägen des Probenrandes und die daraus resultierende Randunschärfe vermieden (Bild 3.1).

3.3 Kurzglasfaserverstärkte Thermoplaste

Während man die Steifigkeit und Festigkeit von diskontinuierlich verstärkten Kunststoffen in befriedigender Näherung berechnen kann, ist das bei den Versagensformen bei schlagartiger Beanspruchung bisher nicht möglich. Ein weiteres Problem ist die Prüfung. Der Schlagbiege- und der Kerbschlagbiegeversuch messen einen eindimensional geprüften Kennwert, während die meisten Bauteile mehrdimensional beansprucht werden.

Die Komplexität der Versagensmechanismen von diskontinuierlich kurzfaserverstärkten Kunststoffen zeigt Bild 3.2. Dabei ist zu berücksichtigen, dass das Versagensverhalten senkrecht zu den Fasern noch nicht einmal einbezogen wurde. Eine Energieaufnahme erfolgt hierbei durch die Matrixumformung und deren Bruch (engl.: crazing, matrix fracture), die Faser/Matrix-Ablösung (engl.: debonding) verbunden mit Matrixverformungen, der Faserzug (engl.: pull out) und der Faserbruch (engl.: fibre fracture). Häufig ist die Matrixverformung viel stärker ausgeprägt.

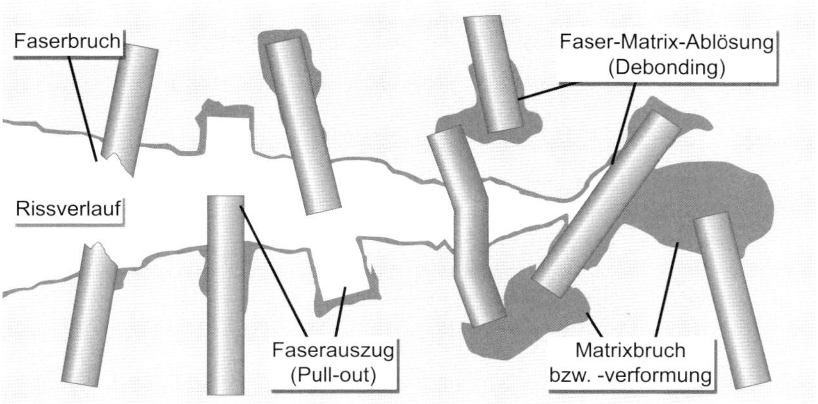

Bild 3.2 Versagensmechanismen in diskontinuierlich kurzfaserverstärkten Kunststoffen mit bevorzugter Faserorientierung in Zugrichtung *(Stelzer)*

Fasern im Verbund weisen je nach Betrachtungsrichtung eine starke Orientierung auf. Da die mikroskopische Präparation normalerweise in der Ebene erfolgt, entscheidet die Lage der Fasern zur Präparationsebene die Darstellung (Bild 3.3). Liegen die Fasern in der Präparationsebene, sind die Ausrichtung und die Längen der Fasern deutlich erkennbar (Bild 3.3, oben). Werden die Fasern in der angedeuteten Ebene geschnitten oder angeschliffen, ergibt sich für die Querschnitte in Abhängigkeit vom Schnittwinkel eine geringe Zunahme bis zum Längsschnitt, der die Faserlänge wiedergibt, insgesamt aber nur selten auftritt (Bild 3.4). Bei einem Durchsichtprojektionsverfahren ergeben sich deutlich längere Abbildungen (Bild 3.6).

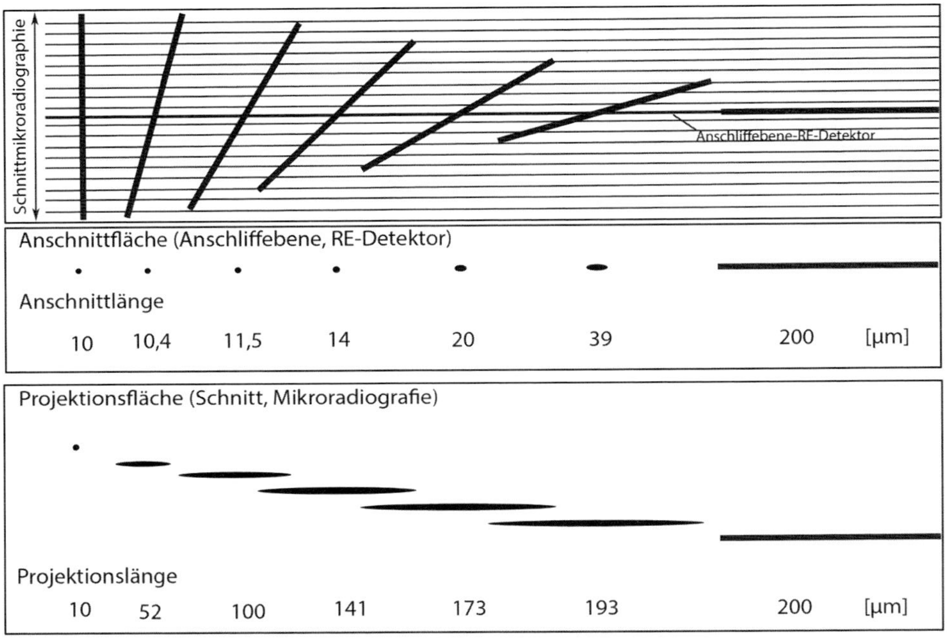

Bild 3.3 Projektionsfläche bzw. Anschlifffläche von eingebetteten Kurzfasern
oben: Kurzfasern von 200 µm Länge und 10 µm Durchmesser um 90° in Schritten von 15° geneigt mit Anschliffebene des RE-Detektors
Mitte: Wahrscheinlichkeit des Anschnitts bei verschiedenen Neigungswinkeln
unten: projizierte Faserlänge bei unterschiedlichem Neigungswinkel

Die Projektionslänge (Bild 3.3, unten) steigt einigermaßen gleich an, die Anschnittlänge dagegen erst ab ca. 80 ° Neigung deutlich (Bild 3.4).

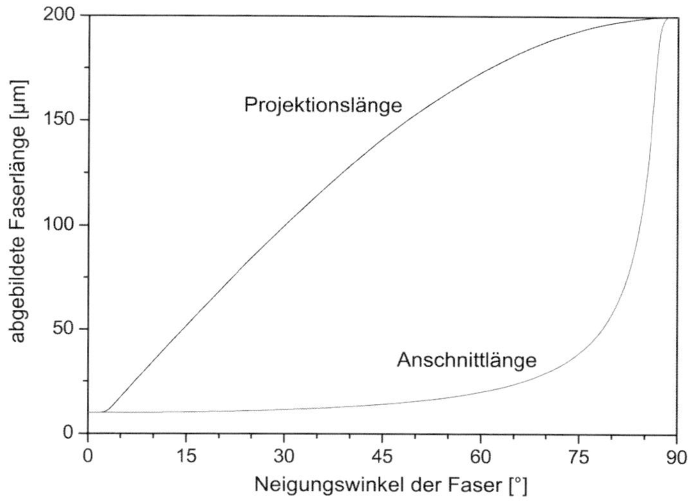

Bild 3.4 Projektions- und Anschnittlänge in Abhängigkeit vom Neigungswinkel der Kurzfaser

Diese Darstellungen gehen von einer mittleren Glasfaserlänge aus. Die Längenverteilung zeigt ein durchaus breites Spektrum, das sowohl die Orientierung bei der Spritzguss- und Extrusions-Verarbeitung wie auch die sich daraus ergebenden Verstärkungswirkungen bestimmt (Bild 3.6).

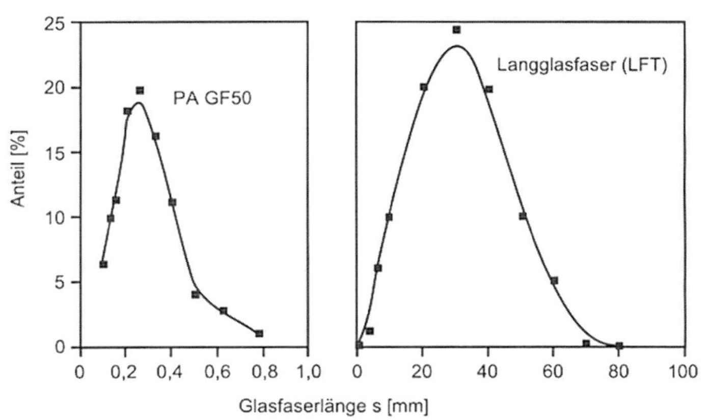

Bild 3.5 Glasfaserlängenverteilung – Kurzglasfasern und Langglasfasern

Ein praktisches Beispiel zeigt das Extrusionsprofil eines PA GF 25 – einmal im Anschliff (Bild 3.6, links) und eine Mikroradiographieaufnahme des gleichen Elements (Bild 3.6, rechts). Während im linken Bild der Eindruck entsteht, dass die Fasern dominierend senkrecht zur Anschliffebene verlaufen und somit kaum Verstärkungswirkung senkrecht zur Profilebene ermöglichen, lassen sich im rechten

Bild durchaus Neigungen der Fasern mit entsprechender Verstärkungswirkung erkennen.

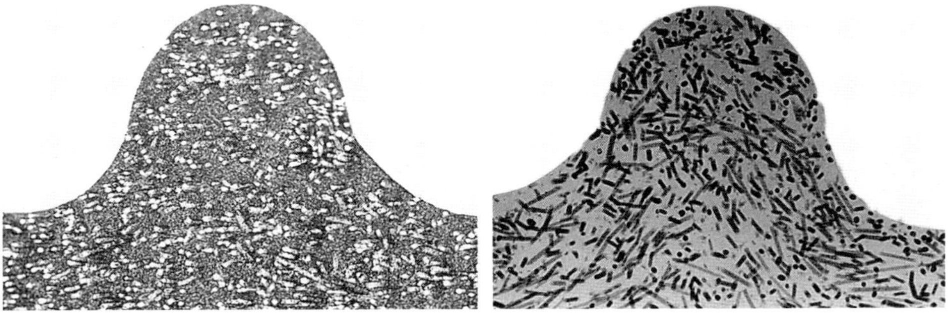

Bild 3.6 Anschliff (links) und mikroradiographische Aufnahme eines Extrusionsprofils aus PA-GF 25

3.3.1 Dünnschnitte

Als Messer zum Schneiden von glasfaserverstärkten Thermoplasten sollten Messer mit einer Hartmetallschneide verwendet werden (z. B. HK-Messer). Diese besitzen eine hohe Biegefestigkeit und geben demzufolge beim Schneiden nicht nach, wodurch gleichmäßigere Schnitte ermöglicht werden.

Bei der Herstellung eines Präparats durch Überschneiden mit einem Messer-Mikrotom ergibt sich, wie auch die Bilder 3.8, 3.13 und 3.16 zeigen:

- **Vorteil:** geringer Präparationsaufwand innerhalb von ca. 5 min; Überblick zur Probenstruktur, insbesondere der Füllstoffstruktur möglich (sinnvoll nur bei Polymer- und Naturfasern, Kreide, Ruß)
- **Nachteil:** Artefaktbildung bei harten Fasern und Füllstoffen und starker Verschleiß des Messers

Auch die Dünnschnitte sind unbedingt auf Artefakte zu prüfen. Gerade harte Fasern verrutschen in Schneidrichtung, da die weichere Matrix den Fasern keinen ausreichenden Widerstand bietet. Das kann zu Fehlinterpretationen bzgl. Faserorientierung und -anordnung führen. Auch die Sphärolithe werden durch die Umorientierung der Fasern deformiert. Bild 3.8 zeigt beispielhaft ein solches Ergebnis mit schlecht erkennbaren Fasern und verformten Kristallen. Um Fehleinschätzungen bzgl. Faserorientierungen zu vermeiden, sind über die Mikrotomie erhaltene Präparationsergebnisse besonders sorgfältig auf Artefakte zu überprüfen.

Hauptziel der Präparation muss sein, möglichst wenig Deformationen, wie z. B. Stauchungen, Verstreckungen bzw. Wellungen, im Dünnschnitt zu erzeugen, da diese zu irreversiblen Veränderungen oder sogar zur Zerstörung der Gefügestruktur des Dünnschnitts führen (Bild 3.7 und Bild 3.8). Beim Schneiden werden die spröden Glasfasern gewaltsam gebrochen. Dabei können sie, besonders bei schlechter Haftung zwischen Matrix und Faser, aus dem Verbund herausgezogen oder in ihrer ursprünglichen Anordnung verändert werden. Präparativ verursachte Schädigungen des Dünnschnitts können gerade bei polarisationsoptischen Untersuchungen Fehlinterpretationen zur Folge haben.

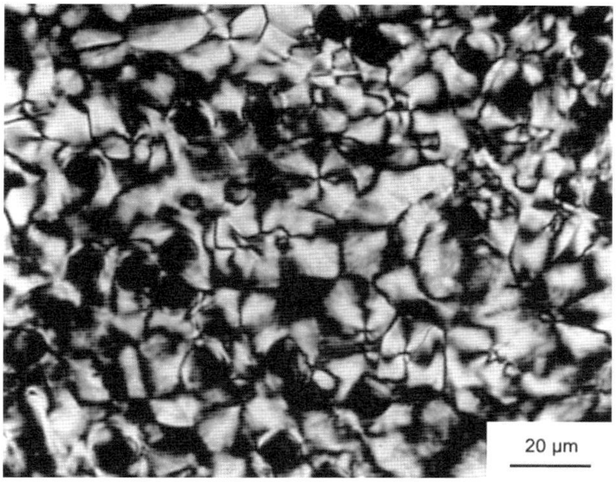

Bild 3.7
PA-GF (25 Gew.-%), Dünnschnitt, Dicke 10 µm, Messer HK 1 (β = 25 °).
Gute Qualität eines Dünnschnitts, sphärolithische Struktur weitgehend unbeschädigt, 400 x

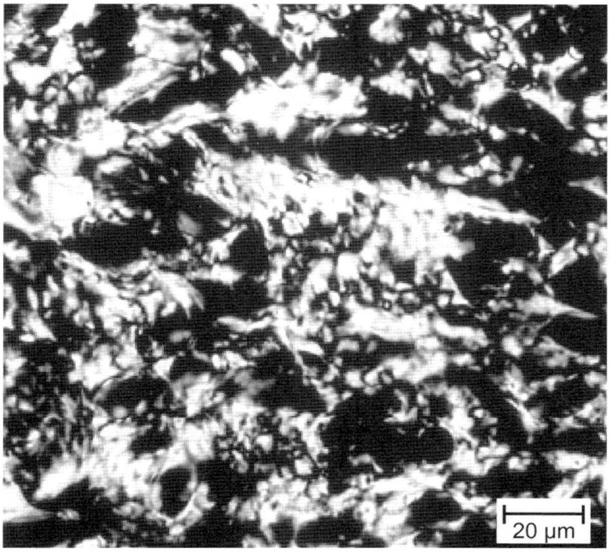

Bild 3.8
PA-GF (50 Gew.-%), Dünnschnitt Dicke 10 µm. Messer HK 2 (β = 45°}. Schlechte Qualität eines Dünnschnitts, die sphärolithische Struktur ist zerstört, 400 x

Ein Beispiel für eine von den Präparationsbedingungen abhängige, unterschiedlich starke Deformation von Dünnschnitten zeigt Bild 3.9. Im Vergleich zu den Originalabmessungen des Querschnitts eines extrudierten Wärmeisolierstegs aus PA66-GF, der zur thermischen Trennung von Aluminiumfenster- und Fassadenprofilen benutzt wird, sind die Dünnschnitte in Schnittrichtung unterschiedlich stark gestaucht. Genauere Untersuchungen zeigen, dass die auftretenden Stauchungen mit zunehmendem Glasfasergehalt und mit zunehmender Schnittdicke geringer werden, da die Glasfasern nicht gestaucht werden können.

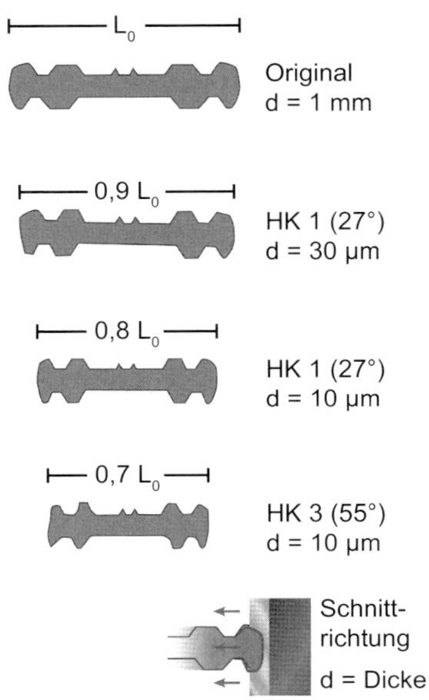

Bild 3.9
Isoliersteg aus PA66-GF (25 Gew.-%), rußpigmentierte Dünnschnitte mit unterschiedlicher Stauchung

Die besten Ergebnisse für glasfaserverstärktes Polyamid wurden, unabhängig vom Glasfasergehalt, mit einem Hartmetallmesser HK 1 (β = 25 °) bei möglichst langsamer und gleichmäßiger Vorschubgeschwindigkeit mit einer Schnittstärke von ca. 10 µm erzielt (Bild 3.7).

Bei höheren Schnittstärken verschwimmen die Sphärolithgrenzen, da dann mehrere Sphärolithe im Dünnschnitt übereinander liegen.

Schnittdicken unter 10 µm sollten vermieden werden, da sonst die Glasfasern den Mikrotomschnitt zerreißen. Wie Bild 3.13 zeigt, ist bei einem Glasfasergehalt von 50 Gew.-% auch mit einem HK-1-Messer keine befriedigende Dünnschnittqualität zu erzielen. Die rasterelektronenmikroskopische Aufnahme der Oberfläche des Dünnschnitts zeigt erhebliche plastische Deformationen (Bild 3.16). Einzelne Glasfasern sind beim Schneiden aus der Schnittebene an die Oberfläche befördert worden. Sie wurden dabei in Schnittrichtung verschoben bzw. umgelegt. Dies führt dazu, dass die Glasfasern in Bild 3.8 und 3.13 als schwarze Balken mit ungleichmäßigen Konturen erscheinen. Ein Querschliff des Dünnschnitts zeigt erhebliche Inhomogenitäten der Dicke infolge der Stauchung beim Schneiden und zum Teil Löcher als Spuren von herausgerissenen Glasfasern (Bild 3.17).

Trotz der geschilderten Nachteile ist die Mikrotom-Schnitttechnik von den hier vorgestellten Präparationsverfahren das geeignetste, um schnell einen Überblick über die Struktur und Morphologie eines Werkstoffs zu erhalten. Nach ca. 10 bis 20 min. hat man bereits einen Dünnschnitt zur Betrachtung vorliegen.

3.3.2 Sägetechnik

Durch das Herstellen des Dünnschnittpräparates mit einer Säge können idealerweise Faserausbrüche vermieden werden. Eine geeignete Säge zur Herstellung von gleichmäßigen 50 µm bis 150 µm dicken Dünnschnitten ist eine Innenlochsäge, welche über ein wassergekühltes, rotierendes diamantbeschichtetes Sägeblatt verfügt. Die aufzuwendende Zeitdauer für einen Sägevorgang beträgt ca. 15 min bis 60 min je nach gewählter Vorschubgeschwindigkeit. Vorher muss die Probe gegebenenfalls eingebettet werden und anschließend auf eine entsprechende Platte aufgeklebt werden.

In Bild 3.10 ist eine Oberfläche erzeugt an einer Innenlochsäge dargestellt. Es sind keine Faserausbrüche und -umorientierungen erkennbar. Die Matrix sieht jedoch deformiert aus und liegt teilweise über den Fasern. Die Matrixzipfel lassen auf ein Verschmieren der Matrix durch zu langsame Sägegeschwindigkeit schließen.

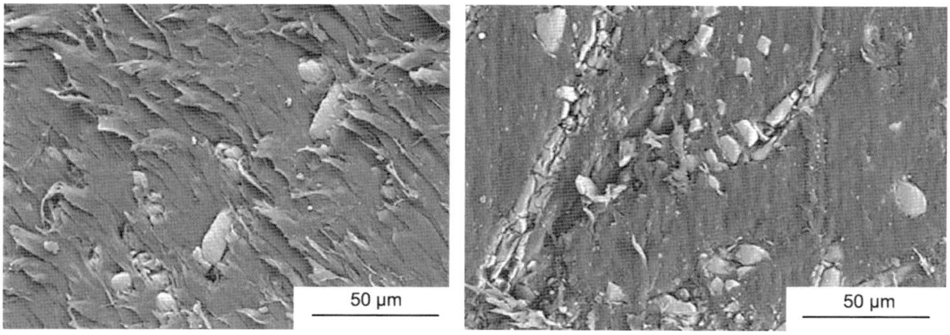

Bild 3.10 PA 6 + 30 Gew.-% Glasfaser, Dünnschnitt 100 µm (Innenlochsäge), REM SE-Detektor, *links: langsame Vorschubgeschwindigkeit*
rechts: schnelle Vorschubgeschwindigkeit

Bild 3.10 zeigt ebenfalls die Oberfläche eines Dünnschnittes hergestellt mittels Innenlochsäge, jedoch mit deutlich höherer Vorschubgeschwindigkeit. Aus den dabei auftretenden höheren Kräften folgen Faserbrüche und -ausbrüche, welche die Bewertung der Faserorientierung und -verteilung erschweren.

Diese Präparate von 50 µm bis 150 µm Stärke sind für die Computer-Tomographie geeignet, über welche die Probe mittels Röntgenstrahlen durchleuchtet wird. Mit der Computer-Tomographie werden Informationen zur Faserorientierung erhalten und nicht zur Morphologie, so dass eine langsame Sägegeschwindigkeit ohne Faserbrüche bevorzugt werden sollte.

Zum Beobachten mittels Lichtmikroskopie eignen sich diese Dünnschnitte nicht, weil die hohe Schnittdicke ein Durchleuchten unmöglich macht. Außerdem kann bei der Präparation an einer Innenlochsäge mit zu hoher Sägezeit die Matrix leicht deformiert werden, so dass morphologische Aussagen über den Ausgangszustand vor der Präparation nicht getroffen werden können. Demnach muss zur Analyse der kristallinen Struktur einer Matrix auf die Präparation eines Dünnschliffes bzw. geätzten Anschliffs zurückgegriffen werden.

3.3.3 Dünn- und Anschlifftechnik

Bei der Schlifftechnik ist die Gefahr der Artefaktbildung durch die unterschiedliche Schneidkonsistenz der mehrphasigen Gefügeanteile in wesentlich geringerem Maße vorhanden. Allerdings ist der zeitliche Aufwand für die Präparation bei dieser Technik viel größer. Zudem ist ein hohes Maß an Geschicklichkeit speziell für die zum Teil von Hand durchgeführte Dünnschliff-Herstellung erforderlich. Oftmals reicht schon der Anschliff zur Untersuchung der Gefügestruktur aus. Soll dagegen die sphärolithische Struktur im polarisierten Durchlicht untersucht werden, muss ein Dünnschliff hergestellt werden, um ein lichtdurchlässiges Präparat zu erhalten.

Zum Vergleich wurde von derselben Probe, einem Schulterstab aus kurzglasfaserverstärktem Polyamid (30 Gew.-%), sowohl ein Dünnschnitt (Bild 3.13 bis 3.17) als auch ein Dünnschliff (Bild 3.18 bis 3.20) angefertigt. Im Gegensatz zum Dünnschnitt sind im Dünnschliff die feinen Sphärolithgrenzen klar erkennbar. Die Glasfasern bleiben in ihrer ursprünglichen Anordnung erhalten. Dies bestätigt auch die rasterelektronenmikroskopische Untersuchung der Oberfläche des Dünnschliffs (Bild3.19), welche keine herausgerissenen Glasfasern zeigt. Durch das Schleif bzw. Poliermittel wird die polymere Matrix geringfügig in den Oberflächenbereichen angegriffen. Dass dieser Angriff nur bis zu einer ganz geringen Tiefe erfolgt, ist am Querschliff des Dünnschnitts im polarisierten Durchlicht (Bild 3.17) erkennbar. Stauchungen und Wellungen des Präparats wie beim Dünnschnitt treten bei sachgemäßer Präparation beim Dünnschliff nicht auf (Bild 3.13 bis 3.19).

Beim Schleifen und Polieren sollte mit niedrigen Andruckkräften gearbeitet werden. Damit sind zwangsläufig lange Polierzeiten verbunden, um die thermische Belastung der Proben zu minimieren.

Ein Poliervorgang auf Tüchern mit hohem Flor und/oder hoher Elastizität führt zu einer reliefartigen Oberflächenstruktur. Die härteren Bestandteile der Probenoberfläche treten erhaben aus der übrigen Werkstoffoberfläche hervor (Bild 3.11). Das **Polieren auf Relief** ermöglicht eine kontrastreiche Darstellung der präparierten Oberfläche und erlaubt beispielsweise eine gute Darstellung der Faserverteilung oder deren Orientierung. Nachteilig bei dieser Poliermethode ist allerdings, dass durch die inhomogene Oberflächenstruktur zwangsläufig ein stärkerer Abtrag an den Kanten der härteren Anteile erfolgt. Die Oberflächen von senkrecht zur Faserachse angeschliffenen Fasern werden dadurch abgerundet. Für eine exakte Vermessung von Faser- oder Schichtgeometrien, wie etwa die Bestimmung von Faserdurchmessern, sollte der **Anschliff** jedoch **randscharf** präpariert werden, d. h. der Abtrag von Faser-Matrixmaterial muss möglichst gleichmäßig erfolgen.

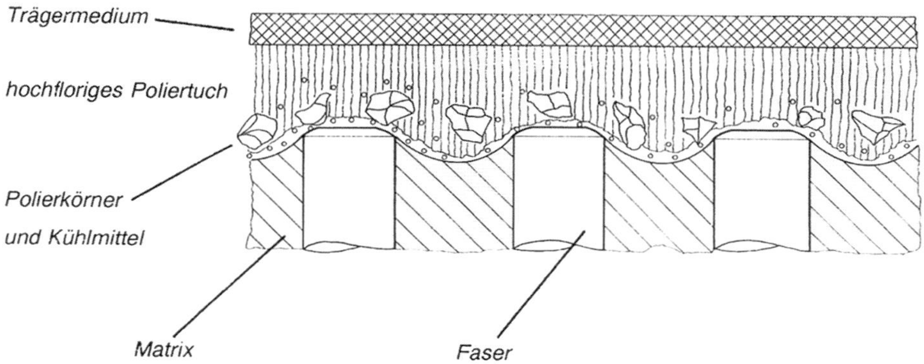

Bild 3.11 Reliefpolitur mit hochflorigem Poliertuch

Dazu muss der gesamte Poliervorgang auf flachen, harten, wenig nachgiebigen Tüchern durchgeführt werden (Bild 3.12). So kann ein Abrunden der Faser- oder Schichtkanten wirkungsvoll vermieden werden, ebenso das Auswaschen der Rissufer bei Verwendung hochfloriger Poliertücher, was die Interpretation von Rissverläufen bei Werkstoffschädigungen erschwert.

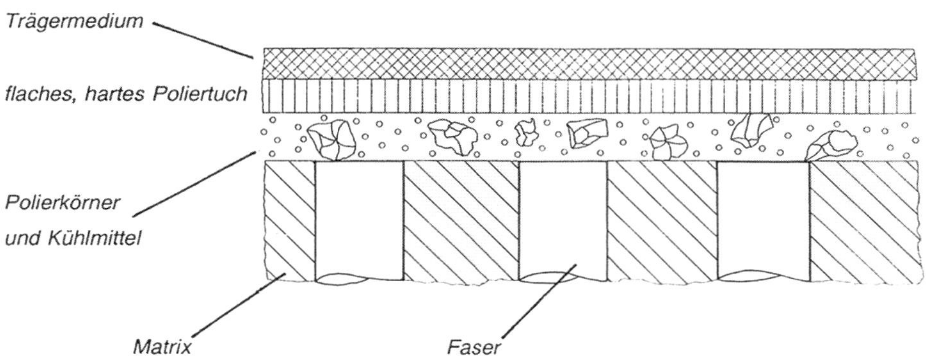

Bild 3.12 Randscharfe Präparation auf flachem, harten Poliertuch

Zur Herstellung eines Anschliffs bzw. eines Dünnschliffs gibt es die verschiedensten teilautomatisierten Methoden.

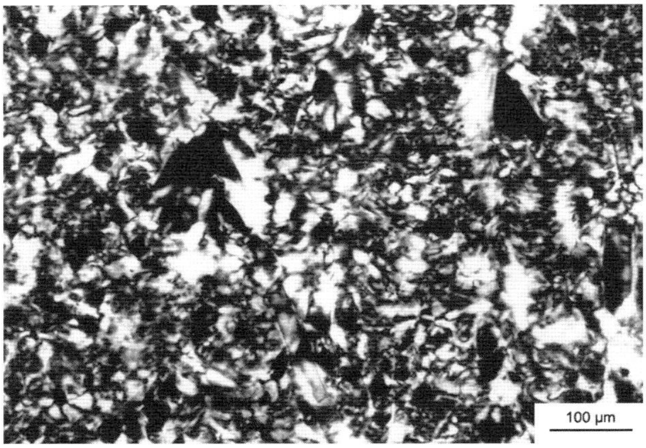

Bild 3.13 Dünnschnitt im polarisierten Durchlicht. 200 x; PA-GF (50 Gew.-%), Dünnschnitt, Messer HK 1 (β = 25 °C)

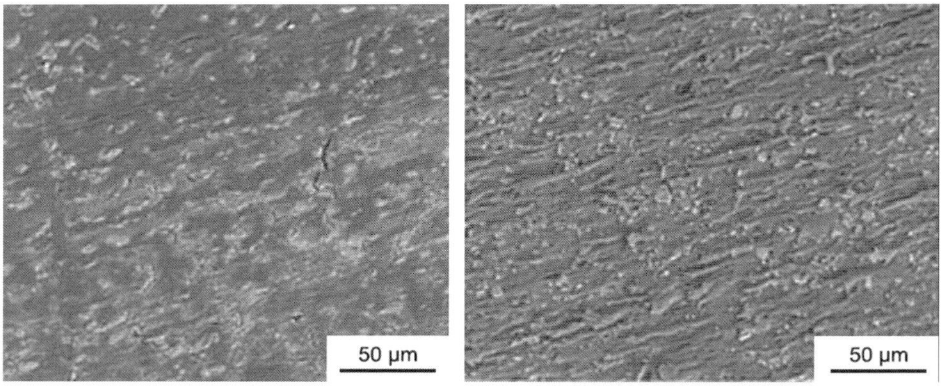

Bild 3.14 PA6 mit 50 Gew.-% Al_2O_3 - mit unterschiedlicher Vorschubgeschwindigkeit der Innenlochsäge präpariert REM RE-Detektor, 500 x;
links: 2,5 µm/s;
rechts: 50 µm/s

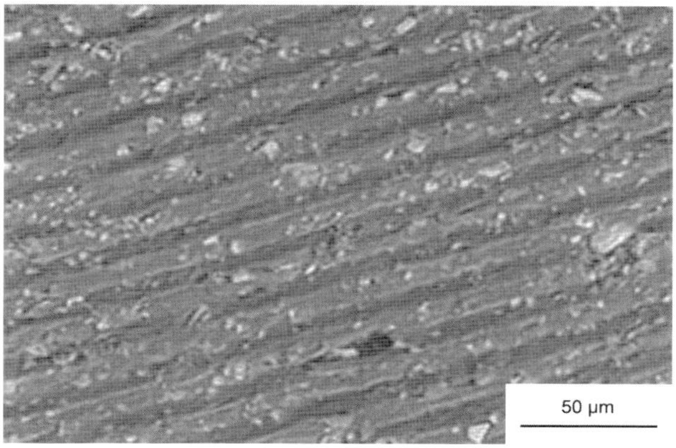

Bild 3.15 PA6 mit 50 Gew.-% Al_2O_3
rechts: 100 µm/s

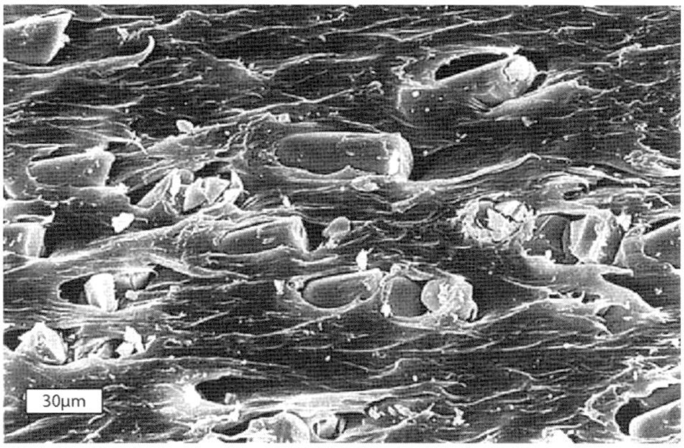

Bild 3.16 Oberfläche des Dünnschnitts im REM. 500 x; PA-GF (50 Gew.-%), Dünnschnitt, Messer HK 1 (β = 25 °C)

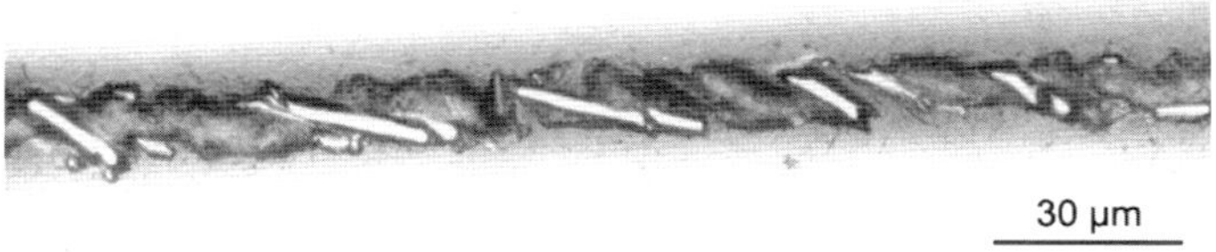

Bild 3.17 Querschliff des Dünnschnitts im Auflicht. 180 x; PA-GF (50 Gew.-%), Dünnschnitt, Messer HK 1 (β = 25 °C)

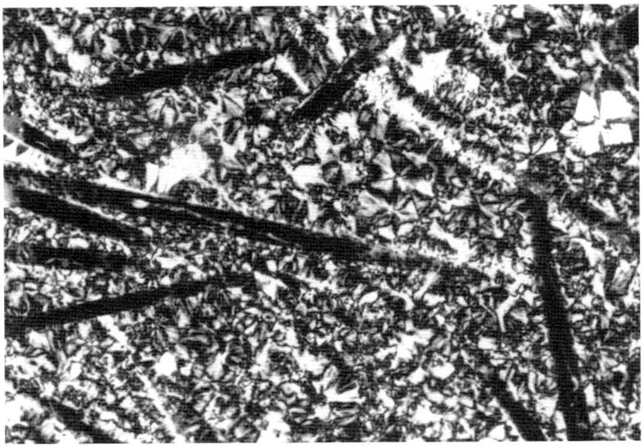

Bild 3.18 Dünnschliff im polarisierten Durchlicht. 200 x, PA-GF (50 Gew.-%), Dünnschliff

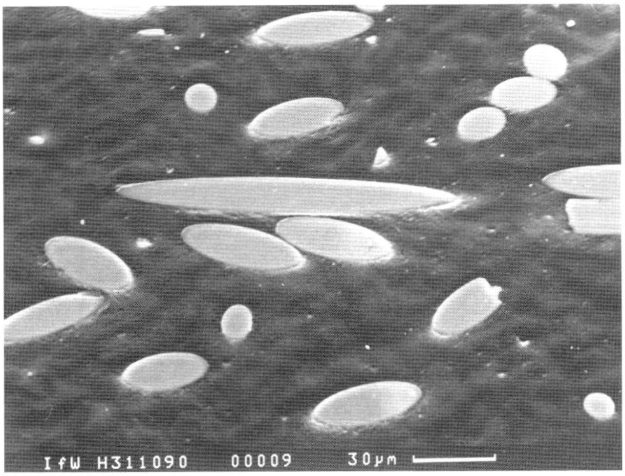

Bild 3.19 Oberfläche des Dünnschliffs im REM. 500 x, PA-GF (50 Gew.-%), Dünnschliff

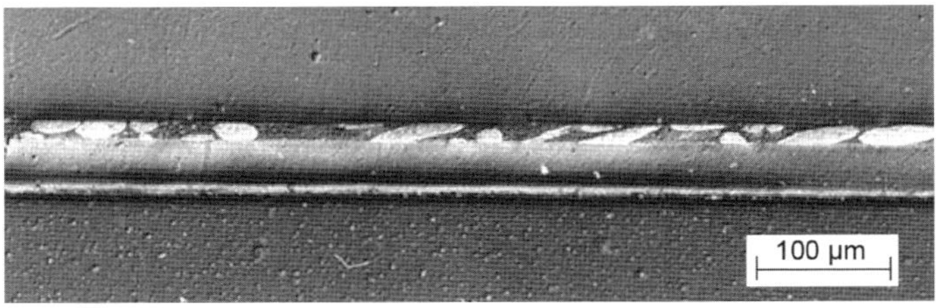

Bild 3.20 Querschliff des Dünnschliffs im Auflicht. 180 x, PA-GF (50 Gew.-%), Dünnschliff

Nachfolgend sind die zur Erzielung der dargestellten Präparationsergebnisse an glasfaserverstärkten Kunststoffen in der Anschlifftechnik verwendeten Schleif- und Poliertücher, die Poliersuspensionen sowie die verwendeten Parameter und der Zeitaufwand für die Hand- und Automatpräparation zusammenfassend dargestellt (Tabelle 3.3). Diese Angaben gelten als Anhaltswerte und müssen ggf. an die spezifischen Anforderungen der im Einzelfall vorliegenden Werkstoffsysteme (Matrixsystem, Faseranteil, Verarbeitungsverfahren etc.) angepasst werden, so ist insbesondere die Zeitdauer in hohem Maße abhängig von der Probenfläche und den spezifischen Werkstoffeigenschaften.

Tabelle 3.3 Parameter zur Schlifftechnik Hand- und Automatpräparation für glasfaserverstärkte Kunststoffe

	Körnung		Flächenpressung	Zeitdauer	$v_{Rotation}$
Anschliff mit Hand präpariert					
1	80 - 1200	SiC- Schleifpapier	normal	30 min	200 U/min
2	6 µm	Diamantsuspension, hartes Poliertuch	normal	20 min	200 U/min
3	3 µm	Diamantsuspension, mittel-hohes oder flaches Poliertuch	normal	10 min	200 U/min
4	1 µm	Diamantsuspension, mittel bis hochfloriges Poliertuch	normal	5 min	200 U/min
5*	0,35 µm	Tonerde, weiches hochfloriges Poliertuch	gering	1 min	200 U/min
Anschliff am Automaten präpariert					
1	220	Diamant-Wabenscheibe	1 g/mm²	20 min	200 U/min
2	6 µm	Diamantsuspension, harte Wabenscheibe	0,5 g/mm²	20 min	200 U/min
3	3 µm	Diamantsuspension, harte Wabenscheibe	0,5 g/mm²	10 min	200 U/min
4	1 µm	Diamantsuspension, harte Wabenscheibe	0,5 g/mm²	10 min	200 U/min
5*	0,35 µm	Tonerde, weiches hochfloriges Poliertuch	Handpressung gering	1 min	200 U/min

**optional, zur Erhöhung des Kontrastes zwischen Faser und Matrix*

Beim Grobschleifen werden die Glasfasern teilweise an ihren Spitzen gebrochen. Die dabei entstehenden Ausbrüche sind bei unzureichender Politur im Auflichtmikroskop als dunkle Krater auf der Oberfläche der Glasfaser erkennbar (Bild 3.21). Bei einer guten Politur sollten keine Ausbrüche an den Glasfaserenden sowie keine dunklen Säume am Rand zwischen Matrix und Glasfaser zu beobachten sein.

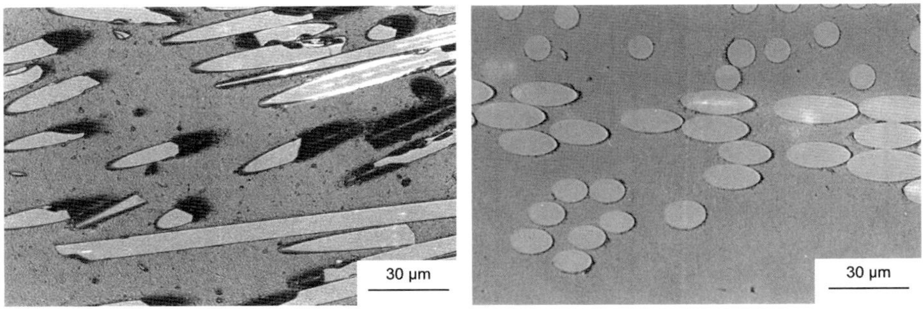

Bild 3.21 Unzureichende (links) und gute scharfe Präparation von PP-GF 30, Schleifen bis Körnung 4000, Polieren mit Diamantkorn 7 µm auf hartem, gelochtem Poliertuch und 3 µm auf halbhartem Poliertuch, Endpolitur mit Tonerde T 3; 500 x.

Beim Polieren mit grobkörnigeren Diamantpasten von 2 bis 4 µm Korngröße entsteht ein „Reliefschliff", da der weiche Kunststoff von der Paste stärker abgearbeitet wird als die harten Glasfasern. Der zwischen Matrix und Glasfaser entstehende Höhensprung lässt die Glasfasern im Auflichtmikroskop gut erkennen und ausmessen (Bild 3.22).

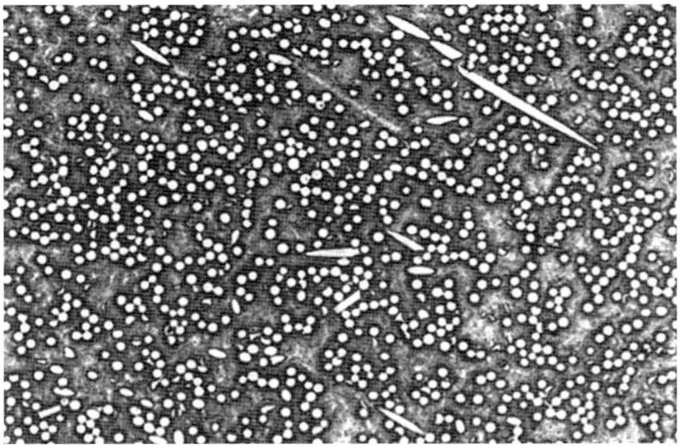

Bild 3.22 PA-GF (50 Gew.-%), Anschliff. 150 x

Die Überbetonung von kreisförmigen Faseranschliffen in (Bild 3.22) erklärt sich damit, dass es aufgrund von einfachen trigonometrischen Abhängigkeiten wahrscheinlicher ist, Glasfasern mit Neigungswinkeln von $\phi \leq 30°$ zur Schliffebene im Anschliff zu schneiden als Glasfasern mit kleineren Neigungswinkeln, siehe auch Bild 3.3 und 3.4. Zusätzlich verdoppelt sich die sichtbare Fläche eines ellipsenförmigen Glasfaseranschliffs im Neigungswinkelbereich $30° \leq \phi \leq 90°$ gerade einmal, so dass diese Glasfaseranschliffe immer punktförmig erscheinen. Sie sind daher schlechter geeignet zur quantitativen Bestimmung der Glasfaserorientierung.

Allerdings steigt bei Neigungswinkeln $\phi \leq 30°$ die sichtbare Fläche des ellipsenförmigen Anschliffs deutlich an, bis bei dem Winkel $\phi = 0°$ die ganze Glasfaser im Längsschnitt sichtbar ist.

Präparationsschritte für die Herstellung eines Dünnschliffs

Nachfolgend sind die zur Herstellung eines Dünnschliffs durchgeführten Arbeitsschritte, die verwendeten Schleif- und Poliertücher, die Poliersuspensionen sowie die verwendeten Parameter und der Zeitaufwand für die Handpräparation zusammenfassend dargestellt (Tabelle 3.4). Diese Angaben müssen ggf. an die spezifischen Anforderungen der im Einzelfall vorliegenden Werkstoffsysteme angepasst werden, so ist insbesondere die Zeitdauer in hohem Maße abhängig von der Probenfläche und den spezifischen Werkstoffeigenschaften.

Tabelle 3.4 Parameter zur Herstellung eines Dünnschliffes mit der Handpräparation für glasfaserverstärkte Kunststoffe

Manuelle Präparation eines Dünnschliffs					
	Körnung	Schleif-Poliertuch, Suspension	Flächenpressung	Zeitdauer	$v_{Rotation}$
1	Aufkleben der **präparierten** Oberfläche auf einen fettfreien Objektträger aus Glas (günstig: Rundform, ∅ 50 mm, Klebschichtdicke: ca. 5 bis 7 µm) mit einem Epoxidharz hoher Transparenz, Aushärtezeit: ca. 60 min.				
2	Vorschneiden auf eine Dicke von ca. 1 mm mit Diamantsäge oder Sägemikrotom, möglichst parallel zum Glasträger, Zeitaufwand: ca. 60 min.				
3	320 - 1200	SiC- Schleifpapier	normal	30 min	200 U/min
4	6 µm	Diamantsuspension, flaches Poliertuch	normal	10 min	200 U/min
5	3 µm	Diamantsuspension, flaches Poliertuch	normal	5 min	200 U/min
6	1 µm	Diamantsuspension, flaches Poliertuch	normal	5 min	200 U/min

Im Gegensatz zum Anschliff empfiehlt es sich beim Dünnschliff, auf einem Tuch mit möglichst glatter Oberfläche zu polieren, damit die Matrix zwischen den Glasfasern nicht zu stark ausgedünnt wird. Die Schliffdicke sollte wie beim Dünnschnitt ca. 10 bis 30 µm betragen. Die Präparationsschritte 7 bis 10 erfordern, von Hand durchgeführt, ein hohes Maß an Geschicklichkeit. Die häufige optische Kontrolle am Durchlichtmikroskop verhindert ein ungleichmäßiges oder zu starkes Abpolieren.

3.3.4 Verschiedene Kurzfasern

Nachfolgend sind die zur Erzielung der dargestellten Präparationsergebnisse an kohlenstofffaserverstärkten Kunststoffen in der Anschlifftechnik verwendeten Schleif- und Poliertücher, die Poliersuspensionen sowie die verwendeten Parameter und der Zeitaufwand für die Hand- und Automatpräparation zusammenfassend dargestellt (Tabelle 3.5). Diese Angaben gelten als Anhaltswerte und müssen ggf. an die spezifischen Anforderungen der im Einzelfall vorliegenden Werkstoffsysteme (Matrixsystem, Faseranteil, Verarbeitungsverfahren etc.) angepasst werden, so ist insbesondere die Zeitdauer in hohem Maße abhängig von der Probenfläche und den spezifischen Werkstoffeigenschaften.

Tabelle 3.5 Parameter zur Schlifftechnik Hand- und Automatpräparation für kohlenstofffaserverstärkte Kunststoffe [AVK]

	Körnung	Schleif-Poliertuch, Suspension	Flächenpressung	Zeitdauer	$v_{Rotation}$
Anschliff mit Hand präpariert					
1	80 – 1200	SiC-Schleifpapier	normal	30 min	200 U/min
2	6 µm	Diamantsuspension, flaches Poliertuch	normal	10 min	200 U/min
3	3 µm	Diamantsuspension, mittelhohes oder flaches Poliertuch	normal	5 min	200 U/min
4	1 µm	Diamantsuspension, mittel bis hochfloriges Poliertuch	normal	5 min	200 U/min
5*	0.35 µm	Tonerde, weiches hochfloriges Poliertuch	gering	1 min	200 U/min
Anschliff am Automaten präpariert					
1	220	Diamant-Wabenscheibe	0,5 g/mm²	10 min	200 U/min
2	6 µm	Diamantsuspension, harte Wabenscheibe	0,5 g/mm²	20 min	200 U/min
3	3 µm	Diamantsuspension, harte Wabenscheibe	0,3 g/mm²	10 min	200 U/min
4	1 µm	Diamantsuspension, harte Wabenscheibe	0,3 g/mm²	10 min	200 U/min
5*	0.35 µm	Tonerde, weiches hochfloriges Poliertuch	Handpressung gering	1 min	200 U/min

* *optional, zur Erhöhung des Kontrastes zwischen Faser und Matrix*

Nachfolgend sind die zur Erzielung der dargestellten Präparationsergebnisse an aramidfaserverstärkten Kunststoffen in der Anschlifftechnik verwendeten Schleif- und Poliertücher, die Poliersuspensionen sowie die verwendeten Parameter und der Zeitaufwand für die Hand- und Automatpräparation zusammenfassend dargestellt (Tabelle 3.6). Diese Angaben gelten als Anhaltswerte und müssen ggf. an die spezifischen Anforderungen der im Einzelfall vorliegenden Werkstoffsysteme

(Matrixsystem, Faseranteil, Verarbeitungsverfahren, etc.) angepasst werden, so ist insbesondere die Zeitdauer in hohem Maße abhängig von der Probenfläche und den spezifischen Werkstoffeigenschaften.

Tabelle 3.6 Parameter zur Schlifftechnik Hand- und Automatpräparation für aramid-faserverstärkte Kunststoffe

	Körnung	Schleif-Poliertuch, Suspension	Flächenpressung	Zeitdauer	$v_{Rotation}$
Anschliff mit Hand präpariert					
1	80 - 1200	SiC-Schleifpapier	geringe	30 min	200 U/min
2	0,35 µm	Tonerde, weiches hochfloriges Poliertuch	geringstmögliche	30 min	200 U/min
Anschliff am Automaten präpariert					
1	220	Diamant-Wabenscheibe	0,1 g/mm²	10 min	200 U/min
2	0,35 µm	Tonerde, weiches hochfloriges Poliertuch	0,03 g/mm² (Eigengewicht)	30 min	200 U/min

Ein Vergleich von kurzen Glas-, Kohlenstoff- und Aramidfasern in PA 66 als Verstärkungen von Zahnrädern zeigt Bild 3.23. Die Zahnräder wurden im Anschliffverfahren präpariert und im DIK aufgenommen. Die jeweiligen Detail-Vergrößerungen zeigen die unterschiedlichen Faserarten deutlicher. Besonders die Aramidfasern lassen die geringe Querfestigkeit erkennen.

Randnahe Fasern können durch Abrieb freigelegt werden, wobei Glasfasern als besonders kritisch anzusehen sind. In diesem Fall wirkte sich eine erhöhte Werkzeugtemperatur um > 100 °C positiv durch eine geschlossene, gut kristallisierte und damit verschleißfeste Randschicht aus.

Anschliffe von Zahnrädern aus PA66 mit 20 % Fasern (Glas, Kohlenstoff, Aramid) sollen Auskunft über die Faserorientierung und die Matrixstruktur geben. Wegen deren unterschiedlicher Härte kann das Anschleifen nicht beide Komponenten optimal darstellen, wobei die Matrixstruktur der Polyamide normalerweise besser dargestellt werden kann als z. B. die von POM und PP.

Grundsätzlich gilt, dass beim Schleifen bis zu 4000 Feinheit die Fasern ordentlich, die Matrixstruktur dagegen nur mit Schleifspuren zu präparieren ist. Nachträglich mit Diamantsuspensionspaste bis 3 µm poliert, ergibt sich keine optimale Präparation beider Komponenten, bei 1 µm Suspension dagegen eine ordentliche Präparation der Matrix.

Bei einer Präparation mit ¼ Suspension zeigen Zahnräder mit jeweils 20 % Faseranteil deutliche Strukturen der Matrix, aber auch leichte Ausbrüche bei den besonders anisotropen Aramidfasern (Bild 3.23), neben Teilen der Zähne sind die Strukturen in 20-facher Vergrößerung gezeigt.

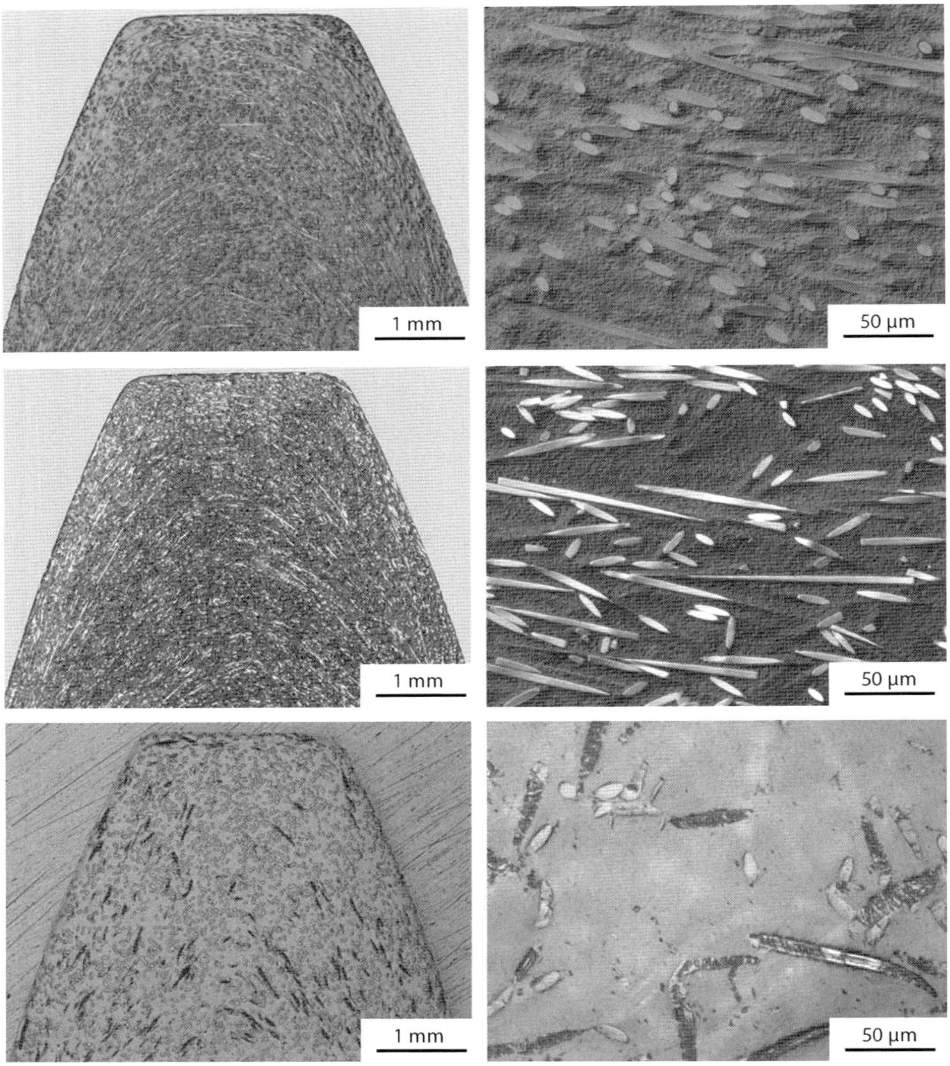

Bild 3.23 Vergleich von Zähnen eines Zahnrades mit unterschiedlichen Fasern als Verstärkung, Übersicht und Detail
oben: Kurzglasfaserverstärkung
Mitte: Kohlenstofffaserverstärkung
unten: Aramidfaserverstärkung

3.4 Langfaserverstärkte Kunststoffe

3.4.1 Einleitung

Die Verstärkung mit langfaserverstärkten Kunststoffen bedeutet die Kombination einer polymeren Matrix mit einem organischen oder anorganischen Fasermaterial, dessen Festigkeit und Steifigkeit bis zu einem Faktor von 100 größer sein kann. Die mechanischen Eigenschaften eines derartigen Verbundwerkstoffs werden in starkem Maße durch den Anteil, die Orientierung und die Verteilung der Fasern und Füllstoffe im Bauteil bestimmt. So weist beispielsweise ein handelsübliches EP-Harz eine Zugfestigkeit von ca. 80 N/mm^2 und einen Elastizitätsmodul von ca. 3000 N/mm^2 auf. Die in diesem Matrixsystem als Verstärkungsträger eingebetteten Kohlenstoffasern (IM-Typ) erreichen aber eine Festigkeit von ca. 5400 N/mm^2 und einen ZugElastizitätsmodul von ca. 300 000 N/mm^2.

Es haben sich hauptsächlich drei Faserarten im Bereich der Hochleistungsfaserverbundwerkstoffe durchgesetzt: Glasfasern (GF), Kohlenstofffasern (CF) und Aramidfasern (AF). Diese Fasertypen unterscheiden sich grundlegend in Aussehen, Eigenschaften, Verarbeitungsverhalten und auch in den bevorzugten Anwendungsgebieten. Da Glas-, Kohlenstoff und Aramidfasern und die Polymermatrix ein unterschiedliches Reflexionsvermögen aufweisen, sind sie unter dem Auflichtmikroskop einer Beurteilung zugänglich.

Die Anschlifftechnik und die Untersuchung unter dem Lichtmikroskop liefern beispielsweise: Informationen über die Faserschichtung, die Faserorientierung oder die Qualität eines Verbundwerkstoffs (Benetzungsgüte, Porenfreiheit usw.). Weiterhin können Aussagen über eventuelle Schädigungen wie Risse, Delaminationen, Lunker, Einschlüsse etc. gemacht werden. Bei der Anwendung der bekannten Präparationsmittel und Präparationsverfahren ist den spezifischen Eigenschaften der verwendeten Verbundkomponenten Rechnung zu tragen. Die Wahl des Poliermittels, der Poliertücher, des Schmiermittels, des Anpressdrucks und der Polierdauer sind von großer Bedeutung für die Qualität einer Präparation.

Die drei wichtigsten Verstärkungsfasern aus Glas, Kohlenstoff und Aramid unterscheiden sich untereinander deutlich besonders in der Aufsicht auf den Faserquerschnitt.

Glasfasern sind dadurch gekennzeichnet, dass sie homogen sind, also gleiche Eigenschaften in allen Richtungen haben. Beim Ausziehen aus der Schmelze erhalten sie eine besonders runde Form, so dass sie relativ leicht zu identifizieren sind (Bild 3.24).

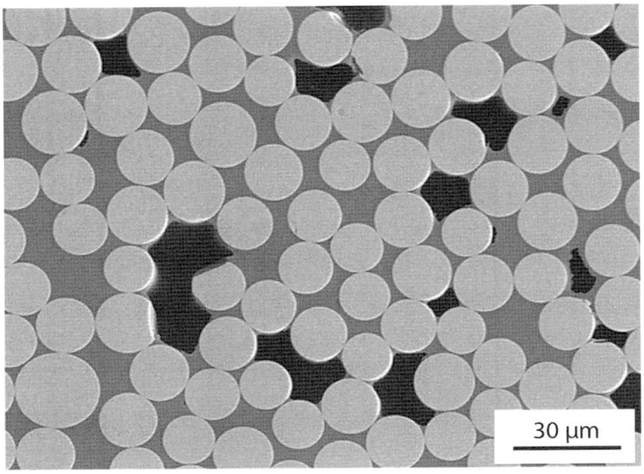

Bild 3.24 Glasfaser in Vinylesterharzmatrix, Anschliff, REM RE-Detektor, Lunker

Die hohe Quersteifigkeit der Glasfasern bewirkt leichter als die C- und Aramid-Fasern Risse quer zu einer Zugbelastung. Die Querrisse können in längs verlaufenden Fasern besonders an Faserenden wiederum Risse erzeugen (Bild 3.25).

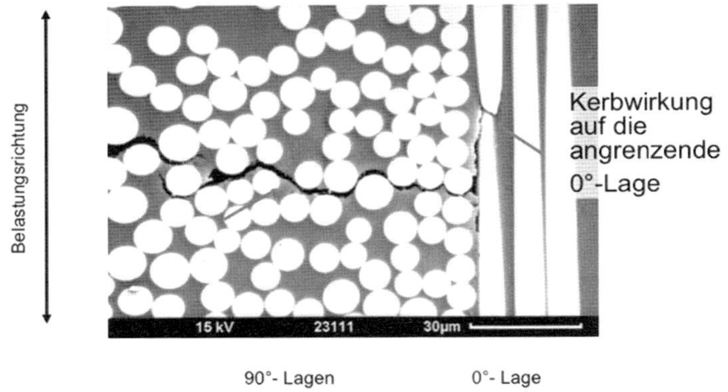

Bild 3.25 Glasfaser in Epoxidharzmatrix, Querriss bewirkt Ablösung und Riss in Längslage, Anschliffpräparation, Auflichtmikroskop Hellfeld, Rissufer deutlich sichtbar

Kohlenstofffasern bestehen aus Kohlenstoff, nicht aus Kohle, weshalb die Bezeichnung Kohlefaser falsch ist. Sie sind außerordentlich fest und steif in Faserrichtung, senkrecht dazu aber weicher und weniger fest als Glasfasern. Sie haben eine typisch unrunde Form und sind als solche leicht von Glasfasern zu unterscheiden (Bild 3.26).

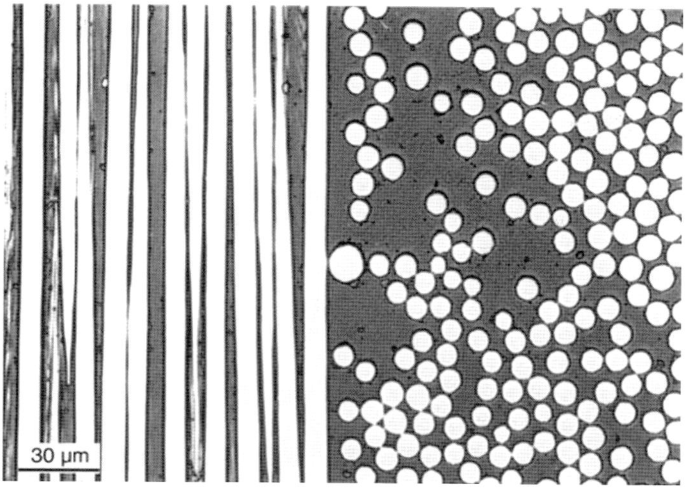

Bild 3.26 Ausbildung einer Reliefoberfläche am Beispiel eines CFK-Laminats [EP/C-60 Vol-%] Oberfläche des Anschliffs im Lichtmikroskop, Hellfeld
Reliefbildung nach 15 min Polieren mit Tonerde T3 auf hochflorigem Baumwolltuch

Aramidfasern weisen einen noch größeren Unterschied der Eigenschaften parallel und senkrecht zur Faser auf. Ihre Rundheit liegt zwischen Glas- und Kohlenstofffasern (Bild 3.27).

Auch bei Ihnen ist die Zugfestigkeit sehr viel höher als die Druckfestigkeit. Sie spleißen richtiggehend auf.

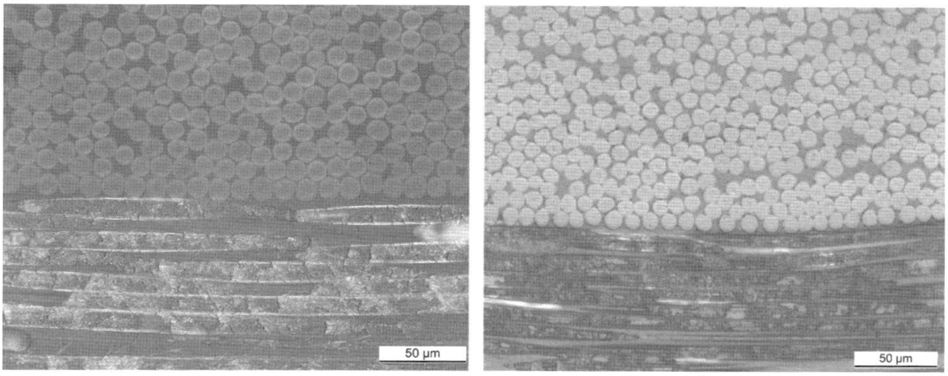

Bild 3.27 Aramidfasern in EP-Harz, Auflichtmikroskopie, Hellfeld
links: Anschliff Hand
rechts: Anschliff Automat

Ein Beispiel für eine gemischte Faserverstärkung zeigt das Bild eines Querschnitts eines Skis (Bild 3.28). Neben Kohlenstoff- und Glasfasern befinden sich auch Bindefäden in der Matrix.

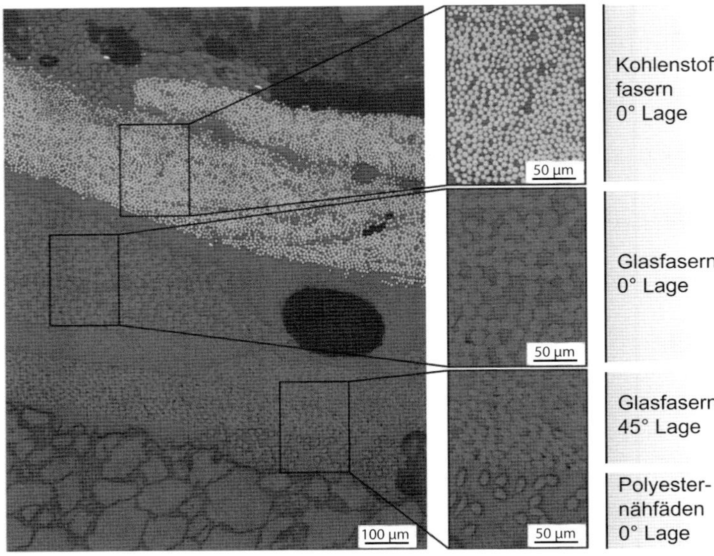

Bild 3.28 Verbund aus mehreren Faserarten, Kohlenstoff, Glas und thermoplastischem Polyester

3.4.2 Glasfaserverstärkte Verbundkunststoffe (GFK)

Glasfasern sind weitgehend isotrop, d.h. sie weisen in allen Richtungen gleiche mechanische Eigenschaften auf. Sie werden im Düsenziehverfahren aus einer Glasschmelze gewonnen und können durch Variation der Abzugsgeschwindigkeit mit verschiedenen Durchmessern hergestellt werden. Übliche Durchmesser von Glasfilamenten für die Kunststoffverstärkung liegen zwischen 7 und 20 µm (Bild 3.30).

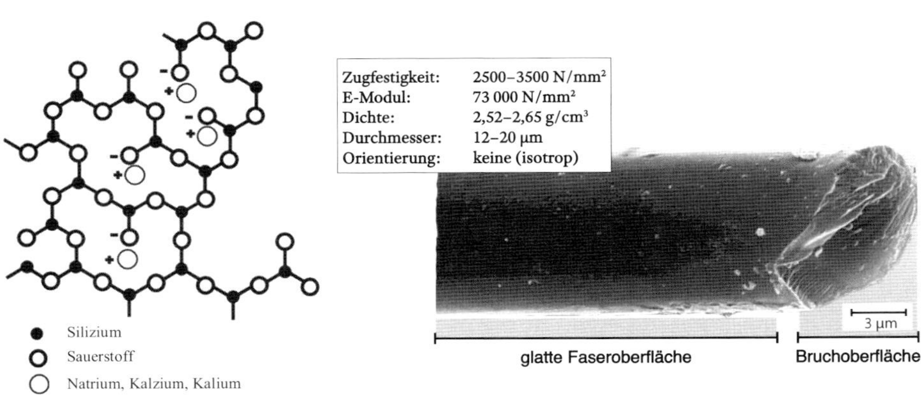

Bild 3.29 Morphologie und Eigenschaften der Glasfaser

Die Anschliffpräparation von glasfaserverstärkten Kunststoffen kann per Hand oder per Automat erfolgen. Wegen des großen Härteunterschieds zwischen anorganischer Faser und organischer Matrix wird das Matrixmaterial wesentlich schneller abgetragen als die Fasern, dadurch sind leicht Fehlinterpretationen durch Artefaktbildung möglich (Tabelle 3.7, Präparation von Hand) und (Tabelle 3.9, Präparation mit Automaten). Bei ungünstigen Verhältnissen wie beispielsweise schlechter Faser-Matrix-Haftung oder lokalen Delaminationen können Fasern aus der Matrix herausgelöst werden. Grundsätzlich gilt: Je grober die Körnung, desto stärker ist der Abrieb und desto tiefer sind die Ausbrüche der Fasern.

Tabelle 3.7 Präparationsschritte für den Anschliff glasfaserverstärkter Kunststoffe bei Präparation mit der Hand

1	Probennahme mit wassergekühlter Diamantsäge – Zeitaufwand je nach Probengröße 30–120 min				
2	Markierung und Einbettung der Probe – Aushärtezeit (je nach Gießharz) 10 min bis 24 h				
	Körnung	*Schleif-Poliertuch, Suspension*	*Flächenpressung*	*Zeitdauer*	*Rotationsgeschwindigkeit*
3	220	Diamant-Wabenscheibe	1 g/mm²	20 min	200 U/min
4	6 µm	Diamantsuspension, harte Wabenscheibe	0,5 g/mm²	20 min	200 U/min
5	3 µm	Diamantsuspension, harte Wabenscheibe	0,5 g/mm²	10 min	200 U/min
6	1 µm	Diamantsuspension, harte Wabenscheibe	0,5 g/mm²	10 min	200 U/min
7*	0,35 µm	Tonerde, weiches und hochfloriges Poliertuch	Handpressung gering	1 min	200 U/min

Schritt 7 (*) kann zur Verbesserung des Faser-/Matrix-Kontrastes durchgeführt werden

Tabelle 3.8 Präparationsschritte für den Anschliff glasfaserverstärkter Kunststoffe bei Präparation mit dem Automaten

1	Probennahme mit wassergekühlter Diamantsäge – Zeitaufwand je nach Probengröße 30–120 min				
2	Markierung und Einbettung der Probe – Aushärtezeit (je nach Gießharz) 10 min bis 24 h				
	Körnung	*Schleif-Poliertuch, Suspension*	*Flächenpressung*	*Zeitdauer*	*Rotationsgeschwindigkeit*
3	220	Diamant-Wabenscheibe	1 g/mm²	20 min	200 U/min
4	6 µm	Diamantsuspension, harte Wabenscheibe	0,5 g/mm²	20 min	200 U/min
5	3 µm	Diamantsuspension, harte Wabenscheibe	0,5 g/mm²	10 min	200 U/min
6	1 µm	Diamantsuspension, harte Wabenscheibe	0,5 g/mm²	10 min	200 U/min
7*	0,35 µm	Tonerde, weiches und hochfloriges Poliertuch	Handpressung gering	1 min	200 U/min

Schritt 7 (*) kann zur Verbesserung des Faser-/Matrix-Kontrastes durchgeführt werden

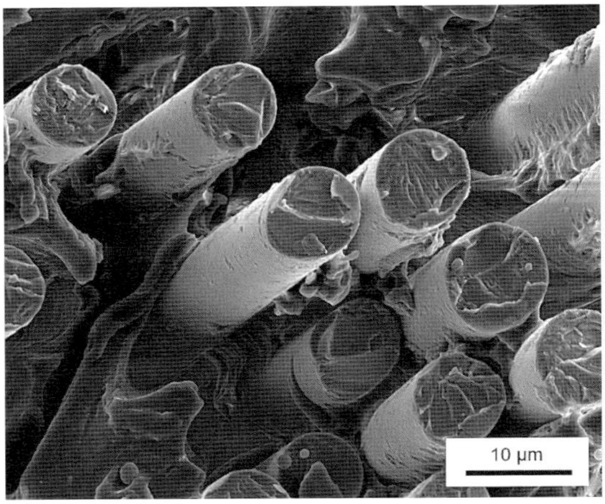

Bild 3.30 Glatte, spröde gebrochene Glasfasern in TPU

Wenn diese Ausbrüche nicht bis zur Endpolitur abgearbeitet werden, ist es insbesondere bei Proben, deren Schädigungszustand dokumentiert werden soll, schwierig, zu objektiven und reproduzierbaren Ergebnissen zu gelangen. Weiterhin können die herausgelösten, sehr harten Faserpartikel tiefe Kratzer in der Kunststoffmatrix hinterlassen und das bis zu diesem Zeitpunkt erreichte Präparationsergebnis zunichtemachen.

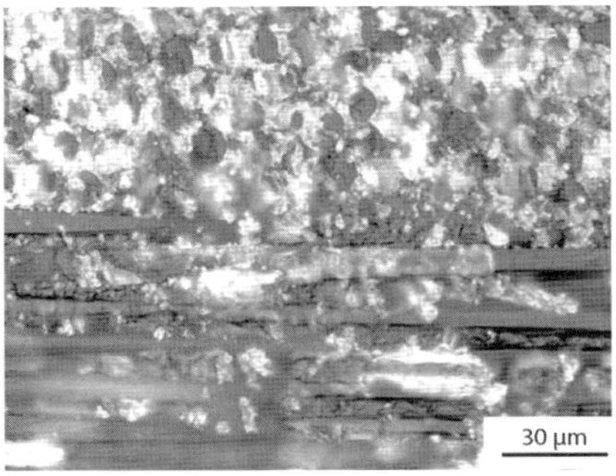

unzureichende Präparation mit Faser- und Matrixausbrüchen (Auflichtmikroskop)

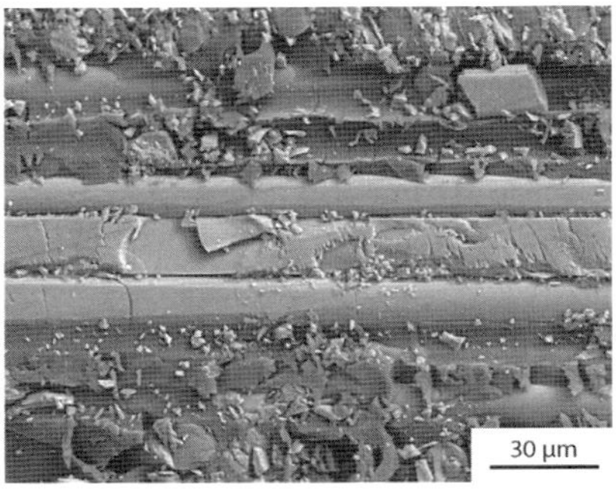

extreme Deformation der Oberfläche mit Faserbrüchen und herausgebrochenen Harzpartikeln (REM-Aufnahme)

Bild 3.31 Anschnittpräparat von langglasfaserverstärktem EP-Harz (60 Vol.-%)

Bild 3.36 zeigt eine gelungene und eine unzureichende Präparation von Langglasfaserverstärktem EP-Harz. Beim Vorschleifen werden Fasern, besonders im Bereich der Spitzen, teilweise herausgebrochen. Die dabei entstehenden Ausbrüche sind nach unzureichendem Schleifen nach der Politur im Auflicht als dunkle Krater auf der Probenoberfläche zu erkennen. Bei einer guten Politur sollten keine Ausbrüche der Fasern, besonders im Bereich der Faserenden, sowie keine Säume am Rand zwischen Faser und Matrix zu erkennen sein. Vergleiche Bilder von kurzfaserverstärktem Polypropylen auf (Bild 3.21).

Es hat sich bei solchen Proben als günstig erwiesen, auf harten, flachen, mit 7 µm Diamantpolierkorn bestückten Chemiefasertüchern eine Tiefe von mindestens einem Faserdurchmesser (10 bis 20 µm) abzuarbeiten. So ist sichergestellt, dass alle Faserausbrüche aus dem Schleifvorgang schonend abgetragen werden.

3.4.2.1 Anschnitttechnik

Das Überschneiden am Mikrotom führt im Idealfall zu einer glatten Oberfläche mit geringen Schneidriefen, welche am Auflichtmikroskop betrachtet werden kann. Störende Schneidriefen können durch Überpolieren entfernt werden. Prinzipiell können auch faserverstärkte und gefüllte Thermoplaste mit einem Mikrotommesser geschnitten werden.

Durch die unterschiedliche Härte von Fasern, Füllstoffen und Matrix ist jedoch die Gefahr der Artefaktbildung durch den Schneidprozess gegeben.

Besonders die harten und festen Glasfasern werden häufig gebrochen oder in die Matrix gedrückt und verfälschen somit den Materialaufbau. Abgesehen davon wird das Mikrotommesser beim Schneiden der Glasfasern einer extremen Belastung ausgesetzt. Abrasiver Verschleiß, Deformationen und Ausbrüche der Facettenbreite sind die Folge. Häufig führt daher das Schneiden von Faserverbundkunststoffen zum Zerstören der Oberfläche, weil insbesondere harte Fasern aus der Matrix herausgerissen werden oder brechen oder die niedermodulige, nachgiebigere Matrix komprimiert, und die Fasern dadurch verschoben werden. Bild 3.7, Bild 3.8 und Bild 3.13 sowie Bild 3.16 und 3.17 zeigen beispielhaft die Oberfläche eines Schnittes an einem kurzglasfaserverstärkten Thermoplast. Es sind gebrochene und verschobene Fasern zu erkennen.

Der direkte Vergleich mit einer guten, randscharfen Anschliffpräparation in Bild 3.19 und Bild 3.21 rechts zeigt die Defizite der Anschnitttechnik bei glasfaserverstärkten thermoplastischen Kunststoffen klar auf.

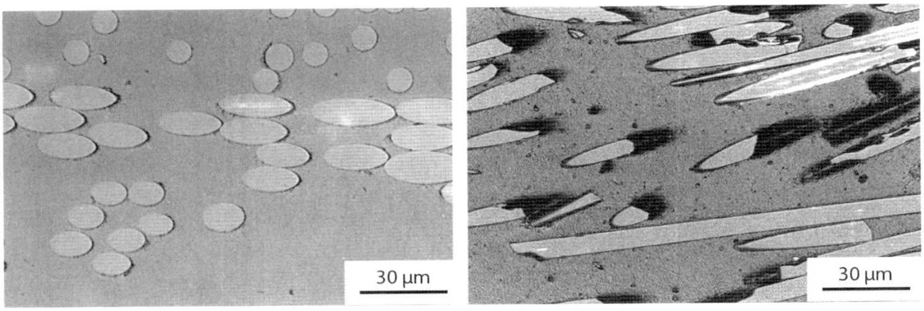

Bild 3.32 Unzureichende (links) und gute scharfe Präparation von PP-GF30, Schleifen bis Körnung 4000, Polieren mit Diamantkorn 7 µm auf hartem, gelochtem Poliertuch und 3 µm auf halbhartem Poliertuch, Endpolitur mit Tonerde T 3; 500 x.

Diese Ergebnisse werden auch durch die Untersuchungen an langglasfaserverstärktem EP-Harz bestätigt (Bild 3.34). Die mit dem Mikrotom erzielbare Präparationsqualität ist nur dazu geeignet, einen groben Überblick über die Schichtung der Glasfasern zu gewinnen. Die zahlreichen Ausbrüche und Artefakte machen weitergehende mikroskopische Untersuchungen sowohl im Lichtmikroskop als auch im REM unmöglich, vergl. hierzu auch Bild 3.31, rechts. Der mit 60 Vol.-% sehr hohe Glasfaseranteil in diesem Präparat sorgt für einen extrem hohen Verschleiß und lokale Beschädigungen des Mikrotommessers.

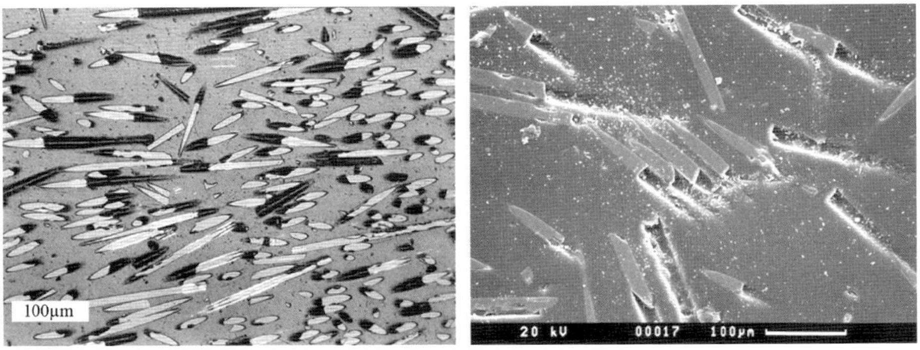

Bild 3.33 Anschliffpräparation von PP-GF 30 Gew.-% – Kurzfaser – mit unzureichender Präparation und zahlreichen Faserausbrüchen *[Schemme]*
links: Lichtmikroskop Hellfeld
rechts: REM

3.4.2.2 Schlifftechnik

Die Schlifftechnik hat sich als die schonendste Präparation für Glasfasern erwiesen. In Bild 3.33 ist eine optimal durchgeführte Anschliffpräparation sowohl im Auflichtmikroskop mit Hellfeld, als auch mit DIC aufgenommen, dargestellt. Dieses Ergebnis kann gleichermaßen über die Handbearbeitung und über die Bearbeitung am Automaten erzielt werden. Für beide Varianten sind die Parameter in Tabelle 3.7 und 3.8 aufgelistet.

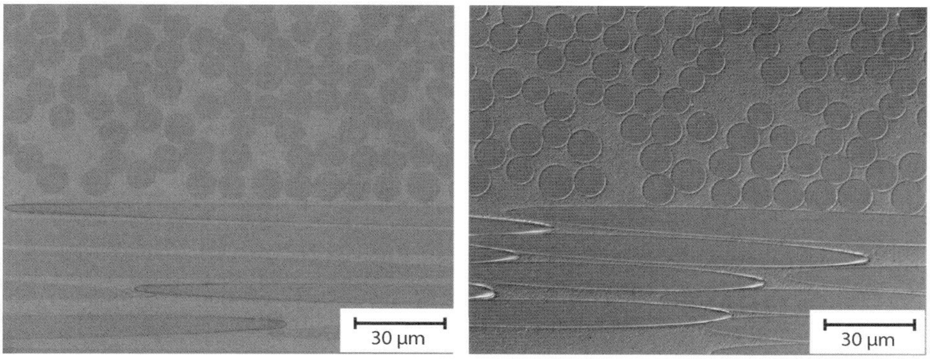

Bild 3.34 Glasfaser in EP-Harzmatrix
links: Anschliff, Auflichtmikroskop Hellfeld
rechts: Anschliff, Auflichtmikroskop DIC

Ein typischer Präparationsfehler bei Glasfasern ist die Reliefbildung, welche durch zu langes Polieren oder durch zu weiche Tücher beim Polieren bzw. durch falsche Reibkörper, wie z. B. Tonerde, entstehen kann. Die Matrix wird stärker abgetragen als die Glasfaser, so dass die Glasfasern aus der Matrix herausstehen. Die so entstehende Reliefbildung ist unerwünscht, weil mindestens zwei mikroskopische Ebenen entstehen, welche nicht gleichzeitig scharf abgebildet werden können. Zusätzlich wird die Glasfaser am Rand durch die fehlende Matrix stärker abgetragen und dadurch rund, so dass die Faserdurchmesser schlecht bestimmbar sind. Bild 3.34 zeigt im Vergleich einen guten Anschliff und einen Anschliff mit rund polierten Glasfasern.

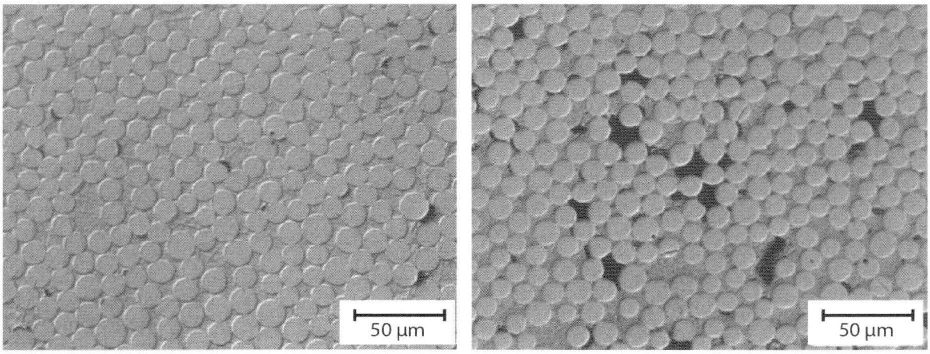

Bild 3.35 Glasfaser in Vinylesterharzmatrix, Anschliff, Auflichtmikroskop IDC
links: gut polierte Glasfasern
rechts: rund polierte Glasfasern

Ein weiteres Problem stellen die beim Schleifen leicht zu erzeugenden Ausbrüche dar. Diese entstehen, wenn zu hoher Druck beim Bearbeiten ausgeübt wird. Solche Ausbrüche sollten beim Polieren abgearbeitet werden. Dies ist durch Beobachten des Poliererfolgs während der Präparation zu überprüfen. Bei zur Anschlifffläche längsliegenden Fasern und hohem Fasergehalt fallen die Fasern außerdem leicht aus der Matrix, weil die Haftung gegenüber den beim Schleifen und Polieren ausgeübten Kräften zu gering ist (Bild 3.36). Diese Fehler können nur durch eine sorgfältige Präparation mit geringen Arbeitsdrücken vermieden werden.

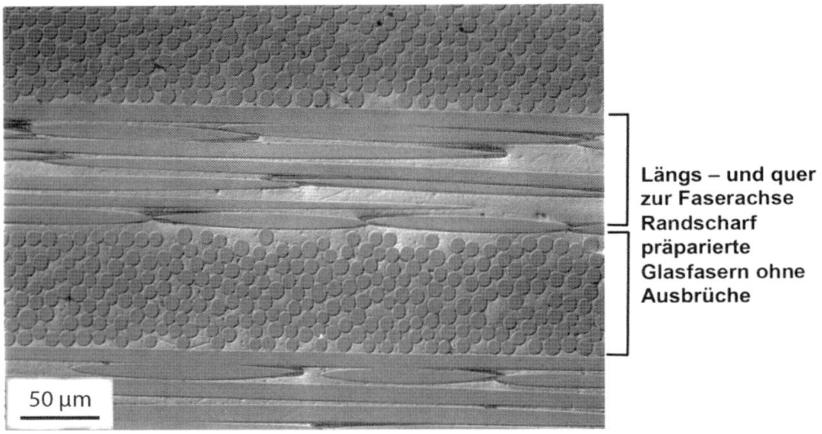

***Anschliffpräparat** von langglasfaserverstärktem Epoxidharz EP-GF mit 60 Vol% GF im Lichtmikroskop, Hellfeld – **gute randscharfe** Präparation ohne Faserausbrüche*

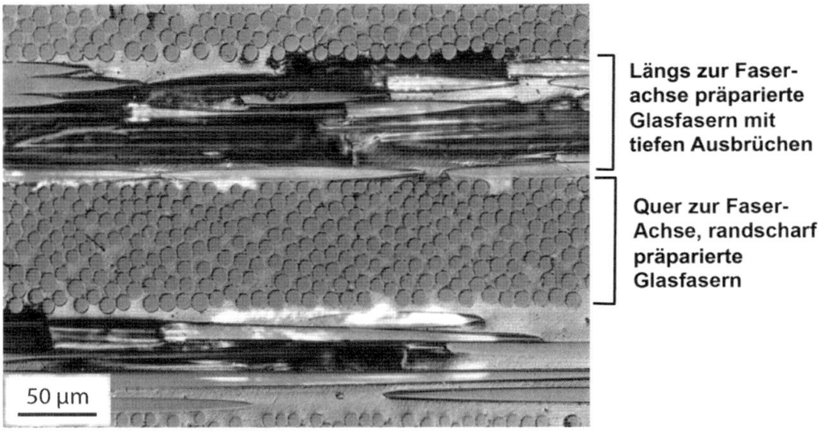

***Anschliffpräparat** von langglasfaserverstärktem Epoxidharz EP-GF mit 60 Vol% GF im Lichtmikroskop, Hellfeld - **unzureichende** Präparation mit zahlreichen Faserausbrüchen*

Bild 3.36 Gute scharfe Präparation (oben) und unzureichende (unten) von EP-GF 60 im Lichtmikroskop, Hellfeld

Häufig sollen mittels Präparation Risse und Lunker detektiert werden. Dies ist natürlich nur über eine beschädigungsfreie Präparation des Faserverbundkunststoffes möglich. Vorhandene Fehlstellen, welche durch die Präparation erzeugt wurden, würden eine Bewertung behindern. Bild 3.37 zeigt Lunker und Risse an einem artefaktfreien Anschliff. Zur Darstellung wurde das REM mittels RE-Detektor gewählt, weil Fehlstellen mit dieser Methode sehr gut sichtbar gemacht werden können.

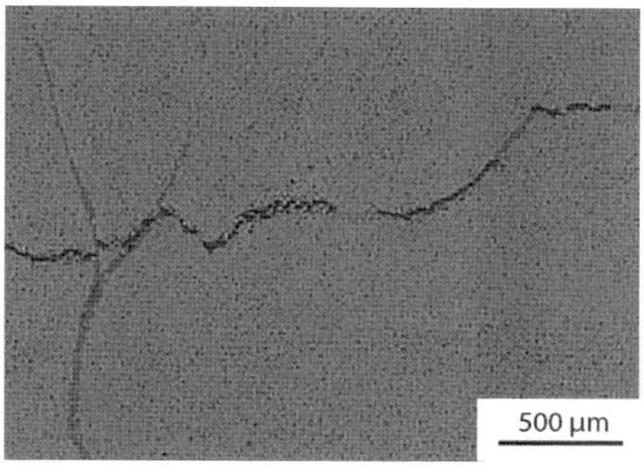

Bild 3.37 Endlos-Glasfaser-Verstärkung [85-Gew.%] in VE-Harz
VE-Harz + 85 Gew.-% UD-Glasfaserverstärkung
links: Lunker
rechts: Riss

3.4.3 SMC-Formmassen – Rissbildung in SMC

SMC sind vorimprägnierte faserverstärkte Harzmatten, die vorwiegend auf hydraulischen Pressen in beheizten Stahlwerkzeugen zu Formteilen verarbeitet werden. Bei im Vergleich zu Metallen weitaus höheren Umformgraden werden Bauteile mit hoher Funktionsintegration mit weitaus weniger Werkzeugen realisiert. SMC-Rezepturen bestehen aus 12 bis 15 verschiedenen Komponenten, von denen die wichtigsten in Tabelle 3.19 dargestellt sind.

Tabelle 3.9 Typische SMC-Formulierung

Harz- und Zusatzstoffe	Gew.-Teile
UP-Harz	100
Styrol	10
Härter	1
Inhibitor	je nach Reaktivität und Fließzeit
Farbpigmente	je nach Färbung
Füllstoffe	800 bis 210
Gleitmittel	10
Trennmittel	5
Eindickungsmittel (MgO)	1,5
Schwundkompensator	20–40

Calciumcarbonate als harte mineralische Füllstoffe dienen der Verbilligung, der Verringerung der Schwindung, der Erzielung möglichst glatter, harter und damit gut lackierfähiger Oberflächen und der Verbesserung des Fließvermögens der Verstärkungsfasern; Glasfasern bilden das Verstärkungsgerüst.

Als Harze werden überwiegend UP-Harze für Standardanwendungen und VE-Harze für eher stoßartig und dynamisch belastete Bauteile verwendet. Sie härten durch radikalische Polymerisation nach Zugabe von Härtern (Katalysatoren) thermisch.

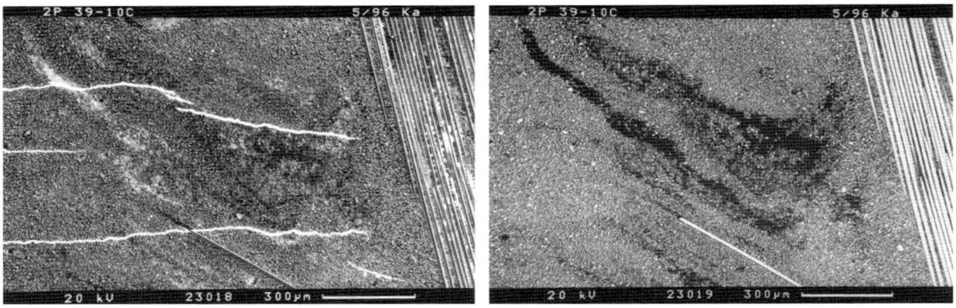

Bild 3.38 Vergleich von Rückstreu- und Sekundärelektronenbildern eines dynamisch belasteten LP-SMC-Systems
links: Sekundärelektronenaufnahme
rechts: Rückstreuelektronenaufnahme

Der Härtungsverlauf kann durch Inhibitoren, z. B. 0,03 bis 0,08.Gew.-% Parabenzochinon 10 %ig in Styrol gelöst, verschoben und verlängert werden, sodass bei niedrigerer Viskosität die realisierbaren Fließwege im Werkzeug und der zur Verarbeitung erforderliche Pressdruck erheblich reduziert werden können. Inhibitorenanteile > 0,5 Gew.-% können zu unvollständiger Aushärtung führen.

Volumenschwindungen erzeugen Eigenspannungen (Tabelle 4.10), welche sich in Verzug und Verwölbungen des Formteils, aber auch in Schrumpfrissen und Lunkern äußern können. Zudem können sich Sinkmarken über Verstärkungsrippen abzeichnen oder Faserstrukturen auf der Formteiloberfläche. UP-Harze schwinden bei einer Härtung um 6 bis 9 Vol.-%. Durch Glasfasern und die Füllstoffe reduziert sich die Schwindung auf 0,15 bis 0,3 Vol.-%. Eine weitere Reduzierung der Schwindung kann durch Zugabe von thermoplastischen Additiven erreicht werden. Man spricht dann von LP = Low-Profile oder LS = Low-Shrink (Tabelle 3.10).

Tabelle 3.10 Härtungsschwindung bei verschiedenen Schwundkomensatoren (inkl. thermische Schwindung)

SMC-Qualität	Härtungsschwindung [Vol.-%]
Standard UP-Harz	6 bis 9
Standard SMC	0,15 bis 0,3
Low-Shrink SMC (LS-SMC)	0,06 bis 0,14
Low-Profile SMC (LP-SMC)	- 0,04 bis +0,06
Class A	0 bis - 0,10

Bei der Verarbeitung von Standard-UP-Harz können Schwindungen von 6 bis 9 Vol.-% auftreten. Durch Zugabe von ca. 10 bis 40 Gew.-% Schwundkompensatoren auf Basis von im Styrol gelösten thermoplastischen Additiven zum Harzsystem kann die beim Standard-SMC übliche Schwindung von 0,15 bis 0,3 Vol.-% beim Low-Shrink-System [ILS] auf eine Härtungsschwindung von 0,06 bis 0,14 Vol.-% reduziert werden, beim Low-Profile-System [LP] sogar auf - 0,04 bis + 0,04 Vol-%.

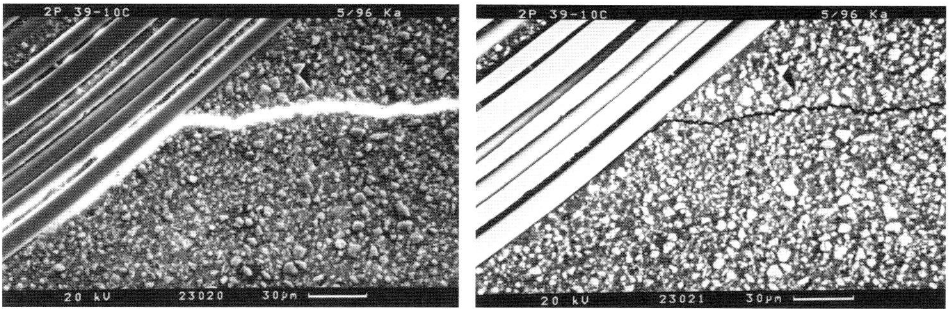

Bild 3.39 Vergleich der Rissdarstellung bei 45° Faserorientierung im Rückstreu- (rechts) und Sekundärelektronenbild (links) einer LP-SMC (gleiche Belastung wie Bild 3.37)

Bei LS-Systemen sind Füllstoffe im Größenbereich von 1 bis 70 µm Durchmesser, bei LP-Systemen von 0,5 bis 5 µm üblich, was zu einer sehr homogenen Verteilung führt. Die ungleichmäßige Durchmischung bzw. Entmischung können bei SMC-Harzmatten rissinitiierend wirken. Bei einer mit 1-06 LW bei einer Oberspannung von 60 N/mm² dynamisch belasteten Low-Profile SMC-Probe mit 25 Gew.-% Glasfasern ergaben sich im REM unterschiedliche Darstellungen (Bild 3.37). Die Mehrzahl der auftretenden Querrisse scheint Ursprung in den Thermoplastdomänen zu haben. Da sich in diesen Thermoplastdomänen bevorzugt Vakuolen bilden, die als strukturelle Kerben wirken.

An dichten Faserbündeln, die hinreichend stark orientiert sind, hier 45°, werden Risse abgelenkt und führen zu einer allmählichen Ablösung der Fasern, besonders gut im Sekundärelektronenbild zu erkennen (Bild 3.38).

3.4.3.1 Poren- und Rissbildung

Grundlegende Unterschiede in der Morphologie von LS- und LP-Systemen zeigt Bild 3.40.

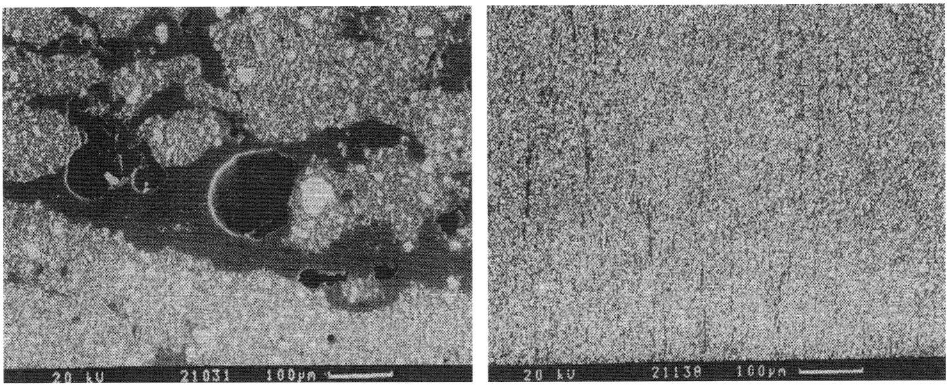

Bild 3.40 Struktur der ungefüllten Harzpasten im REM, LS-System (links) und LP-System (rechts), Anschliffpräparate in 150-facher Vergrößerung

Bei dem LS-System handelt es sich um ein zweiphasiges Matrixsystem, beim LP-System um ein einphasiges. Durch die Segregation des unlöslichen LS-Additivs aus der UP-Harzmatrix kommt es zu der bereits beim LS-SMC beschriebenen Ausbildung großer Thermoplastdomänen in der duroplastischen Matrixphase. Mit Partikeldurchmessern von 1 bis 70 µm weist das im LS-System eingesetzte Füllstoffsystem eine extrem breite Verteilung auf. Die im LP-System verwendete, mit Partikeldurchmessern von 0,5 bis 5 µm extrem feine Füllstoffreaktion liegt in sehr homogener Verteilung vor. Außer zahlreichen, gleichmäßig verteilten, linien- bzw. kanalförmigen Strukturen werden keine Agglomerationen des LP-Additivs beobachtet.

Schemme berichtet weiter, an einer Reihe von Proben wurden der Low-Shrink-Effekt und seine grundlegenden Mechanismen vertiefend untersucht. Während der Härtung des Polyesterharzes wird das thermoplastische LS-Additiv, sofern es zuvor im Polyester gelöst war, zunehmend unlöslich und bildet eine separate zweite Phase. In diese Thermoplastdomänen dringen nun monomeres Styrol und nicht abreagierter ungesättigter Polyester ein.

Die thermische Expansion der thermoplastischen Phase inklusive ihrer monomeren Bestandteile wirkt der Reaktionsschwindung entgegen und bewirkt so eine Verminderung der Gesamtschwindung. Die im Thermoplast eingeschlossenen Styrol- und Polyesterbestandteile polymerisieren aus und verursachen die Bildung von großen Lunkern innerhalb der Thermoplastdomänen (Bild 3.41).

Bild 3.41 Pore im thermoplastischen Low-Shrink-Additiv mit Schrumpfrissen und lokalen Ablösungen aus der UP-Harzmatrix, LS-SMC Vollbelegung Charge 36, REM-Aufnahme

Nach der Entformung und der damit verbundenen Abkühlung schrumpfen die Thermoplastdomänen, aufgrund ihres höheren Ausdehnungskoeffizienten, in weit stärkerem Maße als die sie umgebene Harz/Füllstoff-Matrix. In den Thermoplastphasen bauen sich daher Zugeigenspannungen auf, welche nachfolgend zu Ablösungen an der Grenzschicht zur Harzmatrix führen können.

In diesem Zusammenhang überraschen die innerhalb der LS-Poren zu beobachtenden Schrumpfrisse. Die thermisch induzierten, eingefrorenen Zugeigenspannungen werden nicht durch Relaxationsvorgänge innerhalb der Thermoplaste, sondern durch Rissbildung abgebaut. Diese Beobachtung weist auf ein grundsätzlich eher sprödes Werkstoffverhalten der thermoplastischen Domänen hin.

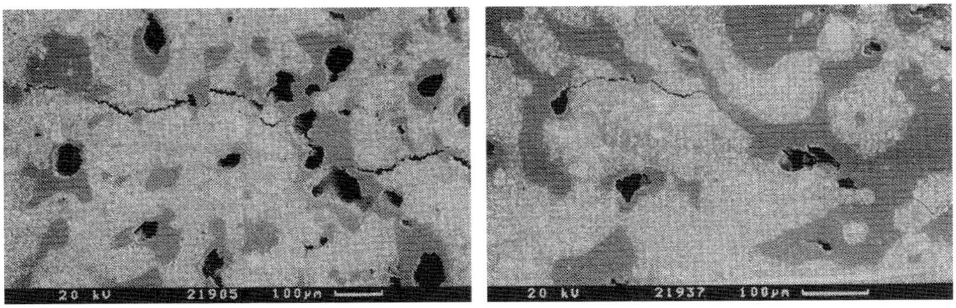

Bild 3.42 Rissbildung in schwingbelasteten LS-SMC-Proben

Bei nahezu allen untersuchten Proben zeigt sich eine Rissbildung innerhalb bzw. durch die Thermoplastdomänen hindurch (Bild 3.42). Ein Effekt, der unabhängig von der Form der Vorbelastung auftritt. In Thermoplastzonen, welche keine Vakuolen ausgebildet haben, und solchen, die parallel zum Rissverlauf orientiert waren, konnte beobachtet werden, dass die Risse nicht in der Grenzschicht zur Harz/Füllstoff-Matrix, sondern in einer Zwischenschicht innerhalb der Thermoplastphase verlaufen.

3.4.3.2 Schädigung durch Füllstoffe

Werden glasfaserverstärkte Kunststoffe mit Füll- oder Farbstoffen verbunden, besteht die Gefahr, dass die Fasern rein mechanisch beschädigt werden und ihre Festigkeit entsprechend abnimmt.

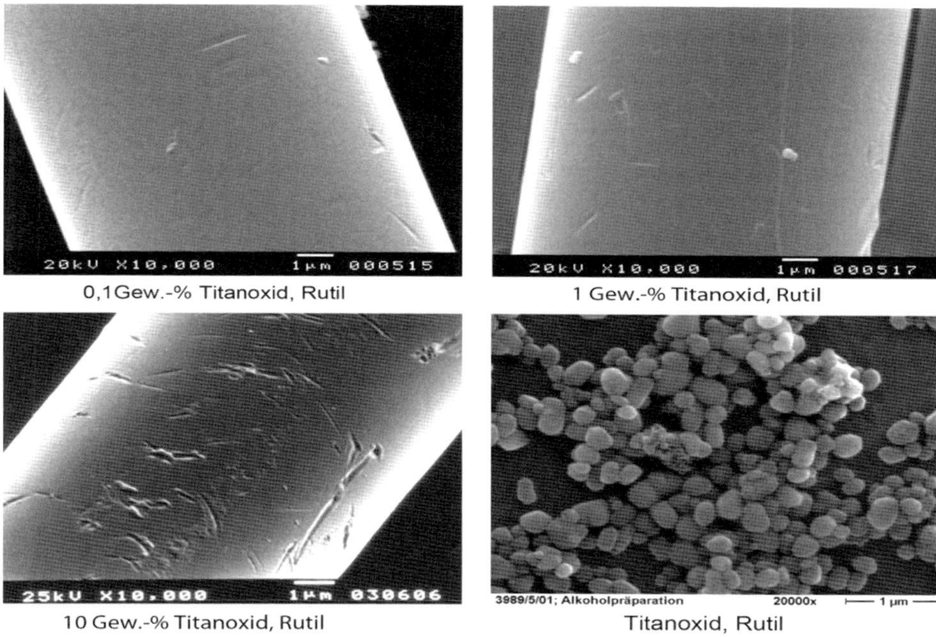

Bild 3.43 Glasfaserschädigungen durch Titandioxid bei Spritzgussverarbeitung in PA6-GF30 *(Stelzer)*

Als faserschädigend haben sich vor allem Pigmente erwiesen, deren Härte größer oder gleich der des Fasermaterials ist (Bild 3.43). Die Schädigung ist direkt abhängig von der Form und der Größe der Pigmente, weniger von deren Härte. Mit abnehmendem Teilchendurchmesser sinkt die Faserfestigkeit (*Stelzer*). Glas ist wegen seiner Sprödigkeit nicht in der Lage kerbenbedingte Spannungspitzen abzubauen. Für eine Weißfärbung wird daher dem Rutil mit einer Mohs'schen Härte von 6 gegenüber dem Glas mit 5 das wesentlich weichere Zinksulfid mit $<$ HM = 4 vorgezogen (Tabelle 3.11).

Besonders bei der Vermischung nicht sortenreiner, eingefärbter, unverstärkter und verstärkter Kunststoffe ist daher mit einer negativen Beeinflussung zu rechnen. Das gleiche gilt natürlich auch für Rezyklate.

Tabelle 3.11 Mohs'sche Härtewerte verschiedener anorganischer Buntpigmente und Flammschutzmittel *[Stelzer]*

	Mohs'sche Härte																
Anorganische Buntpigmente	1			2		3		4		5		6		7		8	
Hämatit											▒	■	■				
Magnetit											▒	■					
Chromoxidgrün											▒	▒					■
Sodalith											■	■					
Titandioxid (Rutil)											▒	■					
Nickeltitangelb											▒	▒	■	■			
Kobaltblau											▒	▒			■	■	
Kobaltgrün											▒	▒			■	■	
Chromeisenbraun											▒	▒			■	■	
Mangantitanbraun											▒	▒	■	■			
Spinellschwarz											▒	▒			■	■	
Kadmiumgelb							■				▒	▒					
Zinksulfit								■			▒	▒					
Zinkoxid									■		▒	▒					
Füllstoffe																	
Kreide						■	■	■	■		▒	▒					
Talkum											▒	▒					
Kaolin											▒	▒					
Asbest							■	■			▒	▒					
Wollastonit										■	■	▒					
Glimmer					■	■					▒	▒					
Anorganische Flammschutzmittel																	
Aluminiumhydroxid						■	■				▒	▒					
Magnesiumhydroxid											▒	▒					

Für eine Reihe von Pigmenten ist der Einfluss auf die Faserfestigkeit in Abhängigkeit von der Mohs'schen Härte bei PA6-GF30 untersucht (Bild 3.44). Dabei zeigt sich, dass die Annahme, die Teilchenhärte führe zu einer Verschärfung des Schädigungsmechanismus, sich nicht bestätigt. Es überwiegt der Teilchengrößeneffekt, wenn auch der Kantenradius der Partikel und die Anzahl der aggressiven Teilchen wohl einen größeren Einfluss haben.

Volleingefärbte (1 Gew.-%) glasfaserverstärkte PA6 zeigen bei einigen Pigmenten deutliche Schädigung, gemessen am Kriterium der Faserfestigkeit (Bild 3.44).

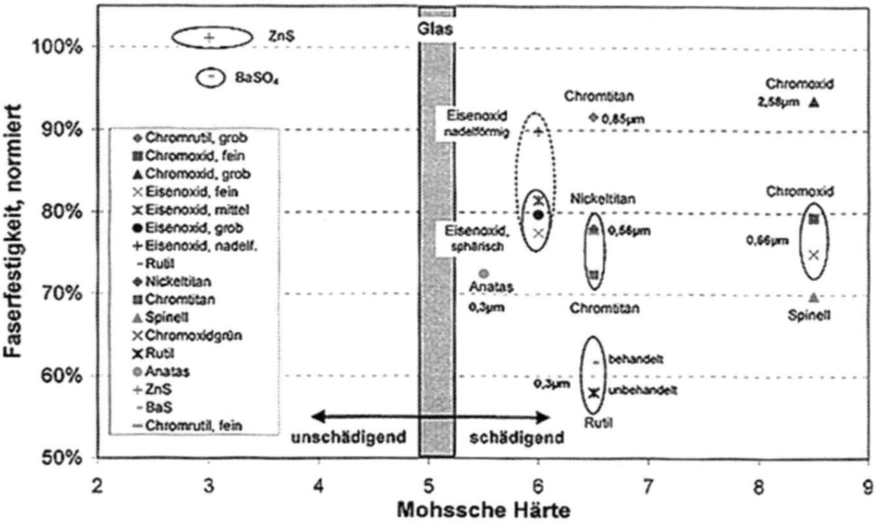

Bild 3.44 Normierte Faserfestigkeit von E-Glasfasern nach Volleinfärbung (1 Gew.-%) nach Verarbeitung in Spritzgieß- oder Extrusionsverfahren (Stelzer)

3.4.4 Kohlenstofffaserverstärkte Kunststoffe (CFK)

Kohlenstoff- oder Carbonfasern bestehen zu über 90 % aus C, zu < 7 % aus N, zu < 1 % aus O und zu < 0,3 % aus H. Die einzelnen Schichten sind in Faserrichtung orientiert, sodass senkrecht dazu einzelne Ebenen aufeinander liegen.

Daraus resultiert eine hohe Anisotropie der mechanischen Eigenschaften. So weisen Kohlenstoffasern in Faserrichtung eine 20 bis 100-fach höhere Steifigkeit auf als quer zur Faserachse. Übliche Einzelfaserdurchmesser liegen im Bereich von 5 bis 8 µm (Bild 3.45). Bild 3.46 zeigt in Phenolharz eingebettete C-Langfasern. Deutlich erkennbar ist die in Faserrichtung orientierte Struktur.

Es hat sich gezeigt, dass parallel zur Schliffebene liegende Kohlenstoffasern problemlos zu präparieren sind, bei senkrecht angeschliffenen Fasern jedoch häufig Artefakte in Form von Faserspitzenausbrüchen und Grübchenbildung entstehen. Der Neigung zu Ausbrüchen kann bereits beim Schleifvorgang entgegengewirkt werden. Beim Feinschleifen, ab einer Körnung von etwa 2400, sollte die Probe von Zeit zu Zeit um 180° gedreht und die Bearbeitungsrichtung der Oberfläche umgekehrt werden (Bild 3.47).

In der linken Bildhälfte ist schematisch eine einzelne, senkrecht zur Oberfläche eingebettete Faser dargestellt, bei einer Relativbewegung des darüber gezeichneten Schleifmediums nach rechts entstehen Faserausbrüche aufgrund der geringen Querfestigkeit der C-Faser an der rechten Faserseite. Bei wechselnder Schleifbewegung, wie sie im rechten Bildabschnitt angedeutet wird, treten die Faserausbrüche zwar beidseitig auf, verringern sich aber erheblich. Bei sorgfältiger Präparation ist bei diesem Vorgehen mit gleichmäßigeren Faserausbrüchen zu rechnen bzw. deren Tiefe zu minimieren und damit günstigere Voraussetzungen für die anschließenden Polierschritte zu schaffen.

Zugfestigkeit:	2000–5000 N/mm²
E-Modul:	240 000–550 000 N/mm²
Dichte:	1,72–1,96 g/cm³
Durchmesser:	6–8 µm
Orientierung:	hoch (anisotrop)

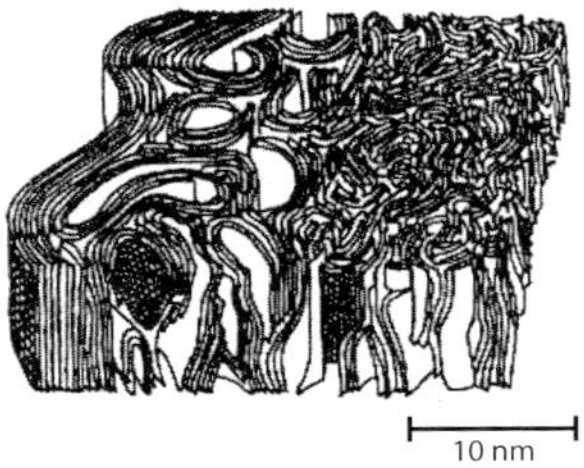

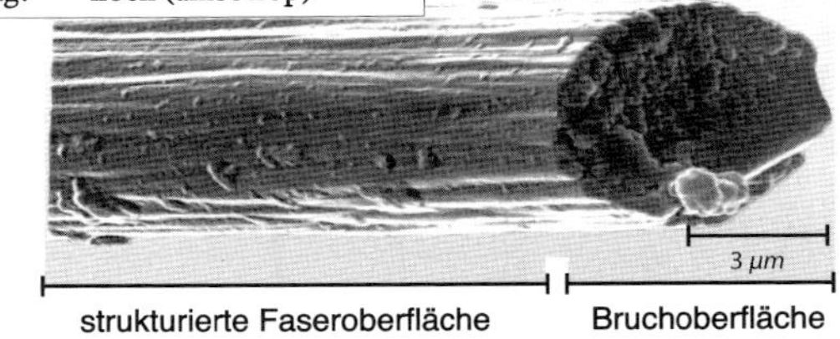

Bild 3.45 Morphologie und Eigenschaften der Kohlenstoffaser

Bild 3.46 Oberflächenstrukturierte, relativ spröde gebrochene C-Fasern in Phenolharz

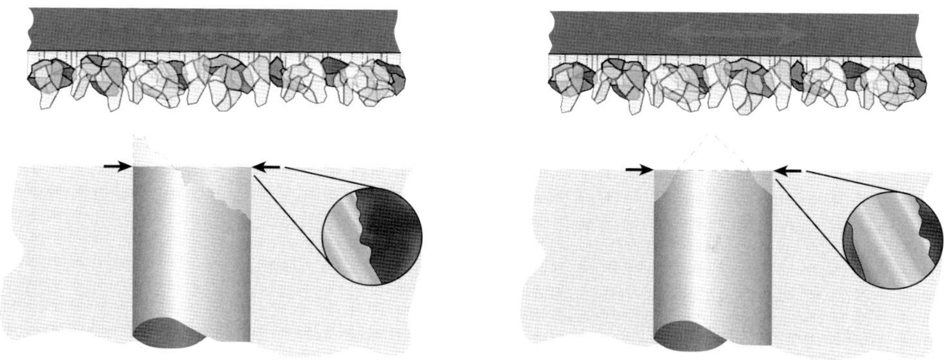

Bild 3.47 Entstehung bzw. Minimierung von Faserausbrüchen beim Anschliff quer zur Faserachse durch einsinnige (links) bzw. zweisinnige (rechts) Bearbeitungsrichtung
einsinnig = eine Richtung
zweisinnig = Rechts- + Linkslauf

Homogene, randscharf präparierte Faserköpfe liefert eine Politur mit 3 µm, 1 µm und 0,25 µm Diamantpaste auf flachen Poliertüchern. Bei einer optimierten Anschliffpräparation von C-faserverstärktem EP-Harz, wie sie im linken Bild 3.48 dargestellt ist, sind sowohl die quer als auch die längs zur Faserachse präparierten Fasern randscharf präpariert, die Randkonturen und der Querschnitt der Kohlenstofffasern sind exakt bestimmbar.

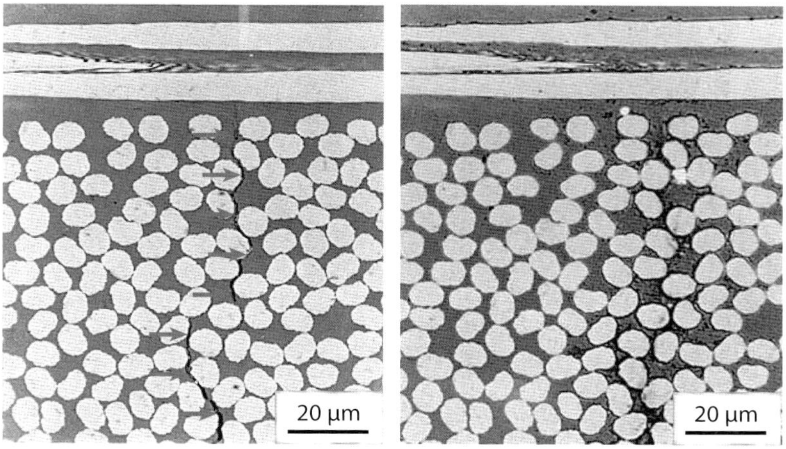

Bild 3.48 Einfluss des Poliermittels bei der Anschliffpräparation von kohlenstoff-faserverstärktem EP-Harz
links: 5 min. Politur mit 0,25 µm Diamantpaste auf flachem Poliertuch, randscharfe Präparation → der Rissverlauf ist gut zu erkennen
rechts: 15 min. Politur mit Tonerde auf hochflorigem Baumwolltuch → die Rissufer sind ausgewaschen

Der bei einer dynamischen Vorbelastung entstehende Riss ist in seinem Verlauf gut erkennbar. Eine Politur mit Tonerde auf hochflorigem Tuch, deren Ergebnis im rechten Bild dargestellt ist, verbessert zwar den Faser-/Matrixkontrast bei geringen Vergrößerungen, verschlechtert jedoch deutlich die Abbildungsschärfe des Risses. Die Rissufer werden überproportional abgearbeitet, dadurch wird die effektive Rissbreite vergrößert und die Interpretation des Präparationsergebnisses erschwert bzw. verfälscht. Bei höherer Vergrößerung ist im rechten Bild 3.48 sehr deutlich das sog. „Auswaschen" der Rissufer zu erkennen. Das Entstehen einer Reliefoberfläche durch das Polieren auf hochflorigen Tüchern hat jedoch außer dem gezeigten Auswaschen der Rissufer einen weiteren unerwünschten Effekt. Durch das Abrunden der Faserköpfe, deutlich zu erkennen in der REM-Aufnahme (Bild 3.48), ist eine exakte Durchmesserbestimmung im Auflichtmikroskop nicht mehr möglich.

Beim Polieren auf Tüchern mit hohem Flor und/oder hoher Elastizität treten die härteren Bestandteile der Probenoberfläche erhaben aus der übrigen Werkstoffoberfläche hervor (Bild 3.49). Das Polieren auf Relief ermöglicht eine kontrastreiche Darstellung der präparierten Oberfläche und erlaubt beispielsweise eine gute Darstellung der Faserverteilung oder deren Orientierung.

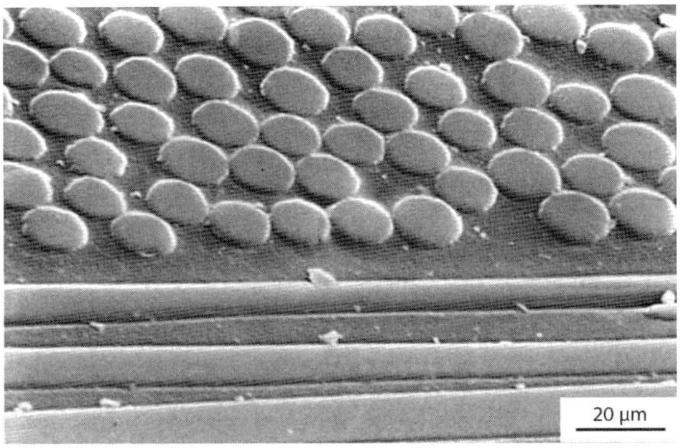

Bild 3.49 Ausbildung einer Reliefoberfläche am Beispiel eines CFK-Laminates (REM-Aufnahme)
Reliefbildung nach 15 min, Polieren mit Tonerde T 3 auf hochflorigem Baumwolltuch

Nachteilig bei dieser Poliermethode ist allerdings, dass durch die inhomogene Oberflächenstruktur zwangsläufig ein stärkerer Abtrag der Matrix zwischen den Fasern und den Faserkanten erfolgt (Tabelle 3.12). Die Oberflächen von senkrecht zur Faserachse angeschliffenen Fasern werden dadurch abgerundet. Für eine exakte Vermessung von Faser- oder Schichtgeometrien, z. B. des Faserdurchmessers, sollte der Anschliff jedoch randscharf präpariert werden, d. h. der Abtrag von Faser- und Matrixmaterial muss möglichst gleichmäßig erfolgen. Dazu muss der gesamte Poliervorgang auf flachen, harten, wenig nachgiebigen Tüchern durchgeführt werden. So kann ein Abrunden der Faser- oder Schichtkanten wirkungsvoll vermieden werden, ebenso das Auswaschen der Rissufer bei Verwendung hochfloriger Poliertücher, was die Interpretation von Rissverläufen bei Werkstoffschädigungen erschwert.

Tabelle 3.12 Parameter zur Schlifftechnik Hand- und Automatenpräparation für kohlenstofffaserverstärkte Kunststoffe

	Körnung	Schleif-Poliertuch, Suspension	Flächenpressung	Zeitdauer	$v_{Rotation}$
Anschliff mit Hand präpariert					
1	80 - 1200	SiC-Schleifpapier	normal	30 min	200 U/min
2	6 µm	Diamantsuspension, flaches Poliertuch	normal	10 min	200 U/min
3	3 µm	Diamantsuspension, mittelhohes oder flaches Poliertuch	normal	5 min	200 U/min
4	1 µm	Diamantsuspension, mittel- bis hochfloriges Poliertuch	normal	5 min	200 U/min
5*	0,35 µm	Tonerde, weiches hochfloriges Poliertuch	gering	1 min	200 U/min
Anschliff am Automaten präpariert					
1	220	Diamant-Wabenscheibe	0,5 g/mm²	10 min	200 U/min
2	6 µm	Diamantsuspension, harte Wabenscheibe	0,5 g/mm²	20 min	200 U/min
3	3 µm	Diamantsuspension, harte Wabenscheibe	0,3 g/mm²	10 min	200 U/min
4	1 µm	Diamantsuspension, harte Wabenscheibe	0,3 g/mm²	10 min	200 U/min
5*	0,35 µm	Tonerde, weiches hochfloriges Poliertuch	Handpressung gering	1 min	200 U/min

**optional, zur Erhöhung des Kontrastes zwischen Faser und Matrix*

Bei der Präparation von FVK mit Polymerfasern führt die Präparation mit dem Mikrotom, im Gegensatz zu den dargestellten Ergebnissen an der anorganischen Glasfaser, zu weitaus besseren Ergebnissen. Am Beispiel eines mit 43 Vol.-% aramidfasergewebeverstärkten EP-Harzes wird dies in Bild 3.50 verdeutlicht.

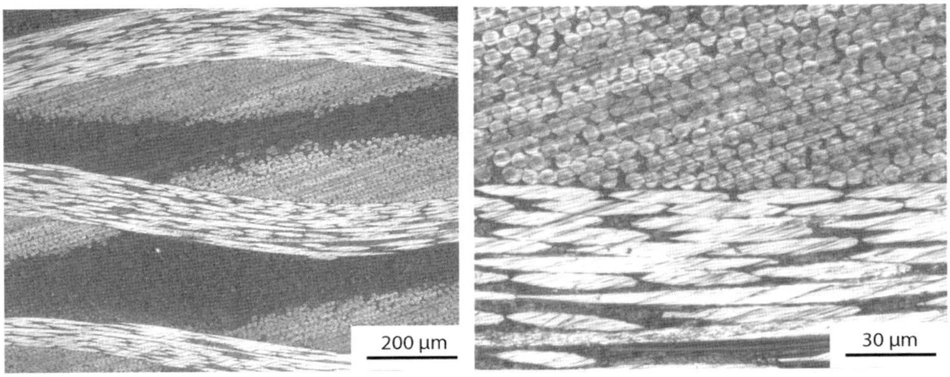

Bild 3.50 Anschnittpräparat von aramidfasergewebeverstärktem EP-Harz (EP mit 43 Vol.-% A-Faser, Auflichtmikroskop Hellfeld;
links: die Gewebestruktur und Orientierung der Fasern ist gut zu erkennen;
rechts: bei höherer Vergrößerung wird die randscharfe Präparation ohne Artefakte deutlich

Sowohl die längs als auch die quer zu ihrer Achse überschnittenen, anisotropen Aramidfasern lassen sich im Auflichtmikroskop einwandfrei untersuchen. Es treten keine Aufspleißungen, Verschmierungen oder Deformationen auf. Die verwendeten Einstellparameter sind zusammenfassend in Tabelle 3.13 dargestellt. Die Schneidriefen stören prinzipiell nicht bei der Faserdurchmesserbestimmung oder bei der Beurteilung der Faserverteilung oder -orientierung, können aber natürlich durch Polieren mit Tonerde entfernt werden. Das Ergebnis ist dann mit dem Polierergebnis (siehe auch Bild 3.21) identisch, d. h. es entstehen wiederum neue Artefakte (Bild 3.49).

Tabelle 3.13 Parameter zur Schnitttechnik Mikrotom für kohlenstofffaserverstärkte Kunststoffe

Messer	Hartmetallmesser cc
Schnittgeschwindigkeit	1,5 mm/s
Keilwinkel	27°
Freiwinkel	3°
Anstellwinkel	0°
Temperatur	Raumtemperatur
Zeitdauer	20 min

3.4.5 Aramidfaserverstärkte Kunststoffe (AFK)

Aramidfasern sind synthetische organische Fasern auf der Basis aromatischer Polyamide. Aramidfasern werden aus einer flüssigkristallinen Lösung des Polymers in konzentrierter Schwefelsäure gesponnen und bei erhöhter Temperatur einem Reckvorgang unterzogen. Die kristallinen Überstrukturen sind stark fibrillär und orientieren sich in Faserlängsrichtung. Daraus resultieren stark anisotrope mechanische Eigenschaften. So ist beispielsweise der Elastizitätsmodul parallel zur Faserachse bei einer hochmoduligen Aramidfaser etwa 20-mal größer als quer zur Faserachse. Hinzu kommt eine geringe Querfestigkeit aufgrund der geringen Kohäsionskräfte der Mikrofibrillen untereinander. Die Durchmesser von Aramidfasern liegen üblicherweise im Bereich von 8 bis 12 µm (Bild 3.51).

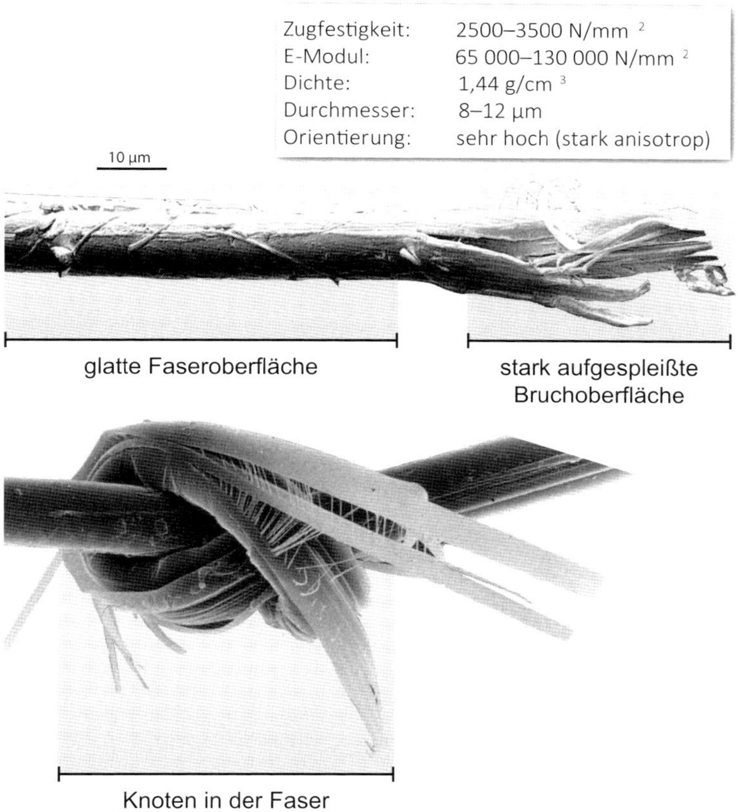

Bild 3.51 Morphologie und Eigenschaften der Aramidfaser

Trotz der geringen Spleißfestigkeit können Aramidfasern als Kurzfasern mit Längen von 0,25 bis 12 mm geschnitten werden (Tabelle 3.14 und 3.15). Eingebettet in TPU oder PET ergeben sich besonders verschleißfeste Anwendungen (Bild 3.52).

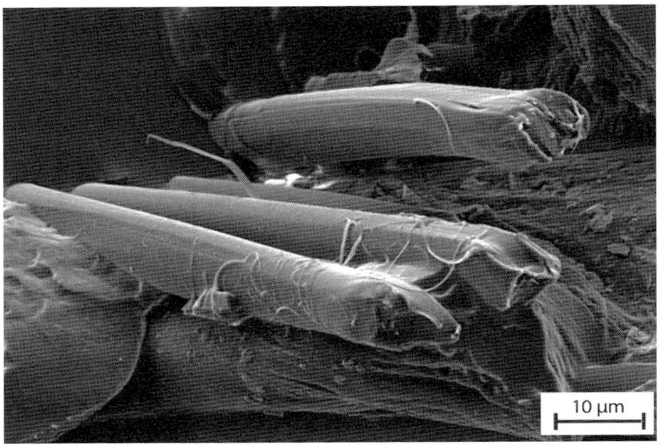

Bild 3.52 Geschnittene Aramid-Faser in TPU FEM = 7 KV, WD = 7mm

Die Präparation von aramidfaserverstärkten Kunststoffen erfordert ein hohes Maß an Sorgfalt und Erfahrung. Beim Anschliff senkrecht zur Oberfläche liegender Aramidfasern treten normalerweise keine Schwierigkeiten auf. Als problematisch erweist sich dagegen die Präparation von waagerecht und leicht schräg zur Schliffoberfläche orientierten Aramidfasern. Wegen der längsorientierten fibrillären Grundstruktur der Fasern mit geringerer Festigkeit senkrecht zur Faserachse können bei der Präparation einzelne Mikrofibrillen regelrecht herausgerissen und aufgespleißt werden.

Auf Bild 3.53 in der oberen Bildhälfte sind senkrecht zur Faserachse präparierte Fasern zu erkennen, sie sind randscharf präpariert und zeigen keinerlei Ausbrüche oder Deformationen. In der unteren Bildhälfte wird an den parallel zur Oberfläche orientierten Fasern das Aufspleißen der Aramidfasern in einzelne Mikrofibrillen mit teilweise ungeordneter Knäuelform deutlich.

Bei der Betrachtung im Auflichtmikroskop stellen sich die Folgen des Aufspleißens der waagerecht orientierten Aramidfaser, wie in Bild 3.53 gezeigt, dar. Die waagerecht angeschliffenen Aramidfasern sind wegen der Unebenheiten durch die herausgelösten Mikrofibrillen nicht exakt zu erkennen. Eine Interpretation der Oberflächenmorphologie und der Faserorientierung ist schwierig. Diamantschleifmittel erfordern einen relativ hohen Arbeitsdruck. Durch die scharfen Diamantpartikel wird die Oberfläche von waagerecht angeschliffenen Aramidfasern aufgerissen und durch den hohen Arbeitsdruck verschmiert (Tabelle 3.14).

Das Polieren von aramidfaserverstärkten Kunststoffen mit Diamantpoliermitteln ist nicht sinnvoll.

Es ist daher günstiger, aramidfaserverstärkte Kunststoffe bis zur Körnung 4000 vorzuschleifen und anschließend mit Tonerdesuspension zu polieren (Tabelle 3.13). Als Polierunterlage wird ein weiches, mittelhohes Baumwolltuch verwendet.

Beim Schleifen und Polieren sollte der geringstmögliche Arbeitsdruck aufgebracht werden, um die geschilderte Gefahr des Verschmierens der Faseroberflächen zu minimieren (Bild 3.54). Bei dieser Präparationsmethode bleibt die Grundstruktur der Fasern besser erhalten, die Zonen deformierter Mikrofibrillen sind deutlich kleiner als bei Verwendung von Diamantpolierpaste. Wie ein Vergleich mit Bild 3.52 zeigt, ist eine Bestimmung der Faserorientierung von waagerecht angeschliffenen Fasern bei dieser Präparationsmethode durchaus möglich.

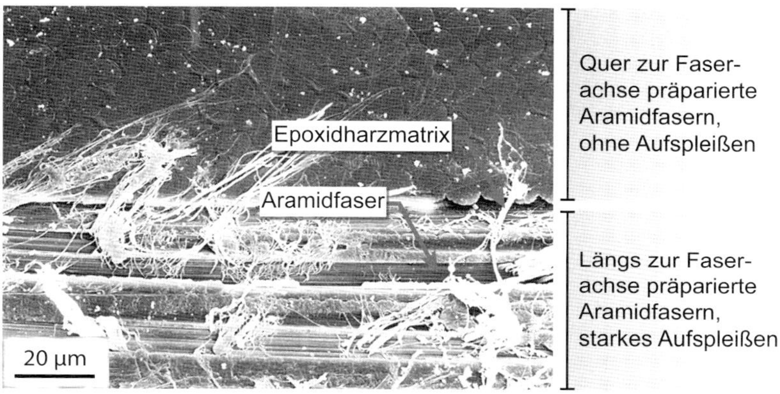

Bild 3.53 Aramidfaser-Gewebeverstärktes Epoxidharz nach Diamantpolieren mit 311 m Körnung

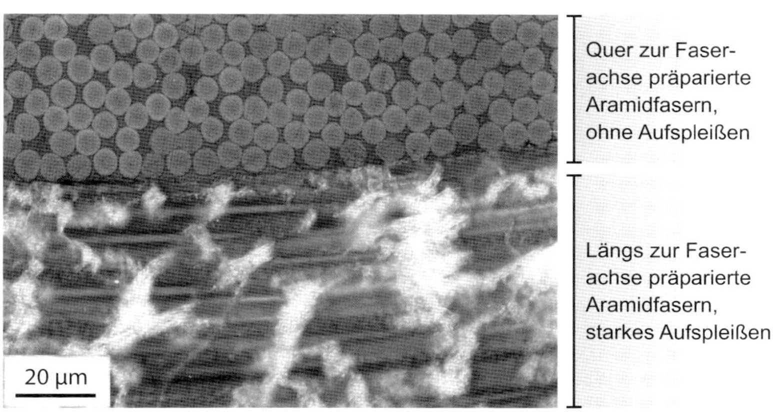

Bild 3.54 Aramidfasergewebeverstärktes Epoxidharz, Schleifen bis 4000 Körnung, danach Polieren mit Tonerde T3

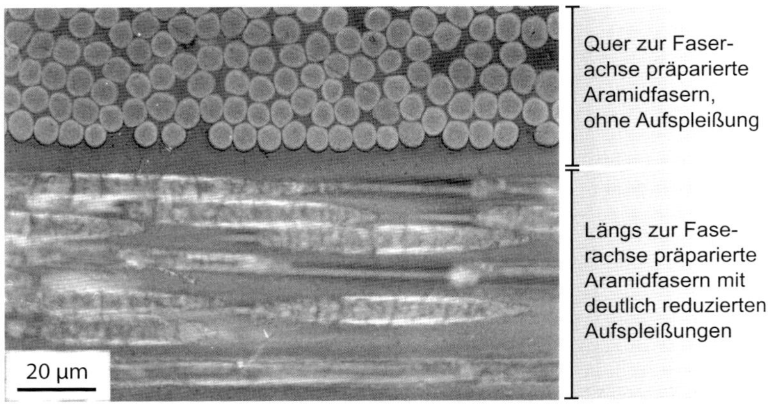

Bild 3.55 Aramidfasergewebeverstärktes Epoxidharz, Schleifen bis 4000 Körnung, danach Polieren mit Tonerde T3

Allerdings tritt auch hierbei ein erhöhter Abtrag der längs zur Faserachse angeschliffenen Fasern auf. Zwischen den zerspleißten Aramidfasern treten die verbliebenen Matrixzonen hervor (Bild 3.53). Die Matrixstreifen sind erkennbar erhöht zwischen den sie umgebenden Aramidfasern. Bei höherer Vergrößerung (< 200 ×) im Lichtmikroskop sind daher Oberflächenbereiche mit unterschiedlicher Faserorientierung nicht mehr gleichmäßig scharf abbildbar.

Tabelle 3.14 Parameter zur Schlifftechnik Hand- und Automatenpräparation für aramid-faserverstärkte Kunststoffe

	Körnung	Schleif-Poliertuch, Suspension	Flächenpressung	Zeitdauer	$v_{Rotation}$
Anschliff mit Hand präpariert					
1	80–1200	SiC-Schleifpapier	geringe	30 min	200 U/min
2	0,35 µm	Tonerde, weiches hochfloriges Poliertuch	geringstmögliche	30 min	200 U/min
Anschliff am Automaten präpariert					
1	220	Diamant-Wabenscheibe	0,1 g/mm²	10 min	200 U/min
2	0,35 µm	Tonerde, weiches hochfloriges Poliertuch	0,03 g/mm² (Eigengewicht)	30 min	200 U/min

Tabelle 3.15 Parameter zur Schnitttechnik Mikrotom für aramidfaserverstärkte Kunststoffe

Messer	Hartmetallmesser cc
Schnittgeschwindigkeit	1,5 mm/s
Keilwinkel	27°
Freiwinkel	3°
Anstellwinkel	0°
Temperatur	Raumtemperatur
Zeitdauer	20 min

Tabelle 3.16 Parameter zur Frästechnik für aramidfaserverstärkte Kunststoffe

	Vorfräser	Fertigfräser
Fräskopf	Diamantschneide	Diamantschneide
Motordrehzahl	2500 U/min	2500 U/min
Motordrehzahl	2 mm/s	2 mm/s
Temperatur	-180 °C	-180 °C

3.5 Zusammenfassung der Präparationsschritte bei GFK, CFK und AFK

- Sorgfältige Probenentnahme unter geringstmöglicher thermischer und mechanischer Belastung (Niedertourensäge mit Diamanttrennscheibe unter Wasserkühlung); Zeitaufwand je nach Probengröße: 30 bis 120 min.
- Markierung bzw. Kennzeichnung der Probe.
- Einbetten in Gießharz unter Berücksichtigung der auftretenden Wärmeentwicklung.
- Aushärtezeit (je nach Gießharz): 10 min bis 24 h.
- Grob- und Feinschleifen auf Schleifpapier mit abnehmender Korngröße bis Körnung 4000. Zeitaufwand: ca. 20 min.

In folgender Tabelle 3.17 sind die aufgeführten Präparationsmethoden und deren Zeitaufwand zusammengestellt.

Tabelle 3.17 Zusammenstellung der Präparationsmethoden

Präparations-methode	Glasfaser	Kohlenstofffaser	Aramidfaser
Schlifftechnik			
Hand	+ + 2 h	+ + 2 h	+ 2 h
Automat	+ + 2 h	+ + 2 h	+ + 2 h
Mikrotomie	- 20 min	- 20 min	+ 20 min
Frästechnik		+ 30 min + Kühlzeit	– 30 min

++ sehr gute Präparation, + gute Präparation mit wenigen Artefakten
- Präparation mit zahlreichen Artefakten, Überblick zur Faserorientierung möglich
– unbefriedigende Präparation, Analyse mit Mikroskop nicht möglich

Weitere Präparationsschritte bei glasfaserverstärkten Kunststoffen (GFK)

- Polieren mit Diamantpaste der Körnung 7 µm auf einem harten, gelochten Poliertuch bis zur restlosen Beseitigung aller Faserausbrüche. Zeitdauer: ca. 10 min.
- Polieren mit Diamantpaste der Körnung 3 µm auf einem mittelhohen oder flachen Poliertuch. Zeitdauer: ca. 10 bis 15 min.
- Polieren mit Diamantpaste der Körnung 1 µm auf einem weichfaserigen, mittel- bis hochflorigen Poliertuch. Zeitdauer: ca. 15 bis 20 min.
- Zur Erhöhung der Kontrastwirkung zwischen Fasern und Matrix kann daran anschließend noch folgender Arbeitsschritt durchgeführt werden:
  - Endpolitur mit Tonerde T3 (= 0,35 µm) auf weichem, hochflorigem Poliertuch. Zeitdauer: ca. 5–10 min.

Tabelle 3.18 Parameter zur Schnitttechnik Mikrotom für glasfaserverstärkte Kunststoffe

Parameter	Wert oder Werkzeug
Messer	Hartmetallmesser cc
Schnittgeschwindigkeit	1,5 mm/s
Keilwinkel	27°
Freiwinkel	3°
Anstellwinkel	0°
Temperatur	Raumtemperatur

Weitere Präparationsschritte bei kohlenstofffaserverstärkten Kunststoffen (CFK)

- Polieren mit Diamantpaste der Körnung 3 µm auf einem flachen Seidenpoliertuch. Zeitdauer: ca. 15 bis 20 min.
- Polieren mit Diamantpaste der Körnung 1 µm auf einem weichen, mittelhohen Poliertuch. Zeitdauer: ca. 20 bis 30 min.
- Endpolitur mit Tonerde T3 auf weichem, hochflorigem Poliertuch. Zeitdauer: ca. 1 bis 5 min.

Tabelle 3.19 Parameter zur Schnitttechnik Mikrotom für kohlenstofffaserverstärkte Kunststoffe

Parameter	Wert oder Werkzeug
Messer	Hartmetallmesser cc
Schnittgeschwindigkeit	1,5 mm/s
Keilwinkel	27°
Freiwinkel	3°
Anstellwinkel	0°
Temperatur	Raumtemperatur
Zeitdauer	20 min

Weitere Präparationsschritte bei aramidfaserverstärkten Kunststoffen (AFK)

- Grob- und Feinschleifen auf Schleifpapier mit abnehmender Korngröße bis Körnung 4000 mit möglichst geringem Arbeitsdruck. Zeitaufwand: ca. 20 bis 30 min.
- Vor- bzw. Endpolitur mit Tonerde T3 (= 0,3 µm) auf weichem, mittelhohem Poliertuch unter Aufbringung des geringstmöglichen Arbeitsdrucks. Zeitaufwand: ca. 20 min.

Tabelle 3.20 Parameter zur Schnitttechnik Mikrotom für aramidfaserverstärkte Kunststoffe

Parameter	Werkzeug oder Wert
Messer	Hartmetallmesser cc
Schnittgeschwindigkeit	1,5 mm/s
Keilwinkel	27°
Freiwinkel	3°
Anstellwinkel	0°
Temperatur	Raumtemperatur
Zeitdauer	20 min

3.6 Normen

DIN EN 14598-1 (05/2007)

Verstärkte härtbare Formmassen – Spezifikation für Harzmatten (SMC) und faserverstärkte Pressmassen (BMC) – Teil 1: Bezeichnung

DIN EN 14598-2 (07/2005)

Verstärkte härtbare Formmassen – Spezifikation für Harzmatten (SMC) und faserverstärkte Pressmassen (BMC) – Teil 2: Prüfverfahren und allgemeine Anforderungen

DIN EN 14598-3 (07/2005)

Verstärkte härtbare Formmassen – Spezifikation für Harzmatten (SMC) und faserverstärkte Pressmassen (BMC) – Teil 3: Spezifische Anforderungen

DIN EN 16245-1 (07/2013)

Faserverstärkte Verbundwerkstoffe – Angabe von Werkstoffeigenschaften – Teil 1: Allgemeine Anforderungen

DIN EN 16245-2 (08/2013)

Faserverstärkte Verbundwerkstoffe – Angabe von Werkstoffeigenschaften – Teil 2: Spezifische Anforderungen an Harz, Aushärtungssysteme, Zusatzstoffe und Modifizierer

DIN EN 16245-3 (08/2013)

Faserverstärkte Verbundwerkstoffe – Angabe von Werkstoffeigenschaften – Teil 3: Spezifische Anforderungen an Fasern

DIN 53399-2 (11/1982)

Prüfung von faserverstärkten Kunststoffen; Schubversuch an ebenen Probekörpern

DIN 29505 (11/1987)

Luft- und Raumfahrt; Bauteile aus faserverstärkten Kunststoffen; Angaben in Zeichnungen und Stücklisten

DIN 65065 (08/1979)

Luft- und Raumfahrt; Reaktionsharze für faserverstärkte Formstoffe, Technische Lieferbedingungen

DIN EN 14447 (07/2005)

Faserverstärkte Kunststoffe – Glasmattenverstärkte Thermoplaste (GMT) – Bestimmung der Fließfähigkeit und des Erstarrens

DIN 65672 (07/2009)

Luft- und Raumfahrt – Endlosfaserverstärkte Laminate mit nichtreaktivem Thermoplast – Herstellen von Prüfplatten

DIN 65628 (07/2009)

Luft- und Raumfahrt – Gewebe-Prepregs aus Aramidfasern und nichtreaktivem Thermoplast – Technische Lieferbedingungen

DIN 65671 (07/2009)

Luft- und Raumfahrt – Gewebe-Prepregs aus Glasfasern und nichtreaktivem Thermoplast – Technische Lieferbedingungen

DIN EN 2562 (05/1997)

Luft- und Raumfahrt – Kohlenstoffaserverstärkte Kunststoffe – Unidirektionale Laminate; Biegeprüfung parallel zur Faserrichtung

DIN EN 2561 (03/2009)

Luft- und Raumfahrt – Kohlenstoffaserverstärkte Kunststoffe – Unidirektionale Laminate – Zugprüfung parallel zur Faserrichtung

DIN 29965 (11/1992)

Luft- und Raumfahrt; Kohlenstoffasern; Kohlenstoffilamentgarne; Technische Lieferbedingungen

DIN 65568 (10/1992)

Luft- und Raumfahrt; Verstärkungsfasern; Bestimmungen der thermooxidativen Beständigkeit von Garnen, Geweben und Kurzschnitt aus Kohlenstoffilamenten

DIN EN 12971-1 (07/1999)

Verstärkungen – Spezifikation für geschnittene Textilglasgarne – Teil 1: Bezeichnung

DIN EN 13677-1 (07/2003)

Verstärkte Thermoplast-Formmassen – Spezifikation für GMT – Teil 1: Bezeichnung

DIN EN 13677-2 (07/2003)

Verstärkte Thermoplast-Formmassen – Spezifikation für GMT – Teil 2: Prüfverfahren und allgemeine Anforderungen

DIN 65564 (10/1992)

Luft- und Raumfahrt; Verstärkungsfasern; Qualitative Bestimmung der Bestandteile der Präparation von Garnen, Geweben und Kurzschnitt aus Kohlenstoffilamenten mittels HPLC

VDI 2014 Blatt 1 (07/1989)

Entwicklung von Bauteilen aus Faser-Kunststoff-Verbund; Grundlagen

Verwendete Literatur

- AVK: Handbuch Faserverbundkunststoffe, 3. Aufl., Springer, 2013
- Buhler, H.-E.; Kopp, W.-U.: Metallographie, Anschliff und Dünnschlifftechnik an Metallen, Keramiken und Kunststoffen Sonderbände der Prakt. Metallographie (11), Dr. Riederer Verlag GmbH, Stuttgart, 1980
- Ehrenstein, G. W.: Faserverbundkunststoffe, 2. Aufl., Carl Hanser Verlag, München 2006
- Ehrenstein, G. W.: Kunststoff-Schadensanalyse, Methoden und Verfahren, Carl Hanser Verlag, München, Wien, 1992
- Ehrenstein, G. W.; Altstädt, V.: Präparationsmethoden zur Darstellung des strukturellen Aufbaus glasfaserverstärkter Thermoplaste, Prakt. Met 21, 1984
- Ehrenstein, G. W.; Schemme, M.: Präparation von glas-, kohlenstoff- und aramidfaserverstärkten Kunststoffen für die Auflichtmikroskopie, Sonderbände der Praktischen Metallographie, 1992
- Ischebeck, H. U.: Qualitätsbeurteilung und Schadensaufklärung an Kunststoff-Fertigteilen mit Hilfe der Auflichtmikroskopie, Kunststoffe, 74, Jahrgang 1984
- Kurr, F.: Praxishandbuch der Qualitäts- und Schadensanalyse für Kunststoffe, 2. Aufl., Carl Hanser Verlag, 2010
- Schemme, M.: Präparation verstärkter und gefüllter Kunststoffe, Schadensanalyse-Seminar, LKT, Universität Erlangen, 2017
- Schemme, M.: Sicherung der Produktqualität bei der Herstellung und Verarbeitung von SMC-Werkstoffen, Diss. Universität Erlangen, 1996; *www.kunststoffe.de/Dissertationen*
- Stelzer, G.: Zum Faser- und Eigenschaftsabbau bei Verarbeitung und Recycling diskontinuierlich faserverstärkter Kunststoffe, Dissertation Universität Kaiserslautern, 2002, www.kunststoffe.de/dissertationen

4 Ätzen für Strukturuntersuchungen

mit Dr.-Ing. Jürgen Hinrichsen/Technische Universität Braunschweig

Die Dünnschnitttechnik an Kunststoffen stößt in manchen Fällen an ihre Grenzen:

- bei sehr kleinen Sphärolithen unter etwa 5 µm Durchmessern, die nicht mehr scharf abgebildet werden,
- bei undeutlichen Sphärolithgrenzen, wodurch eine exakte Bestimmung des Sphärolithdurchmessers nicht möglich ist,
- wenn die Lamellenanordnung (= Feinstruktur) in den Überstrukturen (Sphärolithe, Zylindrithe, transkristalline Front usw.) nicht zu erkennen ist,
- wenn Pigmente oder andere Füllstoffe die Beurteilung des Werkstoffs im Durchlicht behindern,
- wenn Sphärolithe bzw. andere Überstrukturen in Bruchflächen durch die Schnitt- und Schliffpräparation zerstört werden.

In diesen Fällen bieten das Ätzen der Kunststoffoberfläche und die nachfolgende Untersuchung mit dem Auflichtverfahren eine Alternative.

In der Literatur werden unterschiedliche Behandlungsverfahren unter dem Begriff „Ätzen“ beschrieben, die sich in der Wechselwirkung zwischen dem Medium und dem Kunststoff und damit in den auf molekularer Ebene ablaufenden Prozessen unterscheiden.

Eine zusammenfassende Darstellung enthalten die Literaturstellen [2] [3] [4] und [5].

4.1 Grundlagen

Unter Ätzen versteht man Verfahren, bei denen eine Phase eines Materials mit Hilfe von flüssigen oder gasförmigen Medien (= Ätzmittel) selektiv stärker abgebaut und entfernt wird, d. h. bei Kunststoffen eine Polymerphase. Im Allgemeinen handelt es sich bei teilkristallinen Kunststoffen um die amorphe Phase und bei Blends um ein Polymer. Amorphe Bereiche werden aufgrund der durch die weitere Packung der Makromoleküle erleichterten Diffusion schneller abgebaut als kristalline Bereiche.

Aufgrund des Aggregatzustandes des Ätzmittels (flüssig bzw. plasmaförmig) wird zwischen nasschemischem Ätzen und Plasmaätzen unterschieden. Ein Plasma besteht aus Ionen, Elektronen und ggf. noch vorhandenen elektrisch neutralen Atomen/Molekülen.

Eine Überätzung des Materials, d.h. dessen Degradation, ist eine große Artefaktquelle. Für die Praxis bedeutet dies eine schonende Verarbeitung bei geringen Abbauraten. Zudem ist eine Betrachtung des Polymers bzw. des daraus gefertigten Teils insgesamt als Ganzes zu betrachten, um die richtige Struktur zu erforschen. Dabei unterscheidet sich die Oberflächenstruktur durchaus von der inneren Struktur.

Dabei sind für das Ätzen als Präparationsmethode für nachfolgende mikroskopische Untersuchungen nur solche Methoden geeignet, bei denen deutlich Abbaugeschwindigkeiten zwischen z.B. amorpher und kristalliner Phase vorliegen. Dadurch ergibt sich eine Phasenselektivität und bei Abbruch der Abbaureaktion nach einer geeigneten Zeit ein für eine mikroskopische Untersuchung geeignetes Höhenprofil, das:

- im Lichtmikroskop (DIK = Differentialinterferenzkontrast),
- im Rasterelektronenmikroskop (SE = Sekundärelektronendetektor) oder mittels
- Transmissionselektronenmikroskop (TEM)

dargestellt werden kann (Tabelle 4.1).

Tabelle 4.1 Gegenüberstellung verschiedener Mikroskopieverfahren, nach [5]

	LM Auflicht/ Durchlicht	REM	TEM
Auflösung	3 µm – 300 nm	10 nm	0,2 nm
Vergrößerung[1)]	2 – 2000 x	20 – 100 000 x	200 – 2 000 000 x
Tiefenschärfe	1 µm bei 500 x [8]	60 µm bei 500 x [9]	0,1 µm bei 100 000 x
Objekt	Oberfläche/ Querschnitt	Oberfläche	Querschnitt (< 0,2 µm)
Probenumgebung	Umgebungsdruck	Hochvakuum	Hochvakuum
Strahlenschäden	keine	gering	hoch
chemische Analyse möglich	nein	ja (Röntgenstrahlung)	ja (Röntgenstrahlung, Elektronenenergieverlust)
Nachweis von Molekülorientierung	ja	nein[2)]	ja

1) technisch möglich, die förderliche Vergrößerung ist z. T. geringer
2) indirekt, z. B. nach Tempern
LM = Lichtmikroskop, REM = Rasterelektronenmikroskop, TEM = Transmissionselektronenmikroskop

Ziel einer Ätzbehandlung von Kunststoffen ist nicht ausschließlich die Strukturdarstellung. Häufig wird die Erzeugung einer Oberflächenrauigkeit oder chemischer Modifikation (ungesättigter Stellen oder polarer Gruppen) auf der Kunststoffoberfläche als Vorbehandlungsschritt für Folgeprozesse eingesetzt. Gängige

Verfahren sind das Ätzen zur Verbesserung der Bedruckbarkeit, Verklebbarkeit und Haftfestigkeit, Erzeugung von Ätzstrukturen zur Verbesserung der Haftung galvanisch aufgebrachter Schichten, das Dünnen von Materialien für TEM - Untersuchungen sowie der Abtrag von Schutzschichten im Rahmen der photolithographischen Herstellung von elektronischen Schaltungen.

Die genannten Vor- und Nachteile des Plasmaätzens und des nasschemischen Ätzens fasst Tabelle 4.2 zusammen.

Tabelle 4.2 Gegenüberstellung der Vor- und Nachteile beim Plasma- und nasschemischen Ätzen

	Plasmaätzen	Nasschemisches Ätzen
Apparativer Aufwand	–	+ (–)
Probenvorbereitung	–	+
Anwendbarkeit	+	– (nicht universell)
Ätzzeit	+	–/+ 1)
Zeitaufwand mikroskopische Untersuchung	+	–

\+ = Vorteil gegenüber dem anderen Ätzverfahren,
– = Nachteil gegenüber dem anderen Ätzverfahren,
1) von der Kombination Polymer/Ätzmittel abhängig

4.2 Nasschemisches Ätzen und Plasmaätzen

Nach dem Aggregatzustand des Ätzmittels werden nasschemische Methoden und Plasmaätzen unterschieden. Das nasschemische Ätzen (Tabelle 4.3, links) stellt einen Teilbereich des allgemeinen chemischen Angriffs dar (= „selective degradation“ [6]), bei dem sowohl amorphe als auch kristalline Phasen abgebaut werden. Dabei ist allerdings die Abbaugeschwindigkeit in den beiden Phasen unterschiedlich.

4.2.1 Nasschemisches Ätzen

Die einwirkenden Medien werden aufgrund ihrer Wechselwirkung mit dem Polymer in zwei Gruppen eingeteilt

- physikalisch aktive Medien: keine Reaktion mit dem Polymer, aber Quellung bis zur Auflösung
- chemisch aktive Medien: Reaktion mit dem Polymer.

Entsprechend gehören die beim nasschemischen Ätzen eingesetzten Lösungsmittel zu den physikalisch aktiven Medien, d. h. der Abbau erfolgt durch Lösungsprozesse. Säuren und die weiter unten erläuterten sogenannten „echten Ätzmittel" zählen zu den chemisch aktiven Medien, die kovalente Bindungen spalten.

Beim Einsatz von Lösungsmitteln erfolgt ein selektiver Angriff aufgrund der höheren Löslichkeit amorpher Polymerketten, im Vergleich zu kristallinen Ketten. Das Lösungsmittel entfernt Moleküle als Ganzes aus der amorphen Phase, d. h. Nebenvalenzen (Van-der-Waals-Kräfte) werden gelöst, ohne kovalente Bindungen zu brechen. Nur eine sehr dünne Schicht an der Oberfläche wird entfernt. Dabei werden Sphärolithgrenzen, nicht aber Feinstrukturen (Lamellenanordnung) herausgearbeitet, weshalb nach [5] der Begriff „Ätzung" nicht zutreffend ist. Ein Beispiel ist die Anwendung von Xylol auf PE.

Beim Einsatz von Säuren und „echten Ätzmitteln" werden durch z. B. Hydrolyse oder Oxidation Bindungen in der Molekülkette gebrochen und die Bruchstücke entfernt. Der selektive Abbau von Molekülketten basiert auf der größeren chemischen Reaktivität der amorphen Bereiche in Polymeren.

Die Gesamtätzrate ist dabei abhängig von der Reaktionsgeschwindigkeit der chemischen Reaktion Ätzmittel/Polymer und der Diffusionsgeschwindigkeit des Ätzmittels in das Polymer. Da bei metallographischen Ätzungen keine Diffusion in die Metalle erfolgt, wird auch bei den Polymeren nur dann von einer „echten Ätzung" gesprochen, wenn die Reaktionsgeschwindigkeit zwischen Ätzmittel und Polymer deutlich größer ist als die Diffusionsgeschwindigkeit des Ätzmittels im Polymer [5]. Die Abbaureaktion findet damit nur an der Kontaktfläche Polymer/Ätzmittel statt und „frisst" sich nach dem Abtrag der Abbauprodukte in die Probe hinein.

Zur Beschreibung der Kinetik beim Ätzen wird die Ätzrate herangezogen, die als Masseverlust pro Zeit und Fläche definiert ist:

$$v_a = \frac{m}{A \cdot t} = \rho \cdot \frac{V}{A \cdot t} = \rho \cdot \frac{h}{t} \qquad \left[\frac{g}{mm^2 \cdot s}\right]$$

Formel 4.1

$v_ä$: Ätzrate

m: Masseverlust

A: Fläche

t: Zeit

V: Volumen

h: Höhenabtrag

Säuren reagieren mit dem Polymer, wobei Bindungen aufgebrochen und Bruchstücke entfernt werden. Sie diffundieren vor allem in amorphe Bereiche, weswegen die Säureätzung einen Übergangsbereich zwischen der metallographischen Ätzung und einer Behandlung mit einem Lösungsmittel darstellt. Ein Beispiel hierfür ist die Anwendung von rauchender Salpetersäure auf PE. Beispiele für echte Ätzmittel an Kunststoffen sind die Anwendung von Chromsäuren oder die Permanganatätzung (Kaliumpermanganat in einer Mischung aus Schwefel- und Phosphorsäure) auf PP [7].

Tabelle 4.3 Klassifizierung der Ätzmethoden für Strukturuntersuchungen an Kunststoffen [1]

	Ätzmethoden				
	nasschemische Methoden			Plasmaätzen	
Abbaumechanismus	Lösungsprozess ganzer Moleküle (Aufbrechen von Nebenvalenzen)	Spaltung von kovalenten Bindungen und Entfernung von Bruchstücken		Spaltung von kovalenten Bindungen und Entfernung von Bruchstücken	
Selektivität	Löslichkeit amorph > kristallin	Abbaugeschwindigkeit amorph > kristallin		Abbaugeschwindigkeit amorph > kristallin	
Medium	Lösungsmittel	Säure	„echtes Ätzmittel" [5]	inertes Gas	reaktives Gas
Kennzeichen des Mediums	diffundiert ohne chemische Reaktion	Diffusionsgeschwindigkeit > Reaktionsgeschwindigkeit	Diffusionsgeschwindigkeit < Reaktionsgeschwindigkeit	überträgt kinetische Energie → physikalische Ätzung	reagiert chemisch → chemische Ätzung
Parameter	Konzentration, Temperatur, Zeit			Druck, Anregungsart/-energie, Zeit	

4.2.2 Plasmaätzen

Als "Plasma" wird ein gasförmiges Gemisch aus elektrisch geladenen Ionen, Elektronen und, soweit noch vorhanden, elektrisch neutralen Atomen bzw. Molekülen bezeichnet. Bei der Wechselwirkung des Plasmas mit dem Kunststoff sind zwei Grundtypen zu unterscheiden, die physikalische und die chemische Plasmaätzung (Tabelle 4.3).

Physikalische Ätzung: Einsatz von inerten Gasen (z. B. Edelgasen) in einer Glimmentladung. Beschleunigte Ionen bombardieren die Probenoberfläche, das sogenannte Target. Die Übertragung von kinetischer Energie führt zur Emission einzelner Atome oder größerer Bruchstücke aus den Molekülen des Targets.

Chemische Ätzung: Einsatz von reaktiven Gasen (z. B. Sauerstoff) in einem Hochfrequenzplasma. Zwischen den aktivierten Ionen und der Probenoberfläche findet eine chemische Reaktion statt. Es bilden sich gasförmige Verbindungen zwischen Target und Plasmagas. Als flüchtige Abbauprodukte findet man z. B. Kohlendioxid, Wasser, Hydroxyradikale, Alkyloxyradikale. In der Regel ist davon auszugehen, dass auch hier eine physikalische Ätzung aufgrund der kinetischen Energie der Ionen überlagert ist.

Durch ein Plasma werden sowohl amorphe, als auch kristalline Bereiche abgebaut. Jedoch ist die Ätzrate im kristallinen Bereich deutlich geringer als im amorphen, was zur notwendigen Selektivität für die Strukturuntersuchung an teilkristallinen Thermoplasten führt.

Auch beim Plasmaätzen ist ein wesentlicher Parameter die Ätzzeit. Weitere Prozessparameter sind die Anregungsart des Plasmas (Gleichstrom, Niederfrequenz, Radiofrequenz, Mikrowelle) und damit die in das Plasmagas eingebrachte Leistung sowie der Druck des Plasmagases.

Geätzte Strukturen, die ein Oberflächenrelief aufweisen, können mit mikroskopischen Auflichtverfahren untersucht werden. Bei geringen Höhenunterschieden (mehrere 100 nm) wird dabei der Differential-Interferenz-Kontrast im Lichtmikroskop eingesetzt. Bei größeren Höhenunterschieden (Bereich mehrere 10 µm) kommt das Rasterelektronenmikroskop wegen seiner größeren Schärfentiefe zum Einsatz. Eine weitere Möglichkeit bietet das Atomkraftmikroskop, das Höhenunterschiede im nm- bis µm-Bereich darstellen kann.

4.3 Durchführung des nasschemischen Ätzens

In Flüssigkeiten können Kunststoffe in jeder Probenform geätzt werden, z. B. als Folien, Fasern, Granulate, Pulver, Kompaktmaterial oder aus Lösung gezüchtete Einkristalle. Die Ätzung wird in einem Becherglas durchgeführt, das ggf. mittels einer Heizplatte temperiert wird. Ist die Dichte des Polymers niedriger als die Dichte der Ätzflüssigkeit, so muss die Probe mit einem Glasstab oder durch Glaswolle in die Ätzflüssigkeit getaucht werden. Je nach eingesetztem Ätzmittel ist die Ätzung unter einem Abzug durchzuführen (Bild 4.5).

Wichtig ist dabei, dass mit einem ausreichenden Überschuss an Ätzflüssigkeit im Vergleich zum Polymer gearbeitet wird, damit stets genügend Reaktionspartner zur Verfügung stehen und nicht die Abbauprodukte (= Reaktionsprodukte) überwiegen und dadurch die Abbaureaktion zum Stillstand kommt. Ist die gewünschte Ätzzeit erreicht, wird der Ätzprozess durch eine Neutralisierung (abgestimmt auf das eingesetzte Ätzmittel) abgebrochen und die Probe gewaschen und getrocknet.

Sofern kompakte Proben geätzt werden sollen, ist die zu untersuchende Oberfläche vor dem Ätzprozess zu präparieren. Bei unverstärkten Materialien ist dabei ein Überschneiden ausreichend, bei gefüllten oder verstärkten Materialien wird die Oberfläche als Anschliff präpariert.

Bei hohen Konzentrationen und Temperaturen sowie langen Ätzzeiten wird durch die meisten Flüssigkeiten, die für das Ätzen verwendet werden, der Kunststoff komplett aufgelöst, aufgequollen oder abgebaut. Deshalb ist es wichtig, optimale Ätzbedingungen zu ermitteln. Der erste Schritt ist die Ermittlung einer geeigneten Flüssigkeit für das zu ätzende Polymer. Dies kann für organische Lösungsmittel anhand des Hildebrand-Kriteriums für Mischungen über die Löslichkeitsparameter erfolgen. Allerdings ist die Anwendbarkeit der Löslichkeitsparameter bei starken Polymer/Lösungsmittel-Wechselwirkungen eingeschränkt. Weiterhin muss beim Einsatz flüssiger Ätzmittel die optimale Konzentration bestimmt werden, da hohe Konzentrationen die Oberfläche oft zu schnell ätzen und damit die Ätzrate kaum noch kontrolliert werden kann.

Die Temperatur der Ätzflüssigkeit ist ebenfalls kritisch für den Ätzprozess. Manche Ätzmittel sind bei Raumtemperatur ineffektiv, können aber die gewünschten Ätzstrukturen bei erhöhten Temperaturen herausarbeiten, da dabei die Reaktion (und ggf. die Diffusion) beschleunigt wird. Die Ätztemperatur sollte allerdings genügend unterhalb der Schmelztemperatur des Polymers liegen. Eine weitere Erhöhung der Temperatur kann zum kompletten Abbau des Polymers führen [7].

Die Ätzzeiten liegen im Bereich von einigen Sekunden bis zu mehreren Tagen und werden mit steigender Konzentration und Temperatur abgenommen. Auch die Kristallinität kann die nötige Ätzzeit beeinflussen.

Der Verlauf der nasschemischen Ätzreaktion und damit die Entfernung der amorphen Phase kann über die Änderung der folgenden Parameter verfolgt werden:

- Abnahme Gewicht,
- Zunahme Dichte und Kristallisationsgrad,
- Änderungen im Röntgenbeugungsdiagramm,
- Verschiebung Schmelzpunkt und Schmelzwärme,
- Abnahme Molekulargewicht und
- engere Molekulargewichtsverteilung sowie
- den Verlust an Oberflächenglanz der ursprünglich polierten Probe.

Tabelle 4.4 Übersicht über untersuchte chemische Ätzverfahren

Material	Ätzmittel	Temperatur	Ätzzeit	Bewertung
PP	Salpetersäure	116 °C	85 min	ungeeignet (Belag)
	Heptan	65 °C	2 min	Sphärolithgrenzen
	Xylol	70 °C	14 min	
	Schwefelsäure	100 °C	40 min	
	Ameisensäure	70 °C	2,5 h	
	$H_2SO_4/H_3PO_4/KMnO_4$	20 °C	20 h	Sphärolithgrenzen, Feinstruktur (= Lamellenanordnung)

Tabelle 4.4 Übersicht über untersuchte chemische Ätzverfahren *(Fortsetzung)*

Material	Ätzmittel	Temperatur	Ätzzeit	Bewertung
PE	Xylol	70 °C	1 min	ungeeignet (starkes Quellen)
	Chloroform	52 °C	4 min	ungeeignet (geringer Angriff)
	Tetrachlorkohlenstoff	70 °C	3 min	Sphärolithgrenzen, Feinstruktur (= Lamellenanordnung)
POM	Salpetersäure	20 °C	60 s	ungeeignet (Belag)
	Salzsäure	20 °C	1,5 min	Sphärolithgrenzen, Feinstruktur (= Lamellenanordnung)

4.3.1 Ätzen von PE und PP

4.3.1.1 Präparation

In der Regel werden *ungefüllte* Proben mit dem Mikrotom überschnitten. Handelt es sich dabei um instabile Proben, kann vor dem Überschneiden eine Sockel-Einbettung erfolgen. Das Einbettmittel muss jedoch vor der Ätzung unbedingt entfernt werden, da es beim Kontakt mit der hier einzusetzenden Kaliumpermanganatlösung entflammen kann. Der Abtrag bei der Verwendung der Kaliumpermanganatlösung beträgt ca. 10 bis 20 µm. Somit sind nach dem Ätzen keine Schneidriefen mehr vorhanden. Die Probe muss also nicht poliert werden.

Aufgrund der Füllung des Materials kann bei *gefüllten* Proben meistens kein Mikrotomschnitt angewandt werden. Daher werden gefüllte Proben eingebettet, geschliffen und poliert. Nach 24 h ist das Einbettmittel ausgehärtet und die Probe kann ausgebettet werden.

Ätzen mit Kaliumpermanganatlösung $KMnO_4$

Das Ätzmittel hat folgende Zusammensetzung:

- Phosphorsäure H_3PO_4 70 ml
- Schwefelsäure H_2SO_4 140 ml
- Kaliumpermanganat $KMnO_4$ 1,47 g

Es können auch Vielfache der angegebenen Mengen verwendet werden.

Ansetzen der Lösung (ca. 15 ml pro Probe)

Phosphorsäure in einem Becherglas vorlegen und die Schwefelsäure unter Rühren langsam zugeben. Die Säurelösung mit einem Wasserbad, mit Eiswürfeln versetzt, kühlen. Kaliumpermanganat portionsweise unter ständigem Rühren und Kühlen zugeben. Handschuhe und Schutzbrille werden empfohlen.

4.3.1.2 Anleitung

Vorgehen

- H_3PO_4 in ein Becherglas geben
- unter Rühren H_2SO_4 zugeben und dabei kühlen
- portionsweise $KMnO_4$ zugeben

  Achtung: Es handelt sich um eine sehr stark oxidierende Lösung. Daher unbedingt im Abzug mit Schutzbrille, Handschuhen und Kittel arbeiten.

Weiterhin sollte die Lösung mit einer Notiz „Achtung ätzend" versehen werden.

Die Probe wird mittels einer Pinzette in die rührende Lösung gegeben und mit einem Glas abgedeckt. Parameter: RT, 24 h (bzw. in Sonderfällen 60 °C, 1 h).

Die Probe wird nach der Entnahme aus der Kaliumpermanganatlösung in gekühlte, verdünnte H_2SO_4 ($H_2SO_4 : H_2O = 2:7$) gegeben und gespült. Anschließend wird in 30 %-igem H_2O_2 gespült. Zuletzt wird die Probe in Ethanol im Ultraschallbad gewaschen und danach mit Druckluft die Rückstände des Alkohols entfernt.

Veranschaulichung von PP-Proben

Geätzte PP-Proben können im Auflicht-Mikroskop mit Differential-Interferenz Kontrast (DIK) betrachtet werden. Es entsteht durch die Verwendung dieses Kontrasts eine 3D-Aufnahme der Oberflächentopographie (Bild 4.1).

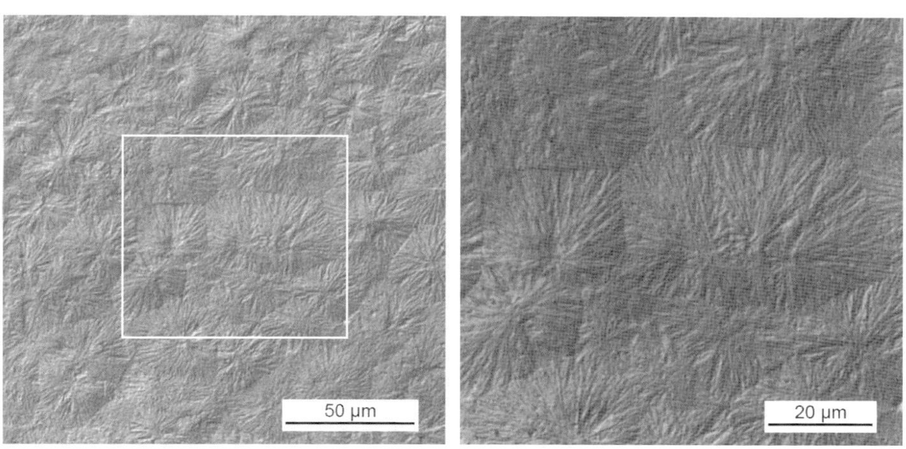

Bild 4.1 Vergleich nasschemisch geätztes PP
0,7 %ig $KMnO_4/H_2SO_4/H_3PO_4$, RT, 24 h, Auflicht (DIK)
rechts: Ausschnittvergrößerung

Veranschaulichung von PE

PE bildet unter normalen Verarbeitungsbedingungen sehr kleine Sphärolithe aus. Diese können im Mikroskop nicht mehr betrachtet werden. Daher kommt hier das REM zum Einsatz. Die Proben werden dazu mit graphithaltigem Xylol auf Probentellern aufgeklebt. Das Xylol wird an einer Probenseite bis zur zu untersuchenden Oberfläche hochgezogen, um ein gutes Ableiten der Elektronen über den Teller zu verwirklichen. Weiterhin muss durch dies durch das Füllen der Spalte zwischen Probe und Teller gewährleistet werden. Anschließend werden die Proben in einer Sputteringanlage mit Gold/Palladium drei Mal 20 Sekunden lang besputtert damit sie eine gute Leitfähigkeit aufweisen (Bild 4.2).

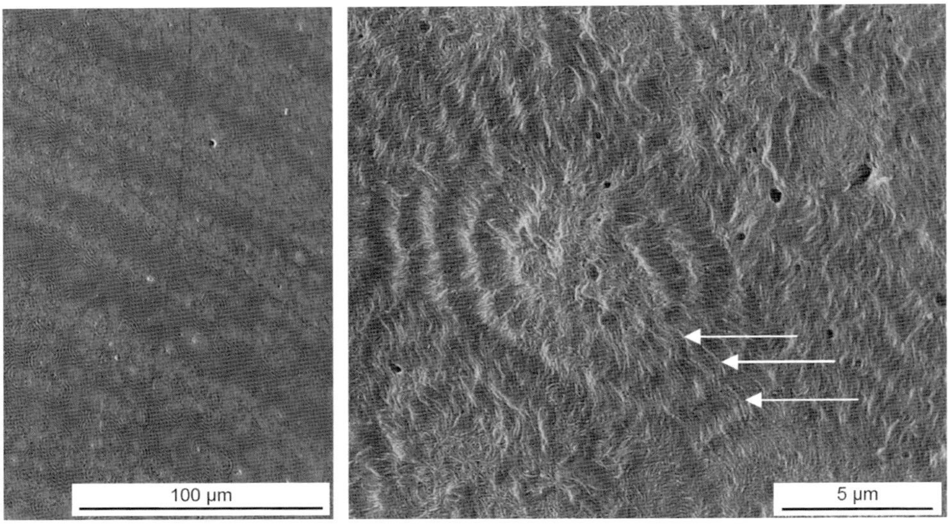

Bild 4.2 Nasschemisch geätztes PE
0,7%ig KMnO4/H2SO4/H3PO4, RT, 24 h, REM (SE)
Pfeile: Lamellen in Ringsphärolithen

4.3.2 Ätzen von POM

POM wird in konzentrierter HCl geätzt; Dauer etwa 1 min.

Ungefüllte POM-Proben werden mit dem Mikrotom überschnitten. Je nach Stabilität der Probe ist eine vorherige Einbettung möglich. Hier muss das Einbettmittel nicht entfernt werden, da der Einsatz der konzentrierten Salzsäure keine übermäßige Reaktion mit dem Einbettmittel bewirkt. Der Abtrag von ca. 10 bis 20 µm durch konzentrierte Salzsäure entfernt ungewollte Schneidriefen.

Gefüllte POM-Proben werden eingebettet, geschliffen und bis 1 µm poliert. Nach der Aushärtung des Einbettmittels nach ca. 24 h kann die Probe geätzt werden.

4.3.2.1 Ätzen mit konzentrierter Salzsäure HCl

Etwa 50 ml konzentrierte Salzsäure HCl wird in ein Becherglas gegeben. Die Probe wird mit einer Pinzette in die zu rührende Lösung bei Raumtemperatur getaucht und festgehalten. Nach der Dauer von 1 Minute sind die Proben teilweise schon überätzt. Daher kann die Ätzdauer je nach Probe reduziert werden.

Nach der Entnahme der Probe aus der konzentrierten Salzsäure wird sie direkt in Wasser gespült. Anschließend wird sie in verdünnter Isopropanol-Lösung im Ultraschallbad gewaschen und danach mit Druckluft die restliche Lösung entfernt.

4.3.2.2 Veranschaulichung

Den zeitlichen Verlauf der Ätzung zeigt Bild 4.3. Nach 30 s Ätzzeit sind die Lamellen auf der Probenoberfläche bereits zu erkennen, allerdings ist noch nicht die gesamte Oberfläche freigelegt. Dies ist nach 90 s Ätzdauer der Fall. Eine weitere Verlängerung der Ätzzeit auf 3 min ergibt keine zusätzliche Information, die Struktur ist noch nicht überätzt.

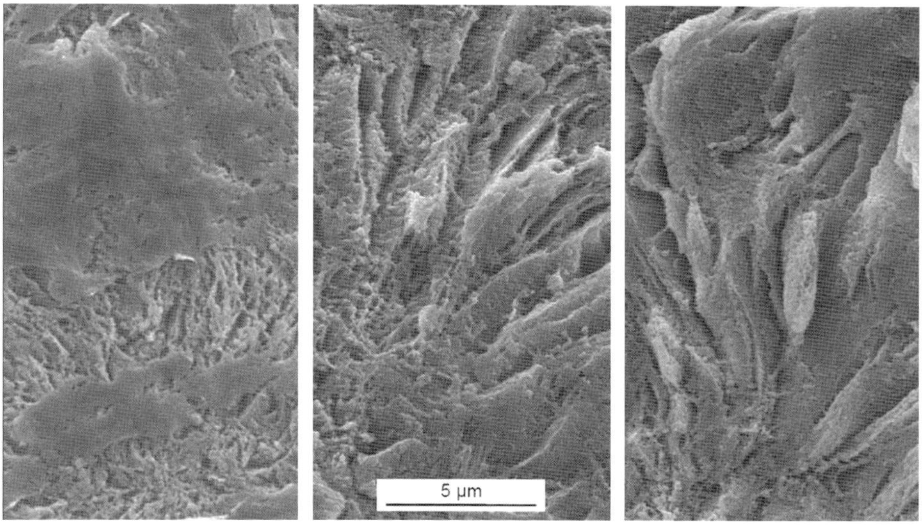

Bild 4.3 Vergleich der geätzten Struktur von POM bei unterschiedlichen Ätzzeiten der nasschemischen Ätzung
links: 30 s
mitte: 90 s
rechts: 180 s
HCL, RT, REM (SE)

Das Ätzen von POM mit konzentrierter Salzsäure ist ein etwas aufwendiges Verfahren (Überschneiden der Probe ausreichend, Ätzung bei Raumtemperatur), bei dem schon nach kurzer Zeit die Anordnung der Lamellen beurteilt werden kann.

Im REM kann die Sphärolithstruktur dargestellt werden. Die Proben werden dazu auf Probentellern befestigt und besputtert.

4.4 Anwendungsbeispiele nasschemisches Ätzen

4.4.1 Extrusionsschweißnaht

Als ein Beispiel aus der Fertigungstechnik wird eine Extrusionsschweißnaht aus PP untersucht. Bei diesem Fügeverfahren wird ein geschmolzener Zusatzwerkstoff in eine spanend geformte, mit Heißluft vorgewärmte Nahtfuge gedrückt [8] (Bild 4.4).

Eine solche Naht zeigt im polarisierten Durchlicht einen unterschiedlichen Gefügeaufbau:

- im Zusatzwerkstoff Extrudat (1)
- in der Kontaktfläche Extrudat/Grundwerkstoff (2)
- rekristallisierte Aufschmelzzone des Grundwerkstoffs (3)
- Bereich der deformierten Sphärolithe (4)
- und nicht aufgeschmolzener Grundwerkstoff (5)

(Bild 4.5, oben).

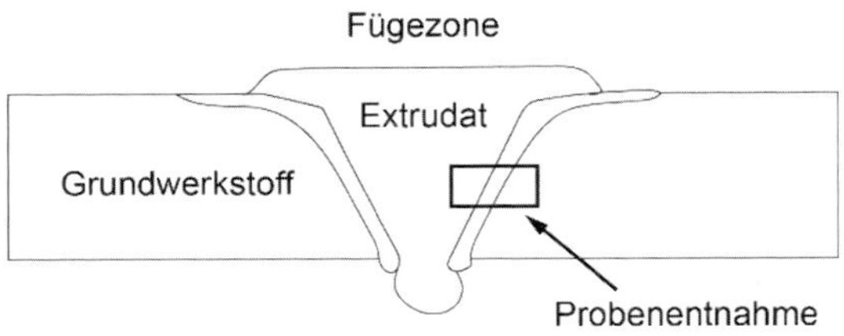

Bild 4.4 Extrusionsschweißnaht aus PP, Schemaskizze

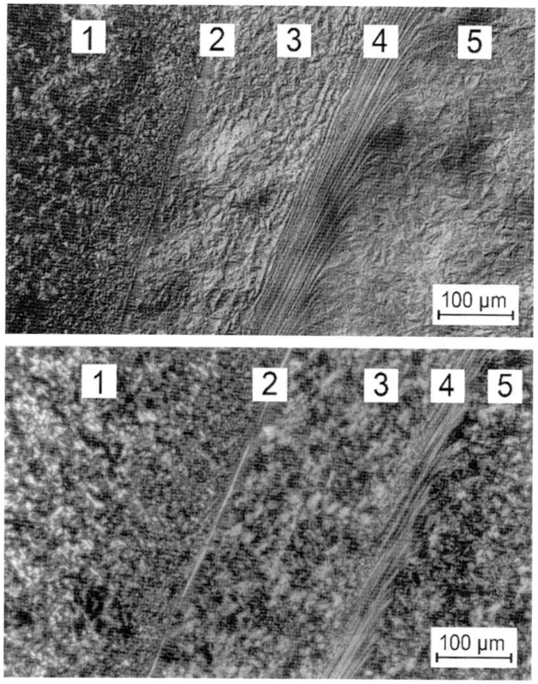

Bild 4.5 Extrusionsschweißnaht aus PP
oben: Anschliff geätzt, RT, 25 h, 0,7%ig $KMnO_4/H_2SO_4/H_3PO_4$*, Auflicht (DIK)*
unten: Dünnschnitt im polarisierten Durchlicht
1: Zusatzwerkstoff
2: Kontaktfläche Zusatzwerkstoff-Grundwerkstoff
3: rekristallisierte Aufschmelzzone
4: deformierte Sphärolithe
5: Grundwerkstoff mit sphärolithischer Struktur

Dieser Strukturaufbau lässt sich mit den mechanischen Eigenschaften der Schweißnaht korrelieren. Durch das Ätzen werden die unterschiedlichen Bereiche der Schweißnaht deutlicher als im polarisierten Licht herausgearbeitet (Bild 4.5, unten), besonders der Übergangsbereich der deformierten Sphärolithe. Neben dem Lichtmikroskop kann das Rasterelektronenmikroskop vorteilhaft für weitere Detailuntersuchungen verwendet werden.

Das Extrusionsschweißen (Bild 4.5) ist ein überwiegend manuell auszuführendes Schweißverfahren unter Verwendung von kontinuierlich zugeführtem Zusatzwerkstoff für Elemente von bis zu 30 mm Dicke. Das Vibrationsschweißen ist ein vollautomatisiertes Reibschweißverfahren, bei dem die Plastifizierung der Fügeteile durch in Wärme umgewandelte Reibung erfolgt.

4.4.2 Vibrationsschweißnaht

Eine derartige Schweißnaht hat unterschiedliche Strukturzonen, die vom Schweißverlauf abhängen (Bild 4.6, oben). Die verkürzte Ausschwingzeit in der linken Bildhälfte entwickelt im Ruhezustand neue, ungestörte transkristalline Strukturen, ausgehend von den deformierten Sphärolithen. Wichtig ist, dass die Vibrationsschweißung sich bereits in der sogenannten dritten Phase mit quasistätionärem Schmelzezustand befindet, während bei der langen Ausschwingzeit vermutlich schon Kristallisationen beginnen, die noch verformt werden.

Der Einfluss der Ausschwingdauer auf die Ausbildung der Struktur der Schweißnaht wurde auch mittels Lichtmikroskopie untersucht (Bild 4.6, mitte). Es ist zu erkennen, dass sich bei reduzierter Ausschwingdauer im Übergang Grundwerkstoff/Schweißnaht eine zusätzliche morphologische Schicht ausbildet, wie sie bei langer Ausschwingdauer kaum zu beobachten ist. Eine genauere Betrachtung geätzter PP-Schweißnähte im Auflichtmikroskop zeigt, dass es sich bei der zusätzlichen Schicht um Bereiche mit transkristallinen Strukturen handelt, die senkrecht zur Schweißebene in die Fügezone hineinwachsen (Bild 4.6, mitte). Die Ausbildung dieser transkristallinen Schicht bei der kurzen Ausschwingzeit lässt sich damit erklären, dass die Orientierungen aufgrund der Vibrationsbewegung im noch schmelzeförmigen Zustand relaxieren können und nach dem Ausschwingen relativ ungestört als transkristalline Schicht kristallisieren. Die angeschlossenen gescherten Sphärolithe waren nicht aufgeschmolzen. Bei der längeren Ausschwingzeit dauern die Schervorgänge im nicht vorhandenen Schmelzezustand an und führen zu den bekannten gescherten Strukturen zwischen der Fügeebene und dem Grundwerkstoff mit verringerter Festigkeit senkrecht zu Scherung.

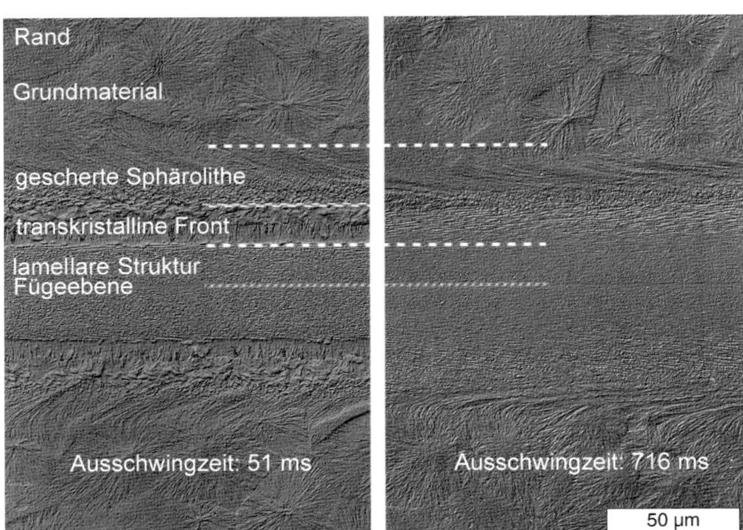

Bild 4.6 Nasschemisch geätzt in KM_nO_4-Lösung 0,5 h bei 60 °C + 14 h bei 23 °C Auflichtmikroskopie DIK

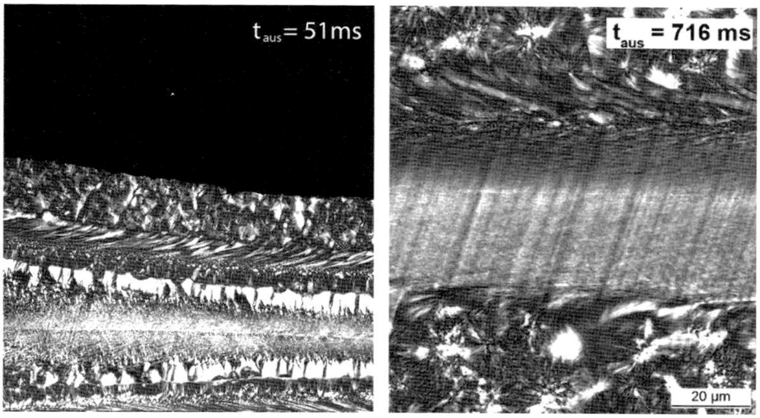

Bild 4.7 Lichtmikroskopische Aufnahme, polarisiert, Dünnschnitt 8 µm

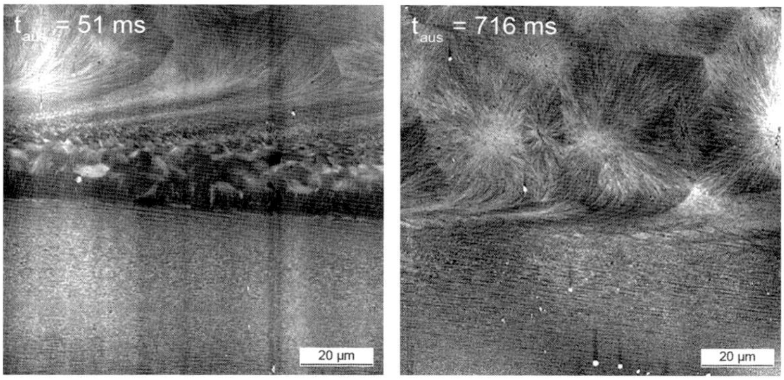

Bild 4.8 Präparation der Strukturen einer Vibrationsschweißnaht aus Polypropylen mit unterschiedlicher Ausschwingdauer mit AFM-Aufnahme
Schweißprozess: Fügedruck = 1,5 N/mm^2, Amplitude = 0,7 mm;
Schwingrichtung linear längs
links: gebremste Ausschwingzeit
rechts: normale Ausschwingzeit

Der Einfluss der Ausschwingdauer auf die Ausbildung der Struktur der Schweißnaht wurde mittels AFM-Aufnahmen bestätigt (Bild 4.8). Die Untersuchungen mit der hochauflösenden AFM-Analyse bestätigen die mikroskopischen Bilder geätzter Proben. Durch die längere Ausschwingzeit während des Abkühlprozesses wird die Kristallisation infolge der erhöhten Scherung bei zunehmender Viskosität der Schmelze und verminderter Relaxationsfähigkeit gestört, wodurch vermehrt gescherte Strukturen entstehen.

Durch die Scherung und die mit der längeren Ausschwingzeit langsam erfolgende Abkühlung der Schweißnahtstrukturen werden die Strukturen zunehmend geschädigt. Dies wirkt sich in einer Abnahme der Bruchdehnung um ca. 35 % und der Festigkeit um ca. 5 % aus. Auffallend ist auch, dass der Bruch bei der kurzen Schwingzeit im schweißnahtnahen Grundmaterial erfolgt, bei dem langsameren Ausschwingen dagegen innerhalb der Schweißnaht

4.4.3 Verstärkte Kunststoffe

Um die Ätzbarkeit eines verstärkten Kunststoffs zu untersuchen, wurde eine spritzgegossene PP-Probe, die mit 10 Gew.-% Stahlfasern gefüllt ist, nasschemisch geätzt. Das Ergebnis zeigt, wie auf Bild 4.9 zu sehen ist, dass auch bei den verstärkten Kunststoffen die Sphärolithstruktur mit Lamellen deutlich freigegeben wird.

Beim nasschemischen Ätzen wird Polypropylen abgetragen, während die Stahlfasern auf Bild 4.9 gegen das Ätzmittel beständig sind. Der Höhenunterschied beträgt mehr als 10 µm. Somit ist bei geätzten Oberflächen zu berücksichtigen, dass nicht die unmittelbare Oberfläche freigelegt wird.

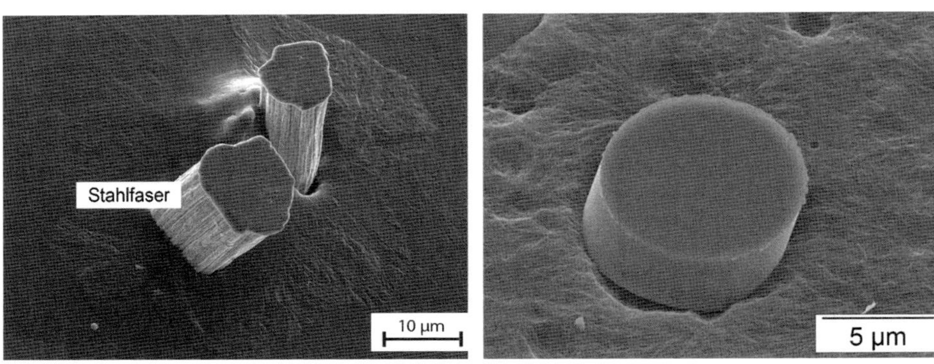

Bild 4.9 Ätzen faserverstärkter Thermoplaste
links: PP 10 % Vol. Stahlfasern; Anschliff: chemisch geätzt, 60 °C, 2 h, 0,7%ig, $KMnO_4/H_2SO_4/H_3PO_4$; REM (SE)
rechts: PA12 GF30; Anschliff: plasmageätzt; 500 W; 1,5 mbar, O_2, 75 min; T_w: 100 °C; T_m: 300 °C

4.4.4 Kunststoffdichtungsbahn-Schweißung

4.4.4.1 Situation

Kunststoffdichtungsbahnen aus Polyethylen hoher Dichte (PE-HD) werden seit 1993 in der Bundesrepublik Deutschland auf Grundlage der TA Abfall und TA Siedlungsabfall in Kombination mit einer tonmineralischen Abdichtung für die Basisabdichtung und modifiziert auch für die Oberflächenabdichtung von Siedlungsabfalldeponien der Deponieklasse II eingebaut. Zahlreiche nationale und internationale Untersuchungen bestätigen die hohe und langfristige Wirksamkeit dieses Abdichtungselements gegenüber den in Deponiekörpern anfallenden wassergefährdenden und gasförmigen Inhaltsstoffen.

Fachgerecht ausgeführte Schweißnähte in PE-HD-Produkten zeigen in den bei Überwachungsprüfungen üblichen Kurzzeitprüfungen insofern ein günstiges Verhalten, als sie nicht geringer belastbar sind als der Grundwerkstoff selbst und somit keine Schwachstellen darzustellen scheinen. Auf das Langzeitverhalten ist dies jedoch nicht ohne weiteres übertragbar: Einerseits kommt es beim thermischen Schweißen des Polyethylens zu erheblichen Gefügeveränderungen; andererseits wirken die einem chemischen Agenz gleichkommenden Deponiesickerwässer bei zudem erhöhten Temperaturen langzeitig auf Dichtungsbahn und Schweißnähte ein.

In Kombination mit dem beim Schweißen unvermeidlichen Entstehen von abkühlbedingten Eigenspannungen ist demzufolge zu erwarten, dass das Langzeitverhalten der Schweißnähte und der im umgebenden Grundwerkstoff durch Gefügeveränderungen gekennzeichneten Wärmeeinflusszonen ungünstig verändert wird, so dass die Schweißnähte aus dieser Sicht Schwachstellen in der Flächenabdichtung von Deponien darstellen. Darüber hinaus ist bei Kunststoffdichtungsbahnen in Deponiebasisabdichtungen mit dem Auftreten von Zugspannungen zu rechnen, u. a. verursacht durch auflastbedingte Setzungen oder Verformungen des Deponieuntergrundes, wie sie beispielsweise aufgrund von Austrocknungsprozessen in der tonmineralischen Abdichtung auftreten können.

Die beim Versagen entstehenden Bruchflächen werden im ersten Schritt visuell und lichtmikroskopisch hinsichtlich duktiler und spröder Verformungsanteile analysiert. Um darüber hinaus der Ursache für die Lage der Bruchausgangszonen nachzugehen, sind analytisch-morphologische Untersuchungen mit Hilfe der Lichtmikroskopie an Dünnschnitten und der Rasterelektronenmikroskopie an kaliumpermanganatisch geätzten Querschliffen sowie thermoanalytische und infrarotspektroskopische Untersuchungen notwendig. Die letztgenannten beiden Methoden sollten schließlich darüber Aufschluss geben, inwieweit der Werkstoff einerseits durch den Schweißvorgang und andererseits durch die zusätzliche Beaufschlagung höher temperierter Medien strukturell und damit mechanisch beeinträchtigt worden ist.

Untersucht wurden ausschließlich Schweißnähte an aus dem Werkstoff Vestolen A 3512 R hergestellten Dichtungsbahnen. Vestolen A 3512 R ist ein Polyethylen hoher Dichte, das als Stabilisator ca. 2% Ruß in geperlter Form mit einer Korngröße von 21 nm enthält. Die Schweißnähte wurden mit einer Heizkeilschweißmaschine des Typs Geo-Weld-Plus der Firma Wegener gefügt.

4.4.4.2 Morphologische Untersuchung

Morphologischen und analytischen Untersuchungen an den im Zeitstand-Zugversuch gerissenen Schweißnahtproben gingen jeweils visuelle Betrachtungen mit dem Auge und fraktographische Betrachtungen der Bruchflächen mittels Licht- und Rasterelektronenmikroskopie voraus. Da Fraktographie und Morphologie untrennbar miteinander verbunden sind, schließt sich jeweils unmittelbar an die Ausführungen über die Betrachtung der Bruchflächen die Beschreibung der im Hinblick auf die Morphologie gewonnenen Erkenntnisse an. Morphologische Untersuchungen mittels Lichtmikroskopie wurden sowohl an senkrecht zur Bruchfläche entnommenen Dünnschnitten als auch an chemisch geätzten Querschliffen vorgenommen. Rasterelektronenmikroskopische Betrachtungen erfolgten ebenfalls an geätzten Querschliffen, jedoch im bruchflächennahen Bereich.

In einem weiteren Schritt wurden ergänzende analytische Methoden wie Thermoanalyse und Infrarot-Mikroskopie eingesetzt, um physikochemische Erkenntnisse über die Medieneinwirkungen auf Morphologie und Versagensgeschehen des Polymeren zu gewinnen.

Die morphologischen und analytischen Untersuchungen wurden gemäß Bild 4.10 an untersuchungsmethodisch geeigneten Probekörperformen durchgeführt. Während für die Herstellung durchstrahlbarer Proben für die Durchlicht- und IR- Mikroskopie Dünnschnitte mit Dicken von etwa 3 bzw. 50 µm mittels Kryomikrotom angefertigt wurden, wurden für die Auflicht- und Rasterelektronenmikroskopie massive, blockförmige Proben mit herkömmlicher, metallographischer Anschliffpräparation unter Verwendung geeigneter Schleifpapiere und Poliersuspensionen mit anschließender chemischer Ätzung hergestellt. In den Folgeabschnitten wird auf die jeweils eingesetzten Präparationsmethoden zur Herstellung entsprechender Probekörper eingegangen.

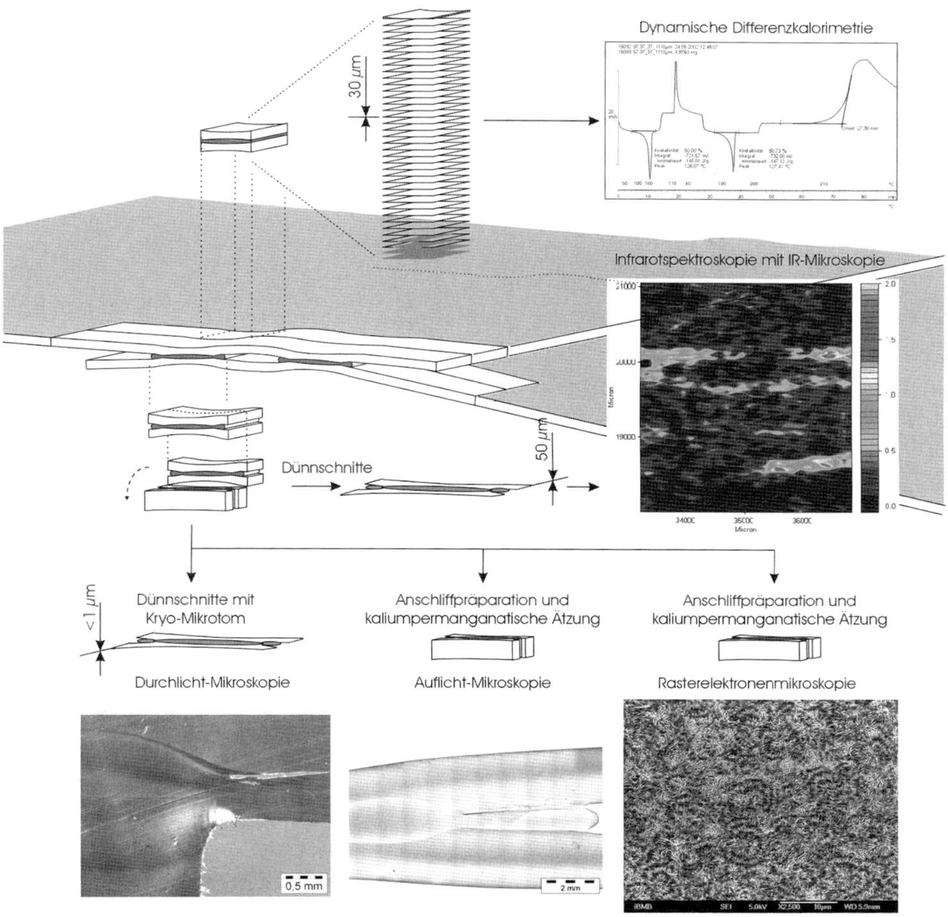

Bild 4.10 Zerlegung einer Überlappschweißnaht mit Prüfkanal in für mikroskopische und analytische Untersuchungen geeignete Probekörper *(Hinrichsen)*

4.4.4.3 Ätzen der Dichtungsbahnen

Zur Offenlegung von Gefügestrukturen im Fügenahtbereich der Überlappschweißnähte wurde neben dem physikalischen das nasschemische Ätzen angewendet. Das nasschemische Ätzen erfordert wie das physikalische Ionenätzen umfangreiche Parameterstudien. Die Schärfe und die Tiefe der Ätzmuster ändern sich unter Variation des Drucks im Rezipienten stark. Im Folgenden wird der Schwerpunkt auf das nasschemische Ätzen gelegt.

Die von *Olley* verwendeten Ätzlösungen basieren auf Mischungen aus konzentrierter Schwefelsäure, Ortho-Phosphorsäure, dem stark oxidierenden Kaliumpermanganat und Wasser; sie sind als „Magdy-Mix“ und „Soggy-Mix“ (die Namen „Magdy“ und „Soggy“ gehen auf Mitarbeiter von *Olley* zurück) bekannt. Die Ätzungen wurden bei Raumtemperatur durchgeführt. Die Proben waren mittels Anschliffpräparation auf einem rotierenden Schleifteller unter definiertem Andruck (Automata TF250) bis zu einer Körnung P 4000 und anschließendem Polieren vorbereitet worden. Bereits in diesem Prozess der Vorpräparation sind Parameter wie Schleifdauer und Schleifdruck zu optimieren. Die Kühlung erfolgte mit fließendem Kaltwasser. Während des Ätzvorgangs wurden die Proben auf einer Schüttelmaschine in der Ätzlösung bewegt, um gelöste Anteile von der Oberfläche wegzuspülen. Zum Abspülen der geätzten Strukturen wurde eine als Micro-Organic-Soap bezeichnete Reinigungslösung verwendet. Eine Übersicht der angewandten Ätzlösungen und Parameter gibt Tabelle 4.5.

Tabelle 4.5 Übersicht der angewendeten Ätzlösungen und Parameter [Hinrichsen]

Säuremischungen (Vol.-Anteile) (sämtliche Ätzungen bei Raumtemperatur)				$KMnO_4$		
H_2SO_4	H_3PO_4	H_2O	Bezeichnung	0,2 %	0,7 %	1,0 %
10	4	1	„MAGDY-Mix“ ☹	3 h	15 min 30 min 45 min 1 h 2 h 4 h	3 h
10	4	4	„SOGGY-Mix“ ☺	1 h 2 h (siehe Bild 4.12) 3 h 1 h 0,5 % $KMnO_4$	15 min 30 min 45 min 1 h 2 h 3 h 6 h	1 h 2 h 3 h
–	4	1	A 😐		1 h (Bild 4.11 links)	
4	-	1	B ☺		1 h (Bild 4.11 rechts)	
10	8	4	C ☹		1 h 1,5 h	
10	2	4	D ☺		30 min 45 min 1 h 1,5 h	
10	8	1	E ☹		1 h	
10	2	1	F 😐		1 h	

Säuremischungen (Vol.-Anteile) (sämtliche Ätzungen bei Raumtemperatur)					$KMnO_4$		
10	3	4	G	☺		30 min 45 min 1 h	
10	5	4	H	☺		1 h	
10	1	4	I	☺☺		1 h	

☺☺ **sehr gut**

☺ **gut**

😐 **befriedigend**

☹ **ausreichend**

Beiden Ansätzen wurden 0,7-Vol.-% des als starkes Oxidationsmittel bekannten Kaliumpermanganats hinzu gegeben. Der nach 1 h bei Raumtemperatur erzielte Ätzerfolg der jeweiligen Säuren ist in Bild 4.11 gegenübergestellt. Während der Ansatz mit der Phosphorsäure eine verschmierte nur ansatzweise zu erkennende Struktur erkennen lässt, wird die lamellare Struktur des Polyethylens mit der Schwefelsäure erheblich differenzierter, detaillierter und kontrastreicher herausgearbeitet. Weitere Parametervariationen haben jedoch gezeigt, dass die Verwendung beider Säuren für eine erfolgreiche Ätzung ohne Zerstörung der kristallinen Strukturen unabdingbar ist.

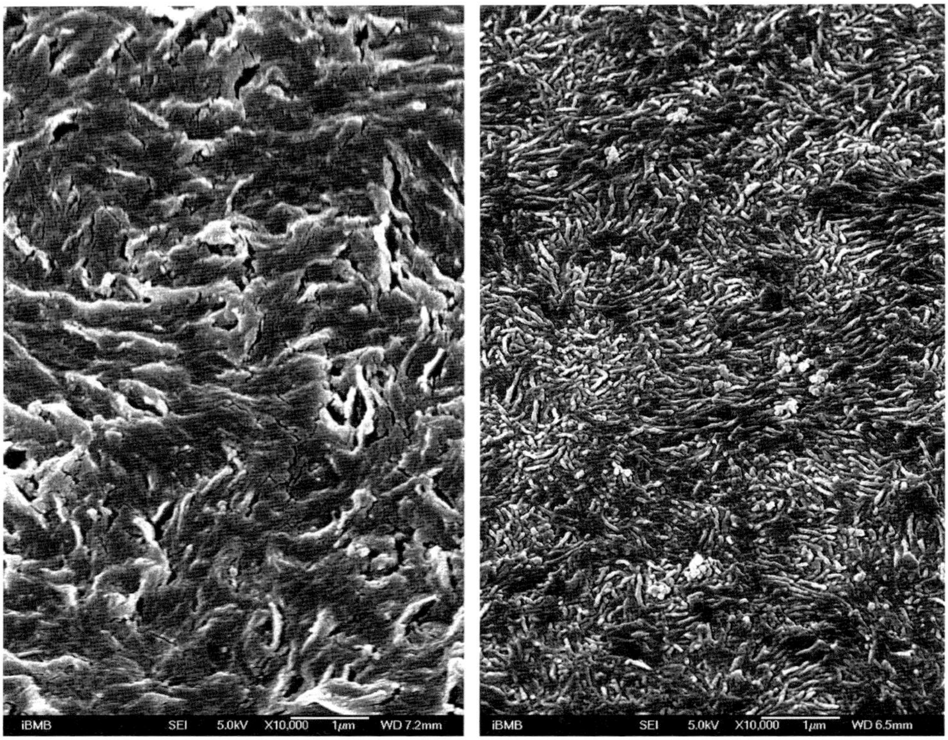

Bild 4.11 Lamellare Struktur des Polyethylens, REM *(Hinrichsen)*
links: 1 Stunde mit H_3PO_4 *(Ätzlösung A)*
rechts: 1 Stunde mit H_2SO_4 *(Ätzlösung B)*

Bild 4.12 zeigt den Bereich einer Überlappschweißnaht im Übergang vom Grundmaterial zur Schmelze, gekennzeichnet durch einen fein- und grobsphärolithischen Bereich sowie in der Fügenaht offenkundig senkrecht orientierte Lamellen. Die Struktur wurde in einer zweistündigen Kaliumpermanganatätzung im Mischungsverhältnis 10:4:4 erzeugt.

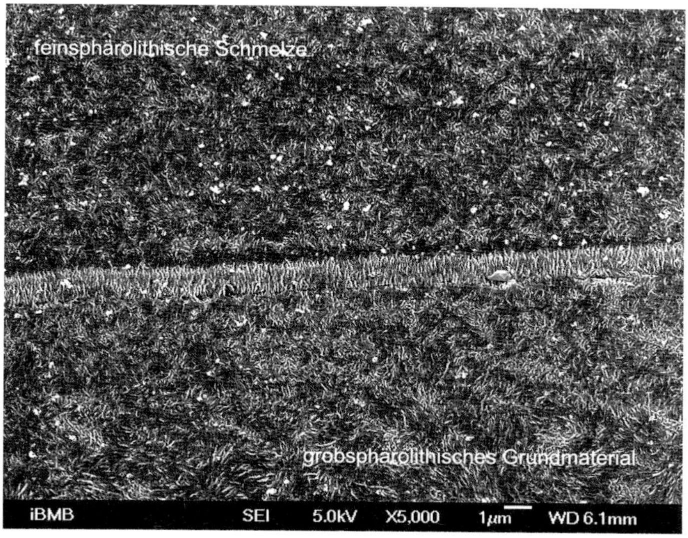

Bild 4.12 Zweistündige Kaliumpermanganatätzung im Mischungsverhältnis 10 : 4 : 4 ($H_2SO_4 : H_3PO_4 : H_2O$) in 0,2 %-iger $KMnO_4$-Lösung (*Hinrichsen*)

Eine nicht erklärliche Ätzungsfolge zeigt die vulkanartig aufgebrochene Ätzstruktur in Bild 4.13.

Bild 4.13 1 h bei 30 °C in 0,7 % $KMnO_4$ und H_2SO_4 geätzt *(Hinrichsen)*

Nachfolgend gezeigte Strukturen wurden mittels der Gasentladungsapparatur GEA005 erzeugt. Das Ionenätzen wird auch als kathodisches Vakuumätzen (Kathodenzerstäubung) bezeichnet.

Bild 4.14 zeigt eine nach 1-stündiger Einwirkung von Argonplasma freigelegte Struktur aus einer Überlappschweißnaht aus PE-HD; links in 30 000-facher und rechts dieselbe Struktur bei 100 000-facher Vergrößerung (maßgebend sind stets die Maßstabsbalken).

Bild 4.15 dokumentiert ein nach zweistündiger Einwirkung im Argonplasma freigelegtes sphärolithisches Gefüge.

Bild 4.16 links lässt eine über 30 Minuten im Sauerstoffplasma unzureichend geätzte Oberfläche erkennen, Bild 4.16 rechts hingegen zeigt eine über 9 Stunden überätzte Struktur, gekennzeichnet durch Veraschungen. Auch Bild 4.17 dokumentiert eine über 36 Stunden im Sauerstoffplasma überätzte Struktur, was sich in Form kegelförmiger Strukturen darstellt; die Darstellung war nur durch eine Kippung der Probe im Rasterelektronenmikroskop möglich.

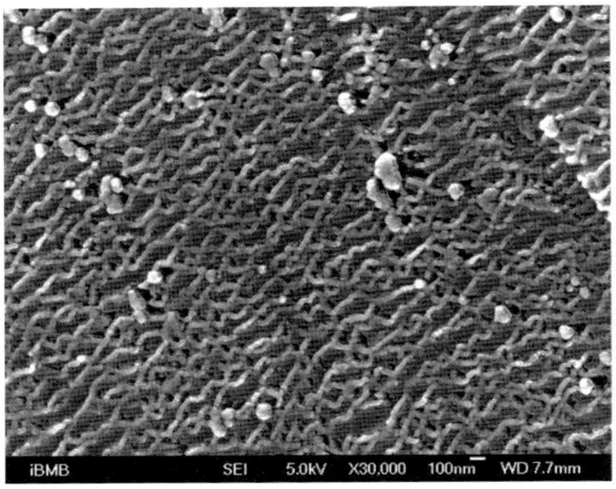

Bild 4.14 In Argonplasma 1 h geätzte Oberfläche, links 30 000-fache und rechts 100 000-fache Vergrößerung *(Hinrichsen)*

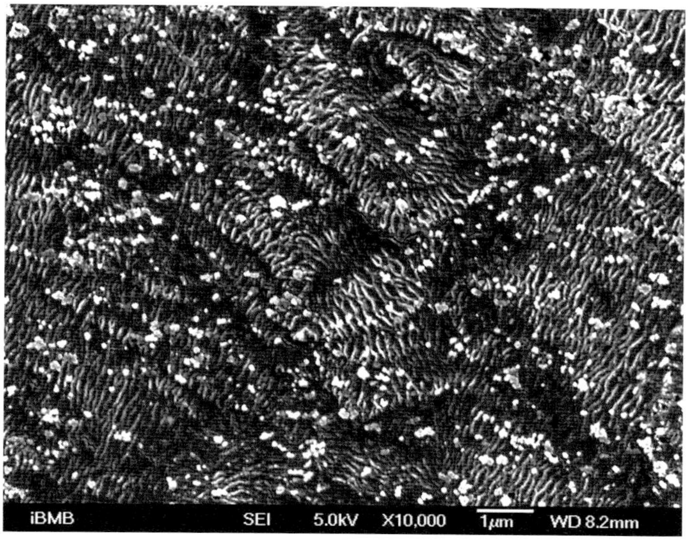

Bild 4.15 Nach 1-stündiger Ätzung im Argonplasma freigelegtes sphärolithisches Gefüge

Bild 4.16 links: unzureichend geätzte Struktur; 30 min in Sauerstoffplasma; rechts: 9 Stunden in Sauerstoffplasma überätzte Struktur *(Hinrichsen)*

Bild 4.17 Scharfes Ätzen 36 h in O_2-Sauerstoff *(Hinrichsen)* [14]

4.4.5 Einschränkungen bei nasschemischem Ätzen

Eine generelle Gefahr bei allen nasschemischen Ätzungen im flüssigen Medium ist die Möglichkeit der Rekristallisation von bereits aus dem Polymer herausgelösten Molekülen an der Probenoberfläche. Damit wird die eigentlich freizulegende Struktur überdeckt. Dies tritt besonders beim Einsatz von Lösungsmitteln auf, die zusätzlich ein partielles Quellen des Materials hervorrufen können. Das Entstehen von Ätzgrübchen („pitting") oder Kuppeln („domes"), die in der Größenordnung der zu untersuchenden Sphärolithstruktur liegen können, kann zu Fehlinterpretationen führen.

Die Anwendung der Permanganatätzung auf Polyamid führte zu einer starken Belagbildung sowohl bei PA6 als auch bei PA66. Der Belag war von der Probenoberfläche nicht zu entfernen. Ursache ist vermutlich die Unbeständigkeit von PA gegen die in der Ätzlösung eingesetzte konzentrierte Schwefelsäure. Auch eine reduzierte Form der Permanganatätzung, d. h. nur mit Phosphorsäure, zeigte ebenfalls dieselbe Belagbildung. Die Permanganatätzung lässt sich deshalb nicht bei Polyamiden anwenden. [11]

4.5 Durchführung des Plasmaätzens

Ziel des Ätzprozesses ist ein aussagekräftiges Ätzergebnis. Um dieses zur erzielen, treffen auf die Probenoberfläche verschiedene, hochenergetische Plasmateilchen, durch die aus der Oberfläche Bruchstücke und flüchtige Abbauprodukte entfernt werden. Dabei beeinflussen verschiedene Einflussfaktoren das Ätzergebnis.

Im zu ätzenden Material müssen Bindungen gespalten werden, was nur erfolgen kann, wenn die eingebrachte Energie über dieser Bindungsenergie liegt. So wird beispielsweise zum Aufbrechen einer aliphatischen C-C-Bindung in PE mittels physikalischer Ionenätzung eine Energie von ca. 3 eV = 10 bis 19 J (= 60 kJ/mol) benötigt [9]. Die Aktivierungsenergie für thermische Kettenspaltung in PE beträgt 264 kJ/mol, wohingegen der oxidative Abbau lediglich 59 kJ/mol benötigt [10].

Beim eingesetzten Gas muss unterschieden werden, ob eine rein physikalische Ätzung oder eine Überlagerung mit einer chemischen Ätzung vorliegt. Je nach Gas liegt sein Maximum der Leistungsaufnahme aus dem Anregungsprozess bei unterschiedlichen Frequenzen und Drücken [10].

Mit höherer Anregungsleistung ist eine höhere Energie der Plasmateilchen und mit höherem Gasdruck eine größere Anzahl an Plasmateilchen zu erwarten. Dieser Zusammenhang gilt nur näherungsweise, da durch Stöße (elastische und inelastische) zwischen den verschiedenen Plasmateilchen (Elektronen, Ionen, Radikale, Neutralteilchen) ein Energieaustausch stattfindet. Dieser kann zur Erhöhung oder Reduzierung der Energie des einzelnen Teilchens führen, aber auch durch Ionisationsstöße eine Erhöhung der aktiven Teilchenzahl bzw. umgekehrt durch Rekombination eine Verringerung bewirken.

Eine Auswertung der Literatur im Hinblick auf geätztes Polymer, Anregungsart, Prozessparameter und Ätzresultat ist in gegeben, wobei die Schwierigkeit der Auswertung der Literatur in den häufig unvollständigen Angaben zum eingesetzten Plasma liegt.

Mit zunehmendem Druck in der Kammer nimmt die benötigte Ätzzeit ab. Dabei führt die Verfünffachung des Druckes von 0,5 auf 2,5 mbar bei beiden Materialien zur Reduzierung der notwendigen Ätzzeit auf zwei Drittel des Ausgangswertes, allerdings bei großer Schwankungsbreite.

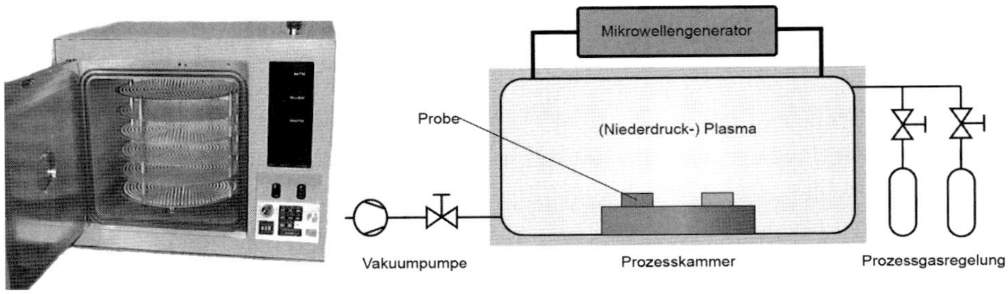

Bild 4.18 Niederdruck-Mikrowellen-Plasmaätzgerät 440G der Firma TePla AG mit geöffneter Probenkammer [14]

Es besteht ein näherungsweise linearer Zusammenhang zwischen der Ätzzeit und dem Gasdruck. Mit steigender Mikrowellenleistung nimmt die notwendige Ätzzeit sowohl bei den Polyolefinen, als auch bei POM deutlich ab. Allerdings scheint kein linearer Zusammenhang zwischen den beiden Parametern zu bestehen.

Eine fünffache Leistung bei PP führt zu einem Drittel der Ätzzeit. POM benötigt generell geringere Ätzzeiten; mit fünffacher Leistung wird bei POM nur noch ein Viertel der Ätzzeit benötigt. Die längsten Ätzzeiten werden für PE benötigt. Hier bringt die fünffache Mikrowellenleistung eine Reduzierung der Ätzzeit auf etwa die Hälfte. Im Lichtmikroskop sind bei den verschiedenen Drücken und Mikrowellenleistungen keine signifikanten Unterschiede in den dargestellten Strukturen zu erkennen, so dass die Parameter maximal hinsichtlich des untersuchten Leistungsbereiches gewählt werden können, um die Präparation zu beschleunigen.

■ 4.6 Anwendungsbeispiele Plasmaätzen

Die Vorstellung über die Anordnung der kristallinen Lamellen in der gleichmäßigen Form, wie z. B. Sphärolithe zeigen, sind eher ein Sonderfall. Bei einem Versuch mit PP-und PE-Zylindern von ca. 10 mm Durchmesser in einem pvT-Gerät, also im Ruhezustand, wurden die PP- und PE-HD-Proben bei 200 °C und 200 bar, also im flüssigen Zustand in Kontakt gebracht. Die Aufheiz- und die Abkühlgeschwindigkeit betrugen jeweils 5 K/min, die Verweilzeit ½ h. Nach dem Abkühlen wurden die Proben an der Kontaktfläche plasma-geätzt. Es ergab sich für beide Kunststoffe eine wabenförmige Struktur (Bild 4.17). Dabei zeigt PP eine sehr viel feinere Struktur der kristallinen Bereiche als PE-HD. Bei beiden Kunststoffen sind die amorph angeordneten Kettensegmente weggeätzt. Die PE-HD-Bereiche zeigen an der Grenze eine Orientierung senkrecht auf die PP-Bereiche, was darauf hindeutet, dass zunächst PP erstarrt ist und sich die Lamellen des PEHDs an den nun festen Kontaktflächen ausgerichtet haben.

Versuche haben gezeigt, dass bei steigendem Druck und steigender Leistung die Erkennbarkeit von Sphärolithen zunimmt. Der optimale Arbeitsdruck liegt bei 2 mbar und die Arbeitsleistung bei 500 Watt. Die Ätzzeit ist abhängig vom jeweiligen Kunststoff. Laut Hersteller der Plasmaätzanlage kann bei gleichen Ätzparametern die Plasmabehandlung zwischen zwei Versuchen variieren. Aus diesem Grund und um ein zu starkes Erwärmen der Probe zu verhindern, soll in Etappen von 5 bis 15 Minuten geätzt werden. Der Ätzfortschritt ist immer wieder unter dem Auflichtmikroskop zu kontrollieren. Bei Bedarf wird nochmals geätzt.

4.6.1 Probenpräparation

Die eingebetteten Proben (gefüllte und ungefüllte) müssen bis zu einer Körnung von 4000 mit SIC-Papier geschliffen werden. Die anschließende Politur umfasst folgende Diamantsuspensionen: 6 µm, 3 µm, 1 µm, 0,25 µm. Nun ist die Probenoberfläche so weit eingeebnet, dass geätzt werden kann.

4.6.2 Nachbehandlung

Beim Plasmaätzen entstehen Rückstände, die sich durch ein Ultraschallbad in destilliertem Wasser (keine organischen Lösungsmittel verwenden) entfernen lassen.

4.6.3 Optimale Ätzparameter

Tabelle 4.6 Optimale Ätzparameter bei verschiedenen Polymeren

Kunststoff	Gas	Druck in mbar	Leistung in W	Gesamtätzzeit in min	Etappenzeit in min
PA12	O_2	1,5	500	60 (mit Pausen) 15 (ohne Pausen)	5
PA6	He/O_2	1,25/1,5	500	75/60	5
PA66	He	1,25	500	75	5
PBT	O_2	1,5	500	150	15
PE-HD	O_2	2,0	500	50	5
POM	O_2	2,0	500	30	5
PP	O_2	2,0	500	60	5

4.6.4 PE und PP

Wie komplex kristalline Faltungsstrukturen sein können, zeigt Bild 4.18 aus dem PE-HD-Bereich, das nach dem Erkalten nasschemisch geätzt wurde mit $KMnO_4$ + H_3PO_4 + H_2SO_4 nach dem in Abschnitt 4.2.1 beschriebenen Verfahren.

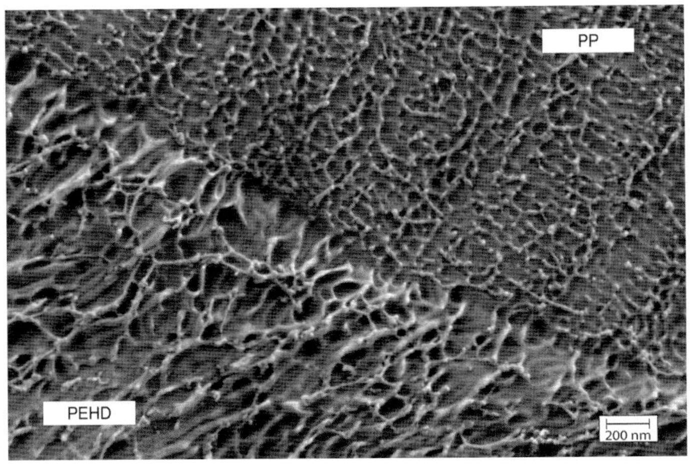

Bild 4.19 Fügen von zwei Zylindern im pvT-Gerät (nach Körbel)
Beispiel: PE-HD (unten) + PP (oben), 200 °C; 200 bar; 0,5 h Details Fügezone; plasmageätzt 0,5 h; 500 W; 1,8 mbar; REM - Aufnahme

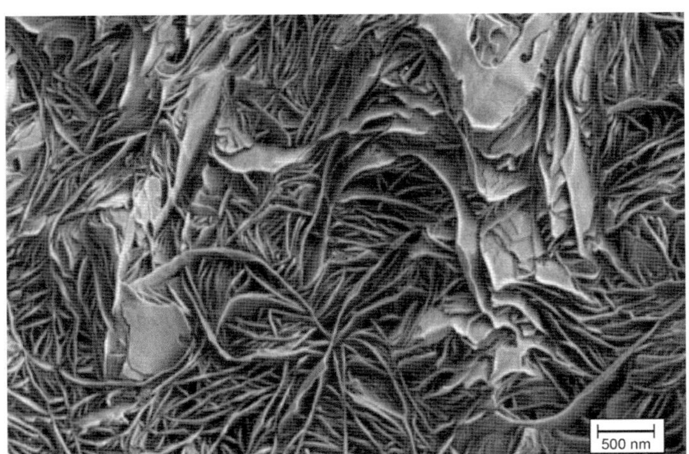

Bild 4.20 Kristalline Faltungsstrukturen von PEHD aus Bild 4.9 *(Körbel)*
plasmageätzt mit $KMnO_4$ + H_3PO_4 + H_2SO_4

Bild 4.21 zeigt eine Gegenüberstellung verschiedener Präparationsverfahren anhand von PE. Die gängige Präparation als Dünnschnitt zeigt im polarisierten Durchlicht die typische Sphärolithstruktur. In dieser Probe sind relativ große Ringsphärolithe zu finden (Bild 4.21, links oben). Eine exemplarisch durchgeführte nasschemische Ätzung mit Permanganat arbeitet die Sphärolithe und besonders gut die Anordnung der Ringe heraus (Bild 4.21, links unten). Auch beim Plasmaätzen werden die Ringsphärolithe deutlicher als im Dünnschnitt dargestellt. Die konzentrischen Ringe sind besser zu erkennen. Bei höherer Vergrößerung im REM ist außerdem die Anordnung der Lamellen in den Ringen erkennbar (Bild 4.21, rechts).

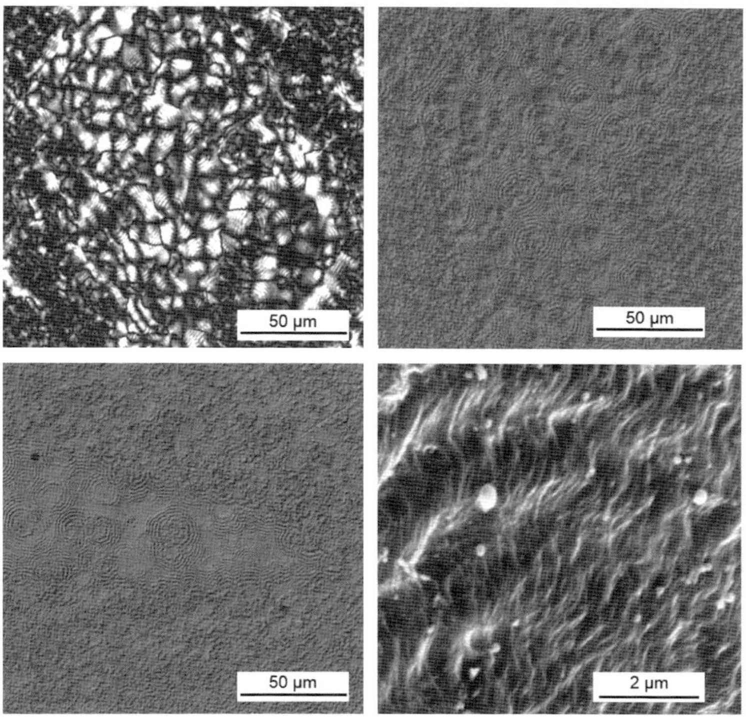

Bild 4.21 Verschiedene Präparationsverfahren von PE im Vergleich
links oben: Dünnschnitt, Durchlicht (Polarisation)
links unten: überschnittene Probenoberfläche, nasschemisch geätzt bei RT, 24 h mit 0,7%ig $KMnO_4/H_2SO_4/H_3PO_4$, Auflicht (DIK)
rechts oben: Anschliff, plasmageätzt Sauerstoff, 2,5 mbar, 300 W, 40 min, Auflicht (DIK)
rechts unten: Ausschnittsvergrößerung von rechts oben, REM (SE)

Auch bei PP können mittels mikrowellenangeregter Plasmaätzung die Sphärolithe und die Anordnung der Lamellen herausgearbeitet und mikroskopisch dargestellt werden (Bild 4.22), wobei mit zunehmender Ätzzeit die Erkennbarkeit bis zu einem Optimum (hier 25 min) zunimmt.

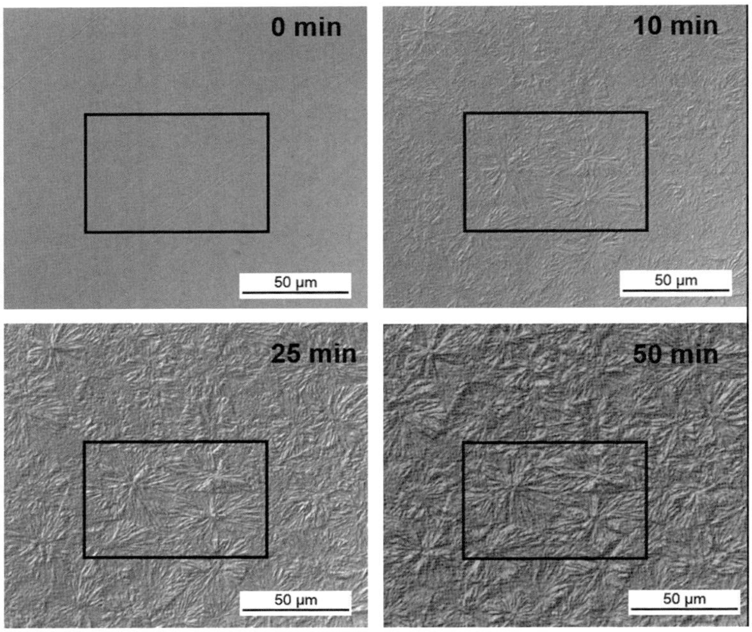

Bild 4.22 Herausarbeitung der plasmageätzten Struktur mit zunehmender Ätzzeit bei PP; Anschliff, identische Stelle eingerahmt, Sauerstoff, 1,25 mbar, 500 W, Auflicht (DIK)
oben links: ungeätzt
oben rechts: 10 min
unten links: 25 min
unten rechts: 50 min

Bei verschiedenen Polymeren wurde im Bereich von T_g und darüber ein deutlicher Anstieg der Ätzrate beobachtet, was mit der erhöhten Beweglichkeit der Moleküle begründet werden kann.

Tabelle 4.7 Auswahl von Ätzraten verschiedener Polymere im Sauerstoffplasma

Kunststoff	Gewichtsverlust in mg/cm^2h	Dichte in g/cm^3 [12]	Geschätzter Höhenabtrag in µm
PE	0,05 - 1	0,915 - 0,935	0,5 - 10
	0,2 - 0,4	0,915 - 0,935	2 - 4
PE-LD	3,1	0,915 - 0,935	33 - 34
PE-C	6,2	1,1 - 1,22	50 - 56

Kunststoff	Gewichtsverlust in mg/cm²h	Dichte in g/cm³ [12]	Geschätzter Höhenabtrag in µm
PP	< 0,1 - 0,4	0,895 - 0,92	< 1,1 - 4,4
	0,2 - 0,5	0,895 - 0,92	2,2 - 5
	4,3	0,895 - 0,92	47 - 48
PS	-	-	1 1)
	1,6	1,05	15
PA6	3,4	1,12 - 1,15	30 - 31
POM	7,2 - 9,7	1,41 - 1,43	50 - 69

1) vom Autor angegeben

4.6.5 POM

Bei POM und PA lassen sich mit dem Plasmaätzprozess die sphärolithische Struktur und die Anordnung der Lamellen herausarbeiten (Bild 4.23).

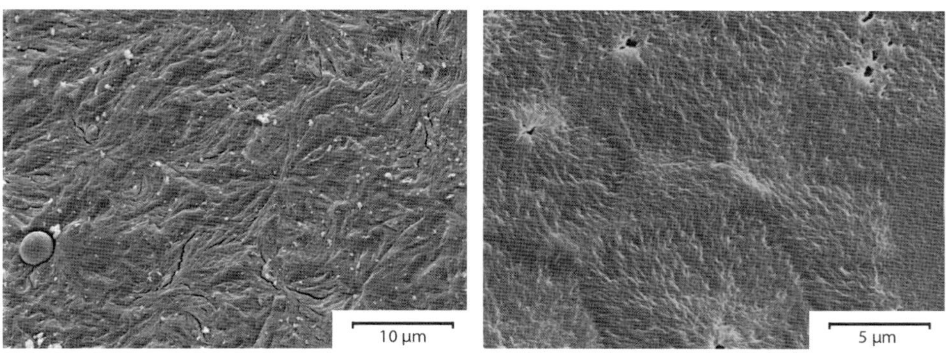

Bild 4.23 Plasmageätzte Strukturen von POM und PA66 [3]; REM (SE)
links: POM, Sauerstoff, 2,5 mbar, 100 W, 60 min
rechts: PA66, Sauerstoff, 2,5 mbar, 500 W, 35 min

Bei einem Druck von 2,5 mbar wurden sauerstoffplasmageätzte POM-Oberflächen mit einer Anregungsleistung des Plasmas von 100 und 500 W bei Zeiten zwischen 10 und 60 min untersucht (Bild 4.23). Ein Vergleich der Strukturdarstellung mit 500 W/10 min und 100 W/40 min zeigt keine signifikanten Unterschiede in der Darstellung der Lamellen (Bild 4.23, links). Dass durch den Plasmaätzprozess eine energetische Belastung der Probenoberfläche erfolgt, ist allerdings daran festzustellen, dass im REM mit vergleichsweise geringen Beschleunigungsspannungen (5 kV) gearbeitet werden muss, um während der photographischen Aufnahme - die ebenfalls eine energetische Belastung der Probe darstellt - ein Aufreißen der Probenoberfläche zu vermeiden. Dies beeinträchtigt das im REM zu erzielende Auflösungsvermögen.

Bei der geringen Anregungsleistung von 100 W und längeren Ätzzeiten kann mit höheren Beschleunigungsspannungen gearbeitet werden. Wird die Ätzzeit verlängert, so wird auch bei geringerer Anregungsleistung die Oberfläche instabil, so dass sie im REM aufreißt (Bild 4.24, unten rechts). Insgesamt bleibt die Lamellenstruktur noch zu erkennen. Wird nun zusätzlich noch die Anregungsleistung auf 500 W erhöht, so wird letztendlich so stark Material abgetragen, dass die ursprünglich scharfkantig dargestellten Lamellen abgerundet und verwaschen erscheinen. Ihre ursprüngliche Anordnung ist lediglich noch zu erahnen (Bild 4.24, oben rechts). [16]

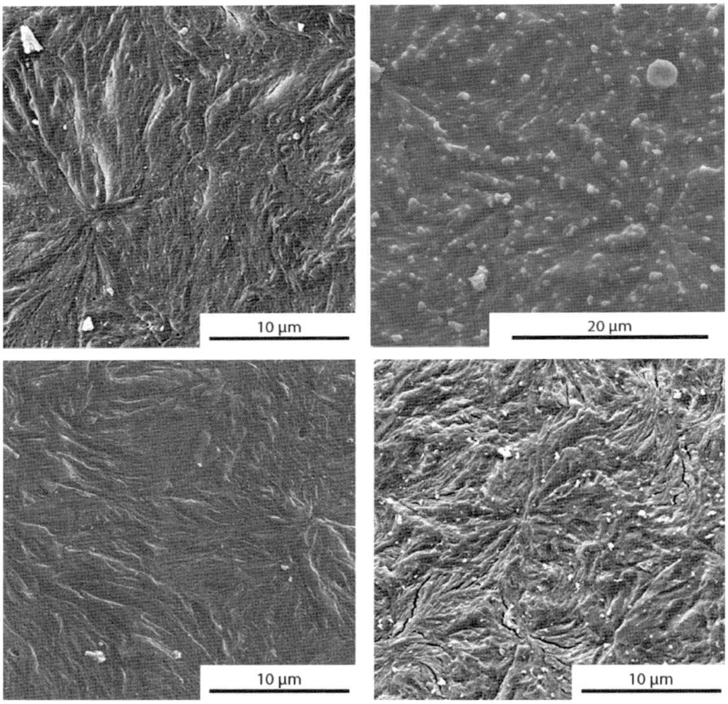

Bild 4.24
Vergleich der Sphärolithstruktur auf plasmageätzten Oberflächen von POM, unterschiedliche Ätzbedingungen
oben links: 500 W, 10 min
oben rechts: 500 W, 60 min
unten links: 100 W, 40 min
unten rechts: 100 W, 60 min
Sauerstoff, 2,5 mbar, REM (SE)

4.6.6 PA66

Wird PA66 mit Sauerstoffplasma geätzt, so sind im Lichtmikroskop im Vergleich zur ungeätzten Probenoberfläche keine Unterschiede in Bezug auf die Sphärolithstruktur und die Lamellenanordnung zu erkennen (Bild 4.25, links). Lediglich im Bereich der Sphärolithzentren – Lokalisierung durch die Sphärolithgrenzen, die durch das Polieren herausgearbeitet werden – treten dunkel erscheinende Bereiche auf (Bild 4.25, unten links). Im REM erscheinen diese Bereiche hell und sind als Löcher zu erkennen (Bild 4.25, unten rechts). Bei niedrigeren Vergrößerungen (hier 400 ×) sind keine weiteren Strukturdetails der Sphärolithe zu erkennen. Erst bei deutlich höheren Vergrößerungen – ab 5000 × und höher – wird die Grundstruktur, d. h. die Anordnung der Lamellen in den Sphärolithen aufgelöst und dargestellt.

Es ist deutlich zu erkennen, dass die bei niedrigerer Vergrößerung im DIK dunkel und im REM hell erscheinenden Bereiche Löcher in der Probenoberfläche sind. Im DIK, der auf reflektiertes Licht angewiesen ist, wird in diesem Bereich wegen des Loches kein Licht reflektiert, so dass dieser Bereich dunkel erscheint. Im REM werden die Sekundärelektronen besonders im Bereich von Kanten und Ecken emittiert (sogenannter Kanteneffekt), so dass diese im Vergleich zur Umgebung hell erscheinen.

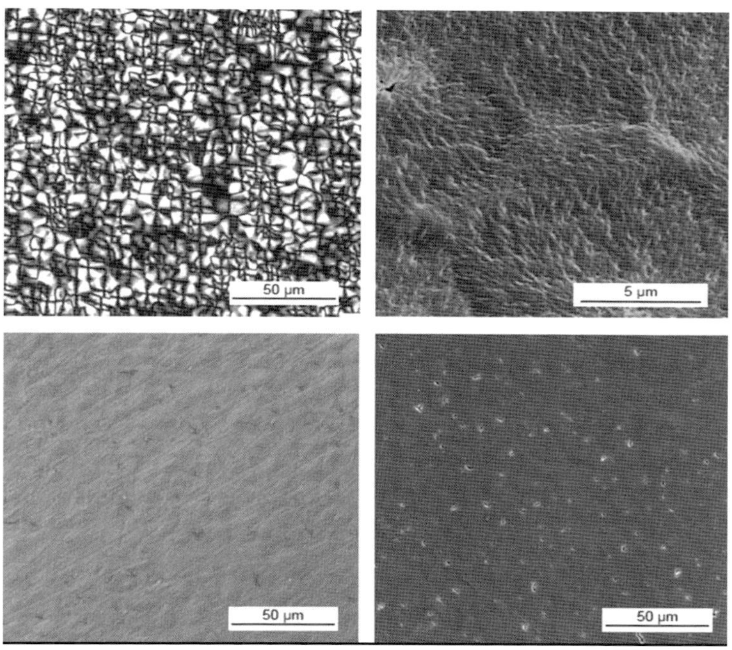

Bild 4.25
Vergleich der ungeätzten Struktur von PA66 und plasmageätzter Oberflächen
oben links: Dünnschnitt im Durchlicht (Polarisation)
oben rechts: plasmageätzt im REM (SE)
unten links: plasmageätzt im Auflicht (DIK)
unten rechts: plasmageätzt im REM (SE)
Sauerstoff, 500 W, 2,5 mbar, 35 min

Vergleicht man die typischen Sphärolithdurchmesser des PA66 Dünnschnittes mit der im REM dargestellten Sphärolithstruktur einer sauerstoffplasmageätzten Oberfläche, so liegen sie in derselben Größenordnung. D. h. mit dem Plasmaätzprozess kann die Grundstruktur des PA66 freigelegt werden. Allerdings ist die mikroskopische Untersuchung deutlich schwieriger als bei beispielsweise PP und POM, da die Strukturen erst bei relativ hohen Vergrößerungen darstellbar sind.

4.6.7 PA6

Sauerstoffplasmageätztes PA6 verhält sich ähnlich wie PA66. Untersucht man die geätzte Probenoberfläche mittels DIK, so sind keine Unterschiede in Bezug auf die Herausarbeitung der Sphärolithgrenzen und der Lamellenanordnung gegenüber der ungeätzten Oberfläche zu erkennen. Ähnlich wie bei plasmageätztem PA66 findet man im Sphärolithzentrum dunkle Bereiche, die im REM hell erscheinen (Bild 4.26, unten). Erst bei 5000-facher Vergrößerung werden Lamellenstrukturen andeutungsweise herausgearbeitet (Bild 4.26, oben rechts). Im Vergleich zu PA66 (Bild 4.25) werden bei PA6 bei gleichen Ätzzeiten mit dem Sauerstoffplasma die Lamellenstrukturen nicht so deutlich herausgearbeitet.

Aus den Bildern 4.21 bis 4.23 kann also gefolgert werden, dass die sphärolithischen Strukturen und Anordnungen der Lamellen teilkristalliner Thermoplaste mittels mikrowellenangeregten Plasmas darstellbar sind, und dass sie den mit anderen Verfahren (Dünnschnitt, nasschemisches Ätzen) gewonnenen entsprechen.

Am Beispiel des Polyethylens wurde untersucht, wie sich die Probenpräparation:

- Überschneiden (bei −150 °C),
- Schleifen (bis Körnung 4000) und
- Polieren (Diamantpaste, bis 0,25 µm)

auf das Ergebnis des Plasmaätzprozesses auswirkt. Bei allen drei Präparationsverfahren konnte die sphärolithische Struktur herausgearbeitet werden, und im Lichtmikroskop waren keine signifikanten Unterschiede zu erkennen. Allerdings wird zur Entfernung der Präparationsspuren, die bei der geschliffenen Probe am tiefsten sind, mit 50 min eine deutlich längere Ätzzeit benötigt als bei der überschnittenen oder der polierten Probe mit jeweils 30 min.

Da der Probenabtrag beim Plasmaätzen deutlich geringer als beim nasschemischen Ätzen ist, muss die Probe mit möglichst wenig Präparationsspuren vorbereitet werden, was in der Regel nur mit einem polierten Anschliff möglich ist. Als Ätzgas wird nicht nur Sauerstoff, sondern auch Kohlenwasserstoff, Halogene und Edelgase eingesetzt, wobei dann bei der Bewertung des Ätzergebnisses berücksichtigt werden muss, ob das Ätzmedium rein physikalisch oder auch chemisch ätzt (siehe Abschnitt 4.2).

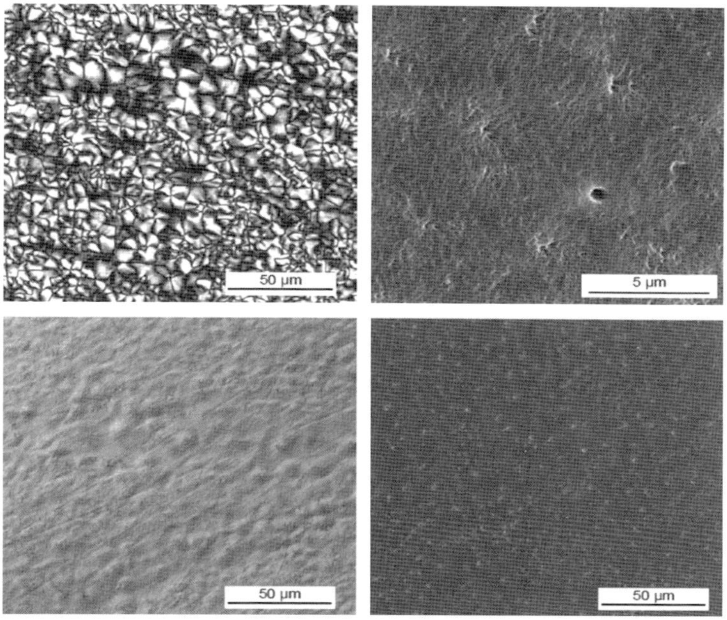

Bild 4.26 Vergleich der ungeätzten Struktur von PA6 und plasmageätzter Oberflächen
oben links: Dünnschnitt im Durchlicht (Polarisation)
oben rechts: plasmageätzt im REM (SE)
unten links: plasmageätzt im Auflicht (DIK)
unten rechts: plasmageätzt im REM (SE)
Sauerstoff, 500 W, 2,5 mbar, 35 min

Weitere zu variierende Parameter neben der Ätzzeit sind die Anregungsleistung des Plasmas (z. B. beim mikrowellenangeregten Plasma die Mikrowellenleistung), die näherungsweise proportional zur Energie der Plasmateilchen ist, und der verwendete Gasdruck, der näherungsweise proportional zur Anzahl der Plasmateilchen ist. Da unterschiedliche Plasmaanlagen hierbei mit ganz unterschiedlichen Werten arbeiten, ist eine Übertragbarkeit von Ergebnissen erschwert. Bei zu geringer Energie der einfallenden Ionen besitzen die aus der Probe herausgelösten Bruchstücke ebenfalls eine geringere Energie und sammeln sich auf der Probenoberfläche.

Der abschließende Prozessschritt ist daher die Reinigung der Probenoberfläche von Rückständen nach der Plasmaätzung. Bild 4.27 zeigt den Unterschied der plasmageätzten Oberflächen von POM nach der Reinigung mit Druckluft und nach der Reinigung im Ultraschallbad (für 5 min mit destilliertem Wasser) und anschließend mit Druckluft. Die Reinigung im Ultraschallbad reduziert deutlich den pulverförmigen Rückstand – vor allem die kleinsten Partikel.

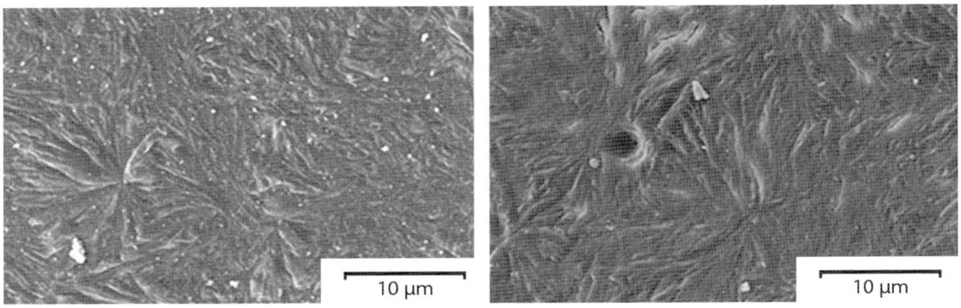

Bild 4.27 Vergleich der plasmageätzten Oberflächen von POM nach unterschiedlicher Reinigung
links: mit Druckluft abgeblasen
rechts: im Ultraschallbad mit destilliertem Wasser für 5 min, mit Druckluft abgeblasen, 500 W, Sauerstoff, 2,5 mbar, 10 min, REM (SE)

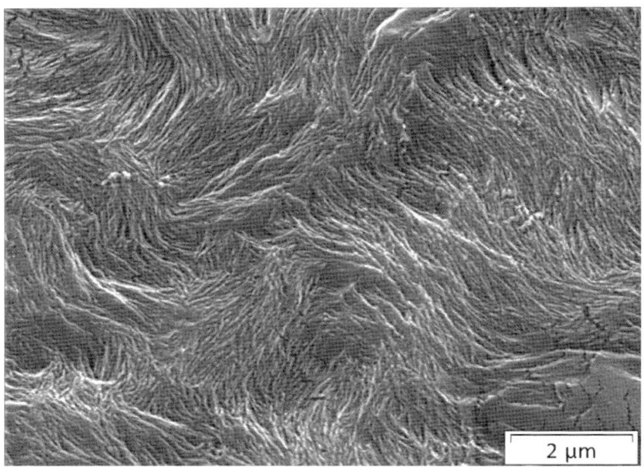

Bild 4.28 Plasmageätztes, unverstärktes, lasergesintertes PA 12
Sauerstoff 1,5 mbar, 500 W; 50 min REM (SE)

Bild 4.28 zeigt die plasmageätzte Oberfläche einer lasergesinterten PA12 Probe. Nach einer Ätzzeit von insgesamt 50 Minuten sind die amorphen Anteile der Probe bereits weit abgeätzt, was dazu führt, dass die Sphärolithe mit Lamellenstruktur deutlich sichtbar werden.

Einen Vergleich einer nasschemischen und einer Plasmaätzung zeigt Bild 4.29. Durch das Ätzen werden Ringsphärolithe in PE dargestellt. Sowohl mit der Permanganatätzung im flüssigen Medium als auch mit der Sauerstoff-Plasmaätzung wird die lamellare Anordnung innerhalb der Ringsphärolithe freigelegt. Bei der Ätzung im flüssigen Medium sind einige wenige Ätzgrübchen zu erkennen, bei der Plasmaätzung befinden sich weiße Rückstände nach dem Abblasen mit Druckluft auf der Oberfläche. Mit beiden Ätzverfahren können ähnliche Aussagen über die im PE vorliegenden Strukturen gemacht werden, wobei das Ergebnis der Plasmaätzung ca. 30-mal schneller vorliegt.

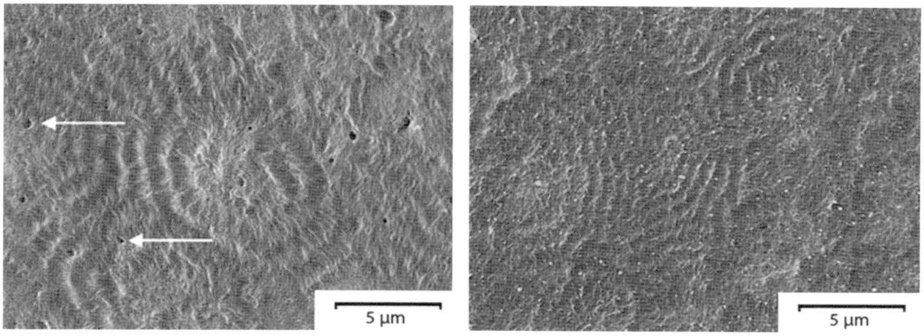

Bild 4.29 Ringsphärolithe in spritzgegossenem PE
links: geätzt mit KMnO4/H2SO4/H3PO4 bei 23 °C, 24 h, REM (Pfeile markieren die Ätzgrübchen)
rechts: Plasmaätzung (Mikrowellenanregung): Sauerstoff 2,5 mbar, 300W, 50 min, REM

Die Verifizierung der Strukturdarstellung mittels verschiedener Ätzverfahren zeigt Bild 4.30. Das obere Bild zeigt einen Dünnschnitt im polarisierten Durchlicht einer 2K-PP-Sandwichplatte. Das Material im Kernbereich ist blau eingefärbt und sehr feinsphärolitisch, im Kontaktbereich der Hautkomponenten zum Kern hat sich eine transkristalline Front ausgebildet. Die Hauptkomponente zeigt das typische sphärolitische Gefüge von PP. Bild 4.30 (mitte) zeigt dieselbe Probe nasschemisch geätzt und Bild 4.30 (unten) plasmageätzt. Mit beiden Ätzverfahren werden die im Dünnschnitt erkennbaren Überstrukturen dargestellt, wobei in diesem Beispiel durch das Plasmaätzen Sphärolithgrenzen im Hauptmaterial besonders scharf dargestellt werden.

Anorganische Füllstoffe wie z. B. Glasfasern, Kugeln, Mineralien werden in Kunststoffen eingesetzt, um dem Compound ein spezielles Eigenschaftsprofil zu verleihen, das mit einem reinen Kunststoff nicht zu erreichen ist. Für Strukturuntersuchungen der Matrix in solchen gefüllten Compounds bietet das Ätzen eine Alternative zum deutlich zeitaufwendigeren Dünnschliff. Bild 4.31 zeigt die plasmageätzte Oberfläche eines mit Messing gefüllten POM-Compounds. Dieses Beispiel zeigt sehr schön, wie die polymere Matrix durch den Ätzvorgang abgetragen wird, so dass die Messing-Teilchen herausstehen. Sehr gut ist zu erkennen, wie die POM-Lamellen strahlenförmig um die Spitze eines Messingteilchens angeordnet sind.

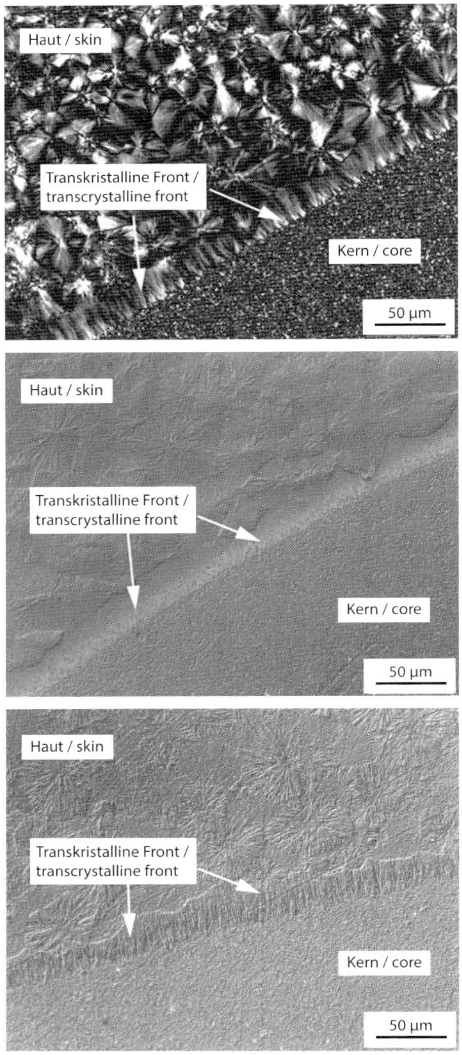

Bild 4.30 Dünnschnitt einer 2K-PP-Sandwichplatte [8]
oben: polarisiertes Durchlicht
mitte: geätzt mit $KMnO_4/H_2SO_4/H_3PO_4$ bei 60 °C. 2 h; DIK
unten: Mikrowellenanregung, Sauerstoff 2,5 mbar, 500 W, 20 min, DIK

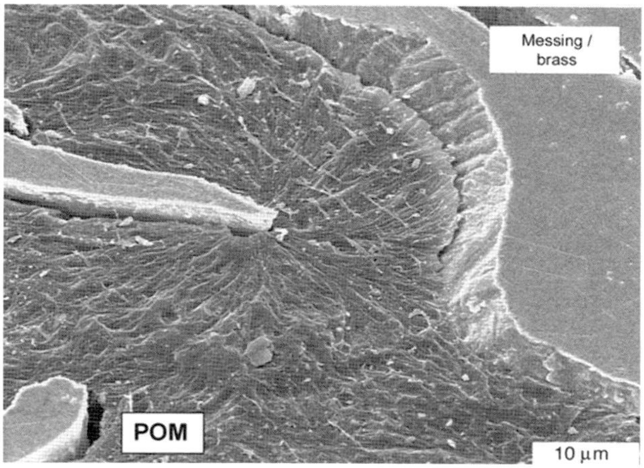

Bild 4.31 POM mit 20 Vol.-% Messing plasmageätzt; Mikrowellenanregung; *Sauerstoff 2,5 mbar, 500 W, 15 min, REM*

4.6.8 Plasmaätzen von Polyamid (ungefüllt, gefüllt)

Zur Analyse der Oberflächentopographie von PA-Proben hat sich das Plasmaätzen als günstiges Verfahren herausgestellt. Da hiermit nur wenig Material abgetragen wird, werden die Proben eingebettet, geschliffen und bis 0,25 µm poliert. Mit dem Mikrotom überschnittene Proben weisen auch nach dem Ätzen Schneidriefen auf.

Zum Ätzen im Sauerstoffplasma wird das Tischgerät 440G der Firma TePia AG, Feldkirchen eingesetzt. Es handelt sich dabei um ein Niederdruckplasma-Gerät, dessen Plasma durch Mikrowellen angeregt wird. Der Prozess kann sowohl manuell als auch automatisch erfolgen. Der typische Arbeitsdruck beträgt 0,2 bis 1,5 mbar. Die maximale Ausgangsleistung beträgt 600 W. Bei PA-Proben hat sich ein schrittweises Ätzen als vorteilhaft herausgestellt, um eine starke Probenerwärmung zu vermeiden. Hierzu werden die auf einem mittleren Teller befindlichen Proben fünf Minuten bei ca. 1,7 mbar und 500 W geätzt, wobei das Prozessgas, in diesem Fall Sauerstoff, nach der Evakuierung zugeführt wird. Anschließend wird die Kammer für fünf Minuten geöffnet. Der Vorgang wird je nach gewünschtem Ätzgrad drei- bis viermal wiederholt.

Polyamid bildet in der Regel kleine Sphärolithe aus. Sie können im REM oder Mikroskop veranschaulicht werden. Plasmageätzte Proben aus POM und PA 66 zeigt Bild 4.23.

Einschränkungen

Ätzgrübchen oder Kuppeln werden auch beim Plasmaätzen beobachtet. Ein weiterer unerwünschter Nebeneffekt beim Plasmaätzen ist die teilweise Umwandlung der Energie der auftreffenden Ionen in thermische Energie und die damit verbundene Erwärmung der Probenoberfläche. Im ungünstigsten Fall führt dies zur Wärmedegradation und/-oder Rekristallisations-Erscheinungen. Mit steigendem Druck, steigt die Anzahl der auf der Probenoberfläche auftreffenden Ionen und damit die Temperatur [13].

Bild 4.32 zeigt das beginnende Aufreißen im Zentrum eines PA-Sphärolithen nach der Plasmaätzung. Bei zu geringer Energie der einfallenden Ionen besitzen die aus der Probe herausgelösten Bruchstücke ebenfalls eine geringe Energie und können sich auf der Probenoberfläche in Form einer losen Ascheschicht niederschlagen. Diese Rückstände können meist leicht in einem Ultraschallbad entfernt werden, was Bild 4.27 sehr deutlich zeigt. Der Anteil feiner pulverförmiger Rückstände nach einer 5 min Reinigung mit destilliertem Wasser auf einer mit Sauerstoffplasma geätzten POM-Oberfläche ist deutlich geringer als bei Reinigung mit Druckluft.

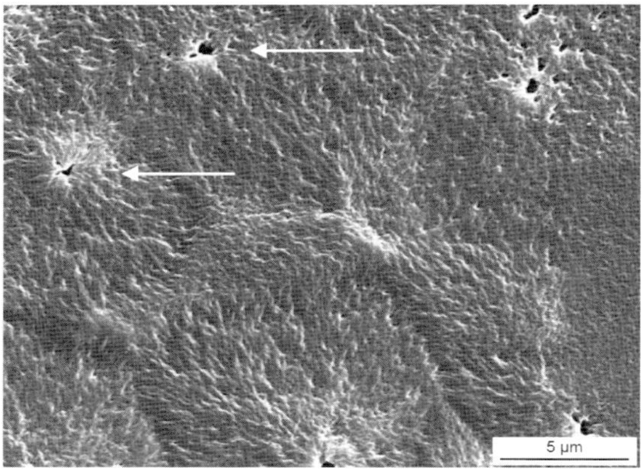

Bild 4.32
Aufreißen der Sphärolithzentren (markiert mit Pfeilen) von PA66 nach Plasmaätzung (Mikrowellenanregung)
Sauerstoff 2,5 mbar; 500 W; 35, min. REM

Verwendete Literatur

[1] Bassett, D. C.: Journal of Polymer Science, Part B, 1999 vol 37, 2279-2286

[2] Bohonek, J.: Untersuchung der Polymere mit Hilfe der Ionenätzung Beitrag Elektronenmikroskop. Direktabb. Oberfl. 7 (1974), S. 701-722

[3] Breining, A.: Plasmaätzen von teilkristallinen Thermoplasten für mikroskopische Untersuchungen; Dissertation Universität Erlangen, 2005, *www.kunststoffe.de/fachinformationen/dissertationen*

[4] Breining, A.; Ehrenstein, G. W.: Plasmaätzen teilkristalliner Thermoplaste für mikroskopische Untersuchungen; Zeitschrift Kunststofftechnik 2 (2006) 3

[5] Breining, A.; Ehrenstein, G. W.; Varga, J.: Ätzen von Kunststoffen - eine Präparationstechnik für mikroskopische Untersuchungen, Materialprüfung 39 (1997) 3. S. 81-85

[6] Chalykh, A. Y.; Petrova, I. I.; Vasilenko, Z. G.; Gerasimov, V. I.; Brusentsova, V. G.: Gasdischarge etching as a method for structural investigations of crystalline polymers, Polymer Science USSR (Vysokomol Soyed. A), 16 (1974) 6, S. 1489 bis 1498

[7] Garton, A.; Sturgeon, P. Z.; Carlsson, D. J.; Wiles, D. M.: Plasma etching of polypropylene films and fibres, J. Materials Sci. 13 (1978) 10, S. 2205-2210

[8] Gehde, M.: Zum Extrusionsschweißen von Polypropylen, Dissertation FAU Erlangen-Nürnberg 1993, www.kunststoffe.de/fachinformationen

[9] Goddar, H.: Physikalische und chemische Ätzverfahren zur Präparation massiver Hochpolymere in: Methodensammlung der Elektronenmikroskopie, Hrsg. G. Schimmel, W. Vogel, Wissenschaftliche Verlagsgesellschaft, Stuttgart, 1983, Kap. 2.4.1.1, vbbg

[10] Halasz, J.: Chemisches Ätzen von Polyamid, Interner Bericht, LKT - Uni Erlangen, 2005

[11] Hansen, R. H.; Pascale, J. V.; de Benedictis, T.; Rentzepis, P. M: Effect of atomic oxygen on polymers, J. Polym. Sci. Part A 3 (1965) 6, S. 2205-2214

[12] Hepperle, J.: Schädigungsmechanismen bei Polymeren, in: Jahrestagung Polymeraufbereitung 2002. 20./21. 11. 2002, Baden-Baden, Hrsg. VDI-K, VDI-Verlag, Düsseldorf, 2002, S. 17-53

[13] Hinrichsen, J.: Morphologie und Bruchverhalten medienbeaufschlagter Überlappschweißnähte aus PE-HD, Dissertation TU Braunschweig, 2003, *www.kunststoffe.de/fachinformationen*

[14] Körbel, W.; Olley, R. H.: Persönliche Mitteilungen, 2015, LKT-Universität Erlangen

[15] Olley, R. H.: Selective etching of polymeric materials, Sci. Prog. 70 (1986) S. 17-43

[16] Patel, G. N.: Chemical methods in polymer physics, Polymers Part B: Crystal structure and morphology, ed. R. A. Fava, Academic Press, New York, 1980, S. 237-286

[17] Petukov, H.: Präparation unverstärkter Kunststoffe, Seminar Präparation und Mikroskopie an Kunststoffen; LKT, Uni Erlangen, 2018

[18] Sawyer, L. C.; Grubb, D. T.: Polymer microscopy, Chapman and Hall, London, 1987

■ 4.7 Anhang: Literatur zur Strukturätzung

Tabelle 4.8 Überblick über in der Literatur beschrieben Ätzmittel für PE

Ätzmittel	Temperatur in°C	Zeit	Probenart	Ätzresultat	Literatur
Toluol: Xylol 1:2	RT	8 - 20 h[1)]	Spritzgussprobe	Kristallite	[1]
Xylol	70	1 - 60 min	Spritzgussprobe	Sphärolithe	[2] [3]
	70	3 Tage	k.A.	Sphärolithe	[4]
Tetrachlorkohlenstoff	70	1 - 70 min	Spritzgussprobe	Sphärolithe, Lamellen	[2] [3]
	Kochend	k.A.	k.A.	Sphärolithe	[5]
Chloroform	52	2 - 42 min	Spritzgussprobe	Sphärolithe	[2] [3]
Ameisensäure	60 - 70	15 - 25 s	Spritzgussprobe, Schmelzefilm	Sphärolithe, Lamellen	[6]
	k.A.	10 - 30 Tage	Kompaktmaterial	Gewichtsänderung	[7]
Essigsäure	k.A.	10 - 30 Tage	Kompaktmaterial	Gewichtsänderung	[7]
Oxalsäure	k.A.	10 - 30 Tage	Kompaktmaterial	Gewichtsänderung	[7]
Weinsteinsäure	k.A.	10 - 30 Tage	Kompaktmaterial	Gewichtsänderung	[7]
Salpetersäure (rauchend)	k.A.	s - min	k.A.	Lamellen	[4]
	RT	1 Woche - 2 Jahre	Pulver	Lamellenfragmente	[8]
	RT - 60	0 - 24 h	Folie	Pitting, Oberflächenrauigkeit	[9]
	60	12 h - 4 Tage	Pulver/Kompaktmaterial	FIbrillen	[10]
	60	3 tage	Kompaktmaterial	Lamellenfragmente	[11]
	60	bis 30 Tage	k.A.	Lamellenfragmente	[12, 13]
	74	10 min	k.A.	Lamellen	[14]
	80	6 h	Folie	Lamellen	[15]
Chromschwefelsäure: Salpetersäure 3:1	70	15 min + 48 - 45 min reine Salpetersäure	Kompaktmaterial	Sphärolithe, Lamellen	[16]
Chromsäure	k.A.	k.A.	Spritzguss-, Blasformprobe	Sphärolithe	[17]
	20 - 70	0 - 12 h	Folie	Pitting, Oberflächenrauigkeit	[18]
Permanganatätzung	k.A.	1 h Ultraschallbad	Spritzgussprobe	Lamellen	[19]
	k.A.	2 h	Schmelzefilm	Lamellen	[20]
	k.A	2 h	Mikro-Spritzgussprobe	Fließlinien	[21]

Tabelle 4.8 *Fortsetzung*

Ätzmittel	Temperatur in°C	Zeit	Probenart	Ätzresultat	Literatur
Permanganatätzung	k.A.	3 h	Schmelzefilm	Ringsphärolithe, Lamellen	[22]
	RT	k.A.	Fasern, Schmelzefilm	Lamellen	[23]
	RT	15 - 90 min	Kompaktmaterial, Dünnschnitt	Lamellen	[11, 24, 25]
	RT, 60	15 min - 24 h	Kompaktmaterial	Lamellen	[26, 27]
	RT	60 - 90 min	Kompaktmaterial	Lamellen	[28]
	RT	4 - 20 h	k.A.	Lamellen	[29]
	60	15 min	k.A.	Lamellen	[29]
	60	2 h[2)]	Extrudierte Faser	Lamellen	[30]
Heptan	65	5 s - 7 min	Spritzgussprobe	Lamellen	[1]

Kompaktmaterial = aus der Literaturstelle ersichtlich, dass keine Film- oder Faserprobe vorlag, aber keine Angaben über den Herstellungsprozess.

1) Ätzen in der Dampfphase und anschließend 2 bis 5 s in der Flüssigkeit

2) Replika der geätzten Oberfläche für TEM verwendet

Tabelle 4.9 Überblick über in der Literatur beschrieben Ätzmittel für PP

Ätzmittel	Temperatur [°C]	Zeit	Probenart	Ätzresultat	Literatur
Heptan	65	5 s - 7 min	Spritzgussprobe	Lamellen	[1]
Toluol: Xylol 1:2	RT	8 - 20 h[1)]	Spritzgussprobe	Lamellen	[1]
Xylol	70	15 - 60 s	Kompaktmaterial	Keine Abbildung, „brauchbares Ergebnis"	[16, 6]
	70	10 min Ultraschallbad	Kompaktmaterial	Sphärolithstruktur	[16]
	70	70 s - 120 min	Spritzgussprobe	Sphärolithe	[2, 3]
	70	3 Tage	k.A.	Sphärolithe	[4]
Benzol: Xylol: Chloroform 01:01:01	80 - 85	2 - 3 min	Kompaktmaterial	Sphärolithe, teilweise Lamellen	[16, 31]
Ameisensäure	55	15 - 25 s	Kompaktmaterial	Lamellen	[6]
	70	25 s - 2,5 h	Spritzgussprobe	Sphärolithe	[2, 3]
Schwefelsäure	100	30 - 40 min	Spritzgussprobe	Sphärolithe	[2, 3]
Salpetersäure (rauchend)	70	1 - 8 h	Folie	Lamellenfragmente	[32]
Chromtrioxid in Schwefelsäure oder Schwefel-Phosphorsäure	70	24 h	Kompaktmaterial	Lamellen	[16]

Tabelle 4.9 *Fortsetzung*

Ätzmittel	Temperatur [°C]	Zeit	Probenart	Ätzresultat	Literatur
Chromschwefelsäure	70[2)]	5 - 10 min	Kompaktmaterial	Literaturzitat (Sphärolithe, transkritalline Zonen)	[33, 34]
Chromschwefelsäure: Salpetersäure	50 - 80	1 min - 6 h	k.A.	Belagbildung	[16]
	70	7 x (7 - 15 min)	k.A.	Lamellen	[16]
Permanganatätzung	k.A.	k.A.	Kompaktmaterial	Lamellen, z. T. Blendmorphologie	[5, 35, 36]
	k.A.	k.A.	Schmelzefilm	Lamellen	[23, 37, 38]
	k.A.	1 h Ultraschallbad	Spritzgussprobe	Lamellen	[19]
	RT	15 min - 1 h	Schmelzefilm, Kompaktmaterial	Lamellen	[39]
	RT	0,5 - 1 h	Schmelzefilm	Lamellen	[40, 41]
	RT	1 h	Laminat mit GF	Sphärolithe, Lamellen	[42]
	RT	2 h	Fasern	Defekte, Fibrillen	[43]
	RT	2 h	Schmelzefilm	Lamellen	[44, 45]
	RT	18 h	Kompaktmaterial	Sphärolithe, Lamellen	[46, 47]
	RT	20 h	Spritzgussprobe	Lamellen	[2]
	60	2 h	Spritzgussprobe	Sphärolithe, Lamellen	[48]

Kompaktmaterial = aus der Literaturstelle ersichtlich, dass keine Film- oder Faserprobe vorlag, aber keine Angaben über den Herstellungsprozess.

1) Ätzen in der Dampfphase und anschließend 2 - 5 s in der Flüssigkeit

2) Vorbehandlung 10 - 15 min in 10%iger Terpentinlösung

Tabelle 4.10 Überblick über in der Literatur beschrieben Ätzmittel für POM

Ätzmittel	Temperatur [°C]	Zeit	Probenart	Ätzresultat	Literatur
Salzsäure	RT	45 s - 3 min	Spritzgussprobe	Lamellen	[2, 3]
	RT	6 min - 1 h	k.A.	Lamellen	[16]
50%ige Ameisensäure	55	20 - 60 s	Schmelzefilm	Sphärolithe	[6]
Salpetersäure	RT	10 min	k.A.	Sphärolithe	[4]
Kaliumpermanganat in Orthophosphorsäure	RT	1 h	Schmelzefilm	Lamellen	[49]

Tabelle 4.11 Überblick über in der Literatur beschrieben Ätzmittel für PA

Ätzmittel	Temperatur [°C]	Zeit	Probenart	Ätzresultat	Literatur
Xylol	50	12 min	Spritzgussprobe PA6	Sphärolithe	[31]
	65	2 - 3 min	k.A., PA6	Sphärolithe	[16]
	65	2 - 3 min	Spritzgussprobe	Sphärolithe, Ansätze Lamellen	[31]
	75	3 - 4 min	Spritzgussprobe PA66	Sphärolithe	[16, 31]
	80	1 min	Spritzgussprobe PA6	Sphärolithe	[31]

Tabelle 4.12 Überblick über in der Literatur beschriebene Strukturuntersuchungen mit Plasmaätzung

Material	Plasmaart	Gas	Druck	Energie/ Leistung	Zeit	Ätzresultat/ Untersuchungsmethode	Literatur
PE	Glimmentladung	Sauerstoff	133 Pa	5 - 10 mA	k.A.	Ringsphärolithe, Lamellen/EM (Replika)	[50]
	RF 27, 12 MHz	Sauerstoff	0,015 - 0,15 Pa	200 V, 50 W	k.A.	Sphärolithe, Lamellen/EM	[51]
PE, Folie, z. T. gereckt	Hochfrequenz	Sauerstoff	5 - 15 Pa	k.A.	10 - 60 min	Lamellen/EM (Replika)	[52]
PE, Folie gereckt	RF 27, 8 MHz	Sauerstoff	0,01 Pa	100 W	10 min	Lamellenbündel/ EM (Replika)	[14, 53]
PE-LD, PE-HD, UHMW-PE Folie	RF	Sauerstoff	14 Pa	450 W	1 - 16 h	Ansätze Sphärolithe in PE-HD/ AFM	[57]
PE-LD/ Silikat	Glimmentladung	Luft	0,015 Pa	1000 V, 30 mA	20 s - 5 min	Füllstoffverteilung/REM	[58]
PE/PP-Blockcopolymer, Folie gereckt	Hochfrequenz	Luft	15 Pa	500 V, 3 mA	30 min	Phasenstruktur, Lamellen/REM	[56]
PP/PE-HD-Blend, Folie gereckt	Hochfrequenz	Luft	26,7 Pa	500 V, 3 mA	30 min	Phasenstruktur, Lamellen/REM	[59]
PP	RF 27,12 MHz	Sauerstoff	0,015 - 0,15 Pa	200 V, 50 W	k.A.	Sphärolithe, Lamellen/EM	[51]
	Mikrowelle	Sauerstoff	250 Pa	500 W	20 min	Sphärolithe, Lamellen/REM	[48]
PP, Schmelzefilm	RF 27,12 MHz	Sauerstoff	k.A.	k.A.	k.A.	Ringsphärolithe, Lamellen/DIK	[55]

Tabelle 4.12 *Fortsetzung*

Material	Plasmaart	Gas	Druck	Energie/ Leistung	Zeit	Ätzresultat/ Untersuchungsmethode	Literatur
PP, Faser, Folie	RF 40 MHz	Sauerstoff	0,13 - 0,5 Pa	20 mA	1 - 16 h	Sphärolithe, Lamellen, Pitting/REM	[60]
PP, Folie gereckt	Hochfrequenz	Sauerstoff	5 - 15 Pa	k.A.	10 - 60 min	Lamellen/EM (Replika)	[52]
	Hochfrequenz	Luft	15 Pa	500 V, 3 mA	30 min	Lamellen/REM	[56]
PP/Kreide	k.A.	k.A.	k.A.	100 W	40 min	Lamellen, Füllstoffverteilung/ REM	[61]
PA6	Glimmentladung	Argon	k.A.	k.A.	5 - 30 min	Sphärolithe, Lamellen/REM	[62]
	Hochfrequenz	Sauerstoff	k.A.	k.A.	k.A.	Sphärolithe, Lamellen/REM	[62]
	RF 27,12 MHz	Sauerstoff	0,015 - 0,15 Pa	200 V, 50 W	k.A.	Sphärolithe, Lamellen/EM	[51]
PA6	RF 27,12 MHz	Sauerstoff	0,3 Pa	300 - 500 V, 5 mA	15 min	Sphärolithe, Lamellen/REM	[63]
PA6-GF30, belastet	k.A.	Sauerstoff	0,001 - 0,01 Pa	k.A.	2 h	Faserbruch, Ablösung Faser-Matrix/REM	[64]
PA6, Faser	Glimmentladung	Sauerstoff, Argon	k.A.	50 - 200 W	5 - 30 min	Periodische Strukturen/REM	[65, 66]
PA66	RF	Sauerstoff, Argon	k.A.	200 W, 100 W	6 s - 5 min	Oberflächenrauhigkeit mit Sauerstoff/REM	[67]
PA66 und PET, Faser	Bogenentladung	Argon	1400 Pa	1000 V, 3 - 30 mA	5 min	Periodische Strukturen/EM (Replika)	[68]
Polycaprolactam, Faser	RF 18 MHz	Stickstoff	k.A.	0,5 - 5 kV, 1 - 100 mA	7 - 20 min	Lamellenstapel/ REM	[69, 70]
POM/ Messing	Mikrowelle	Sauerstoff	250 Pa	500 W	15 min	Lamellen/REM	[71]
PCL/PC, Folie	RF 13,56 MHz	Sauerstoff, Argon	30 Pa	50 W	10 min	Phaeenverteilung/REM	[72]
PC	RF 25 MHz	Sauerstoff	2 Pa	k.A.	5 h	Periodische Strukturen/REM	[54]

EM = Elektronenmikroskop ohne weitere Angabe, REM = Rasterelektronenmikroskop, TEM = Transmissionselektronenmikroskop, DIK = Differentialinterferenzkontrast

Tabelle 4.12 *Fortsetzung*

Material	Plasmaart	Gas	Druck	Energie/ Leistung	Zeit	Ätzresultat/ Untersuchungs-methode	Litera-tur
POM, Folie verstreckt	RF 27,8 MHz	Sauer-stoff	0,01 Pa	100 W	10 min	Periodische Strukturen/EM (Replika)	[53]
PBT-GF30	k.A.	Sauer-stoff	0,001 - 0,01 Pa	k.A.	2 h	Sphärolithe, transkristalline Front, Lamellen/ DIK, REM	[64]
PET Folie verstreckt	RF 27,8 MHz	Sauer-stoff	0,01 Pa	100 W	10 min	Periodische Strukturen/EM (Replika)	[53]
PEI-GF, Schmelze-film	k.A.	Luft	13 - 26 Pa	200 V, 6 mA	k.A:	Reihenstruktur/ REM	[77]
LCP-CF15	k.A.	Sauer-stoff	0,001 - 0,1 Pa	k.A.	2 h	Fließlinien/DIK	[64]
PS, gereckt	RF 25 MHz	Argon	0,03 - 0,07 Pa	k.A.	0,5 - 2 h	Periodische Strukturen/REM	[54]
	RF 25 MHz	Sauer-stoff	0,1 - 1 Pa	k.A.	1 - 3 h	Periodische Strukturen/REM	[54]
	Hoch-frequenz	Sauer-stoff	0,014 - 0,14 Pa	30 W	5 h	Periodische Strukturen/EM	[73]
	Hoch-frequenz	Sauer-stoff	14 - 140 Pa	60 W	1 - 3,5 h	Periodische Strukturen/EM	[73]
HIPS	RF 13,56 MHz	Sauer-stoff	50 Pa	50 W	10 min	Verteilung Modifier/REM	[74]
	RF 27,12 MHz	Sauer-stoff	0,015 - 0,15 Pa	200 V, 50 W	k.A.	Verteilung Modifier/EM	[51]
PVC, gereckt	RF 25 MHz	Sauer-stoff	1 Pa	k.A.	3 h	Periodische Strukturen/REM	[54]
PVC hart	RF 27 MHz	Argon	5 Pa	80 mA	20 min	Pulverkon-vergenzen/EM	[16]
PAN, Folie mit anor-ganischen Füllstoffen verstreckt	RF 27,12 MHz	Sauer-stoff	0,3 Pa	300 - 500 V, 5 mA	10 min	Füllstoff-verteilung, Fibrillen/REM	[92]
Blends (binär und tertiär)	Mikrowelle 2,45 GHz	Sauer-stoff	660 Pa	k.A.	30 min (Pulse)	Blend-morphologie, Lamellen	[75]
Alkydan-strich/Ti-tandioxid	RF 18 MHz	Stick-stoff	k.A.	0,5 - 5 kV, 1 - 100 mAmA	40 min	Füllstoff-verteilung/REM	[69, 70]

EM = Elektronenmikroskop ohne weitere Angabe, REM = Rasterelektronenmikroskop, TEM = Transmissions-elektronenmikroskop, DIK = Differentialinterferenzkontrast

Tabelle 4.12 *Fortsetzung*

Material	Plasmaart	Gas	Druck	Energie/ Leistung	Zeit	Ätzresultat/ Untersuchungs-methode	Literatur
Epoxidharz	RF 18 MHz	Stickstoff	k.A.	0,5 - 5 kV, 1 - 100 mA	k.A.	Periodische Strukturen/REM	[70]
Styrol-n-Butylmethacyrlat-Co-polymer/ Zinkoxid	Glimmentladung	Sauerstoff	3 Pa	100 V	5 - 20 min	Füllstoffverteilung/REM	[76]

EM = Elektronenmikroskop ohne weitere Angabe, REM = Rasterelektronenmikroskop, TEM = Transmissionselektronenmikroskop, DIK = Differentialinterferenzkontrast

Literatur zu Tabellen 4.8 bis 4.12

[1]	*Mao, L. J.; Zhang, Z. P.; Ying, S. K.*	Study of the morphology of IPP and IPP/PE blends by a new etching method Polymer Communications 32 (1991) 8, S. 242 - 244
[2]	*Breining, A.; Ehrenstein, G. W.; Varga, J.*	Ätzen von Kunststoffen Materialprüfung 39 (1997) 3, S. 81 - 85
[3]	*Breining, A.; Ehrenstein, G. W.*	Ätzen von Kunststoffen in: Fortschritte in der Metallographie, Sonderbände der Prakt. Metallographie 27, Hrsg. M.Kurz, M.Pohl, DGM Informationsgesellschaft, Oberursel, 1995, S. 79 - 82
[4]	*Petzow, G.*	Metallographisches, keramographisches, plastographisches Ätzen Gebrüder Borntraeger, Berlin, 1994
[5]	*Olley, R. H.*	Selective etching of polymeric materials Sci. Prog. 70 (1986) S. 17 - 43
[6]	*Behre, K.; Kallweit, J.-H.*	Zum Problem der Auflichtmikroskopie an partiell-kristallinen Hochpolymeren Progr. Colloid & Poymer Sci. 57 (1975) S.154 - 175
[7]	*Marsoglu, M. Y.; Piskin, S.; Kaban, S.*	Der Einfluß von organischen Säuren auf Polyethylen Pract. Met. 27 (1990) 6, S. 291 - 300
[8]	*Uehara, H.; Nakae, M.; Kanamoto,T.; et al.*	Structural characterization of ultrahigh-molecular-weightpolyethylene-reactorpowdersbasedonfuming nitirc acid etching Polymer 39 (1998) 24, S. 6127 - 6135
[9]	*Bag, D. S.; Kumar, V. P.; Maiti, S.*	Etching of a low-density polyethylene film by fuming nitric acid Angew. Makromol. Chemie 249 (1997) 7, S. 33 - 46
[10]	*Cook, J. T. E.; Klein, P. G.; Ward, I. M.; Brain, A. A.; et al.*	The morphology of nascent and moulded ultra-high molecular weight polyethylene. Insights from solid-state NMR, nitric acid etching, GPC and DSC Polymer 41 (2000) 24, S. 8615 - 8623
[11]	*Freedman, A. M.; Bassett, D. C.; Vaughan, A. S.; Olley, R. H.*	On quantitative permanganic etching Polymer 27 (1986) 8, S. 1163 - 1169
[12]	*Capaccio, G.; Ward, I. M.*	Structural studies of ultrahigh-modulus polyethylene using nitric acid etching and gel permeation chromato- graphy: II. Influence of polymer molecular weight, draw temperature and annealing J. Polym. Sci.: Polym. Phys. Ed. 20 (1982) 7, S. 1108 - 1128
[13]	*Mills, P. J.; Hay, J. N.*	The lamella size distribution in non-isothermally crystallized low density polyethylene Polymer 25 (1984) 9, S. 1277 - 1280
[14]	*Goddar, H.*	Physikalische und chemische Ätzverfahren zur Präparation massiver Hochpolymere in: Methodensammlung der Elektronenmikroskopie, Hrsg. G. Schimmel, W. Vogel, Wissenschaftliche Verlagsgesellschaft, Stuttgart, 1983, Kap. 2.4.1.1
[15]	*Peterlin, A.*	Molecular aspects of oriented polymers in: Structure and properties of oriented polymers, ed. I. M. Ward, Appl. Science Publishers, London, 1975, S. 36 - 56

[16]	*Berndtsen, N.; Jansen, F. J.*	Präparation von Polymeren für die Licht- und Elektronenmikroskopie IKV, Aachen, 1979
[17]	*Bubeck, R. A.; Baker, H. M.*	The influence of branch length on the deformation and microstructure of polyethylene Polymer 23 (1982) 10, S. 1680 - 1684
[18]	*Bag, D. S.; Kumar, V. P.; Maiti, S.*	Chemical modification of LDPE film J. Appl. Polymer Sci. 71 (1999) 7, S. 1041 - 1048
[19]	*Burke, M.; Young, R. J.; Stanford, J. L.*	The spherulitic and lamellar morphology of titanium dioxide-filled polyolefins Plastics, Rubber and Composites Processing and Applications 20 (1993) 3, S. 121 - 135
[20]	*Shahin, M. M.; Olley, R. H.; Blissett, M. J.*	Refinement of etching techniques to reveal profiles in polyethylene banded spherulites J. Polym. Sci. Part B: Polym. Phys. 37 (1999) 16, S. 2279 - 2286
[21]	*Greenway, G. R.; Allan, P. S.; Bevis, M. J.; Hornsby, P. R.*	The mechanical testing of micro injection mouldings Antec (2002) S. 1695 - 1699
[22]	*Janimak, J. J.; Markey, L.; Stevens, G. C.*	Spherulitic banding in metallocene catalysed polyethylenespherulites Polymer 42 (2001) 10, S. 4675 - 4685
[23]	*Bassett, D. C.*	Permanganic etching and its insights into crystalline polymers in: Developments in crystalline polymers 2, ed. D. C. Bassett, Elsevier Applied Sci., Essex, 1988, S. 67 - 113
[24]	*Freedman, A. M.; Bassett, D. C.; Olley, R. H.*	An investigation of permanganic etchning of linear low-density polyethylene J. Macromol. Sci. – Phys. B 27 (1988) 4, S. 319 - 335
[25]	*Bassett, D. C*	Electron microscopy and quantitative polymer morphology Macromol. Chem. Macromol. Symp. 69 (1993) 5, S. 155 - 163
[26]	*Naylor, K. L.; Phillips, P .J.*	Optimization of permanganic etching of polyethylenes for scanning electron microscopy J. Polym. Sci.: Polym. Phys. Ed. 21 (1983) 10, S. 2011 - 2026
[27]	*Gohil, R. M.*	Etching and the morphology of branched and cross- linked polyethylene Colloid & Polymer Science 264 (1986) 11, S. 951 - 964
[28]	*Shen, Y .; Gvozdic, N.; Meier, D.*	Morphology study of polymer blends by SEM combined with permanganic etching technique Polym. Prepr. 36 (1995) 2, S. 116 - 117
[29]	*Olley, R. H.; Bassett, D. C.*	An improved permanganic etchant for polyolefines Polymer 23 (1982) 11, S. 1707 - 1710
[30]	*Bashir, Z.; Hill, M. J.; Keller, A.*	Comparative study of etching techniques for electron microscopy using melt processed polyethylene J. Materials Sci. Let. 5 (1986) 9, S. 876 - 878
[31]	*Bartosiewicz, L.; Mencik, Z.*	An etching technique to reveal the supermolecular structure of crystalline polymers J. Polym. Sci.: Polym. Phys. Ed. 12 (1974) 6, S. 1163 - 1175
[32]	*Tanaka, H.*	Fuming nitric acid treatment of isotactic polypropylene film Colloid & Polymer Science 260 (1982) 12, S. 1101 - 1106

[33]	*Hobbs, S. Y.*	Morphology in: Plastics polymer science and technology, ed. M. D. Baijal, J.Wiley & Sons, New York, 1982, S. 239 - 295
[34]	*Hobbs, S. Y.*	Polymer microscopy J. Macromol. Sci.-Rev. Macromol. Chem. 19 (1980) 2, S. 221 - 265
[35]	*Kwag, H.; Rana, D.; Cho, K.; Rhee, J.; et al.*	Binary blends of metallocene polyethylene with conventional polyolefins: Rheological and morphological properties Polym. Eng. Sci. 40 (2000) 7, S. 1672 - 1681
[36]	*Chen, L. M.; Shen, K. Z.*	Biaxial self-reinforcement of isotactic polypropylene prepared in uniaxial oscillating stress field by injection molding: II. Morphology J. Appl. Polymer Sci. 78 (2000) 11, S. 1911 - 1917
[37]	*Varga, J.*	Beta-modification of isotactic polypropylene: preparation, structure, processing, properties, and application Journal of Macromolecular Science Part B - Physics 41 (2002) 4, S. 1121 - 1171
[38]	*Zhang, X.; Olley, R. H.; Huang, B.; Bassett, D. C.*	Characterization of propylene/ethylene copolymers sequentially polymerized with -TiCl3/Et2AlCl catalyst system Polymer International 43 (1997) 1, S. 45 - 54
[39]	*Basett, D. C.; Olley R. H.*	On the lamellar morphology of isotactic polypropylene spherulites Polymer 25 (1984) 7, S. 935 - 943
[40]	*Dong, L.; Bassett, D. C.; Olley, R. H.*	On nucleation and isothermal changes in supercooling in a partially miscible polypropylene/polyethylene blend J. Macromol. Sci.-Phys. B 37 (1998) 4, S. 527 - 542
[41]	*Weng, J.; Olley, R. H.; Bassett, D. C.; Jääskeläinen, P.*	Changes in the melting behavior with the radial distance in isotactic polypropylene spherulites Journal of Polymer Science Part B - Polymer Physics 41 (2003) 19, S. 2342 - 2354
[42]	*Ismail, Y. S.; Richardson, M. O. W.; Olley, R. H.*	Optimizing impact properties of PP composites by control of spherulitic morphology Journal of Applied Polymer Science 79 (2001) 9, S. 1704 - 1715
[43]	*Abo El Maaty, M. I.; Bassett, D. C.; Olley, R. H.; Dobb, M. G.; et al.*	On the formation of defects in drawn polypropylene fibres Polymer 37 (1996) 2, S. 213 - 218
[44]	*Vittoria, V.; Olley, R. H.; Bassett, D. C.*	Structural changes in solvent-induced crystallization of quenched isotactic polypropylene Colloid & Polymer Science 267 (1989) 8, S. 661 - 667
[45]	*White, H. M.; Bassett, D. C.*	On row structures, secondary nucleation and continuity in alpha-polypropylene Polymer 39 (1998) 14, S. 3211 - 3219
[46]	*Aboulfaraj, M.; Ulrich, B.; Dahoun, A.; G' Sell, C.*	Spherulitic morphology of isotactic polypropylene investigated by scanning electron microscopy Polymer 34 (1993) 23, S. 4817 - 4825
[47]	*Aboulfaraj, M.; G' Sell, C.; Ulrich, B.; Dahoun, A.*	In situ observation of the plastic deformation of polypropylene spherulites under uniaxial tension and simple shear in the scanning electron microscope Polymer 36 (1995) 4, S. 731 - 742

[48]	*Bachmann, C.*	Lichtmikroskopie und Elektronenmikroskopie in: 8. Hochschulpraktikum Schadensanalyse an Kunststoffen, 19. - 21. 2. 2003, Universität Erlangen - Nürnberg, Kap. 9
[49]	*Shahin, M. M.; Olley, R. H.*	Novel etching phenomena in poly(3-hydroxy-butyrate) and poly(oxymethylene) spherulites J. Polym. Sci. B: Polymer Physics 40 (2002) 1, S. 124 - 133
[50]	*Patel, G. N.*	Chemical methods in polymer physics in: Polymers Part B: Crystal structure and morphology, ed. R. A. Fava, Academic Press, New York, 1980, S. 237 - 286
[51]	*Dietl, J. J.*	Elektronenmikroskopische Untersuchungen an sauerstoffgeätzten Kunststoffen Kunststoffe 59 (1969) 11, S. 792 - 798
[52]	*Chalykh, A. Y.; Petrova, I. I.; Vasilenko, Z. G.; Gerasimov, V. I.; Brusentsova, V. G.*	Gas-discharge etching as a method for structural investigations of crystalline polymers Polymer Science USSR (Vysokomol Soyed. A) 16 (1974) 6, S. 1489 - 1498
[53]	*Fischer, E. W.; Goddar, H.; Schmidt, G. F.*	Über Zusammenhänge zwischen der Röntgenkleinwinkelstreuung und der morphologischen Struktur verstreckter Hochpolymerer Kolloid-Z. u. Z. Polymere 226 (1968) 1, S. 30 - 40
[54]	*Neppert, B.; Heise, B.; Kilian, H. G.*	Ion etching of polymers Colloid & Polymer Sci. 261 (1983) 7, S. 577 - 584
[55]	*Kimmel, H.; Opitz, H.*	Gefügedarstellung von Sphärolithen unter Anwendung der Ionenätzung Kolloid-Z. u. Z. Polymere 250 (1972) 6, S. 573 - 575
[56]	*Kojima, M.; Satake, H.*	Etched surface morphology of crystalline polymers J. Polym. Sci.: Polym. Phys. Ed. 20 (1982) 11, S. 2153 - 2158
[57]	*Intrater, R.; Lempert, G.; Gouzman, I.; et al.*	Simulated low earth orbit environment interaction with different types of polyethylene High Performance Polymers 16 (2004) 2, S. 249 - 266
[58]	*Janigova, I.; Khunova, V.; Kozankova, J.*	Plasma treatment of particulate polymer composites for analysis by scanning electron microscopy: I. Morphology of silica filled low density polyethylene Polymer Testing 18 (1999) 1, S. 51 - 61
[59]	*Kojima, M.; Satake, H.*	Morphological and structural features of heat-drawn polypropylene/high-density polyethylene blends J. Polym. Sci.: Polym. Phys. Ed. 22 (1984) 2, S. 285 - 294
[60]	*Garton, A.; Sturgeon, P. Z.; Carlsson, D. J.; Wiles, D. M.*	Plasma etching of polypropylene films and fibres J. Materials Sci. 13 (1978) 10, S. 2205 - 2210
[61]	*Tjong, S. C.; Li, R. K. Y.; Cheung, T.*	Mechanical behavior of CaCo3 particulate-filled beta-crystalline phase polypropylene composite Polym. Eng. Sci. 37 (1997) 1, S. 166 - 172
[62]	*Bohonek, J.*	Untersuchung der Polymere mit Hilfe der Ionenätzung Beitr. Elektronenmikroskop. Direktabb. Oberfl. 7 (1974) S. 701 - 722
[63]	*Orth, H.*	Die Ionenätzung als Präparationsmethode für raster-elektronenmikroskopische Untersuchungen an Polymeren Wiss. Mikrosk. u. mikrosk. Techn. 70 (1970) 3, S. 179 - 188

[64]	*Möginger, B.; Müller, U.; Eyerer, P.*	Morphological investigations of injection moulded fibre-reinforced thermoplastic polymers Composites 22 (1991) 6, S. 432 - 436
[65]	*Yip, J.; Chan, K.; Sin, K.; Lau, K.*	Study of plasma-etched and laser irradiated polyamide materials Materials research innovations 6 (2002) 4, S. 44 - 50
[66]	*Yip, J.; Chan, K.; Sin, K.; Lau, K.*	Comprehenxive study of polymer fiber surface modifications part 2: low-temperature oxygen-plasma treatment Polymer International 53 (2004) 6, S. 634 - 639
[67]	*Anagreh, N.; Al-Salt, J.; Dorn, L.; Bilke- Krause, C.*	Niederdruckplasmavorbehandlung von Polyamidoberflächen (PA) Kautschuk Gummi Kunststoffe 56 (2003) 12, S. 661 - 670
[68]	*Anderson, F. R.; Holland, V. F.*	Ion-bombardment etching of synthetic fibers J. Appl. Physics 31 (1960) 9, S. 1516 - 1718
[69]	*Pelzbauer, Z.*	Freilegung der inneren Morphologie von Polymeren mittels der Ätzung in der Hochfrequenz- Glimmentladung Faserforschung u. Textiltechnik 39 (1978) 2, S. 71 - 75
[70]	*Pelzbauer, Z.*	Ionenätzung in der Elektronenmikroskopie der Polymeren Plaste und Kautschuk 20 (1973) 5, S. 382 - 384
[71]	*Breining, A.; Ehrenstein, G. W.*	Ätzen von teilkristallinen Thermoplasten für mikroskopische Untersuchungen Praktische Metallographie 41 (2004) 5, S. 247 - 261
[72]	*Hirotsu, T.; Ketelaars, A. A. J.; Nakayama, K.*	Plasma surface treatment of PCL/PC blend sheets Polym. Eng. Sci. 40 (2000) 11, S. 2324 - 2331
[73]	*Wintergerst, S.; Großkurth, K. P.*	Einfluß von Präparationsverfahren auf die Struktur von gerecktem Polystyrol Kunststoffe 62 (1972) 4, S. 255 - 258
[74]	*Ramesch, N. S.; Padiyath, R.; Campbell, G. A.; Babu, S. V.*	Observation of morphology of polystyrenic materials using oxygen plasma etching J. Polymer Sci. Part B: Polymer Physics 29 (1991) 8, S. 1031 - 1034
[75]	*Kim, J. M.; Lee, M.; Kim, S.; Kang, S.*	A novel characterization method for investigating the morphology of polymer blends including polyolefin/polyolefin blends Antec (2003) S. 1931 - 1935
[76]	*Yang, A. C.-M.; Allen, R. D.; Reiley, T. C.*	Evaluation of particle dispersion in polymer solids by oxygen plasma etching J. Appl. Polym. Sci. 46 (1992) 5, S. 757 - 762
[77]	*Huang, Y .; Petermann, J.*	Interface layers of fiber reinforced composites with transcrystalline morphology Polymer Bulletin 36 (1996) 4, S. 517 - 524

Index

E

F

G

H

I

K